Onder dwang

Ook van James Siegel:
Ontspoord

James Siegel

Onder dwang

Karakter Uitgevers B.V.

Oorspronkelijke titel: Detour
© 2005 James Siegel
This edition published by arrangement with Warner Books, Inc., New York, New York, USA. All rights reserved.
Vertaling: Rie Neehus
© 2005 Karakter Uitgevers B.V., Uithoorn
Omslag: Select Interface

ISBN 90 6112 053 5
NUR 332

PROLOOG

Het is een oud gezegde. Een adagium. Een geruststellend woord voor de verstandigen. Of liever gezegd, voor de bangeriken. Het is bedoeld om te verzachten, te kalmeren, om mensen te laten zien dat het volslagen dwaas is wat ze denken.

Je zegt het wanneer iemand bang is om iets te doen.

Om te reizen, bijvoorbeeld.

Om de trein te nemen. In een vliegtuig te stappen. Een boot te charteren.

Om te gaan diepzeeduiken. Te jetskiën. Te rolschaatsen. Met een ballon te varen.

Ze zijn bang dat hun iets verschrikkelijks zal overkomen, dat ze zich hebben voorgenomen van een leuke middag te genieten, een dag, een vakantie, een leven, maar dat ze in plaats daarvan dood zullen gaan.

En wat zeg je dan tegen hen?

De kans is groter dat je door een bus wordt overreden terwijl je de straat oversteekt.

Want hoe vaak gebeurt dát nu eigenlijk?

Hij bewaarde een geheim dossier in zijn onderste bureaula, begraven onder zijn ontelbare tabellen, wat bij speciale gelegenheden tevoorschijn werd gehaald en afgestoft, als een soort geheugensteuntje.

J. Boksi, 38, op het punt zich te gaan verloven. Hij kwam de juwelierswinkel uit lopen, terwijl hij de ring bewonderde met de ovaalgeslepen tweekaraats diamant, gezet in opengewerkt wit goud.

S. Lewes, 22, zojuist afgestudeerd in MBA aan de Bucknell Universiteit. Ze had haar eerste sollicitatiegesprek achter de rug en staarde omhoog naar de hoogste gebouwen die ze ooit gezien had.

T. Noonan, 70, liefhebbende grootvader. Hij maakte een wandelingetje met zijn kleinzoon van vier, en legde uit waarom Batman het in een eerlijk gevecht niet kon winnen van Superman, nooit, van zijn leven niet.

E. Riskin, 60.
C. Meismer, 78.
R. Vaz, 33.
L. Parkins, 11.
J. Barbagallo, 35.
R. en S. Parks – tweeling, 18.
Ze waren allemaal aangereden door een bus terwijl ze de straat overstaken.
Allemaal, zonder uitzondering.
Ze waren allemaal dood.
Het herinnerde hem eraan dat het, ondanks wat je denkt, kan gebeuren.
Het kan.
Het kan zelfs jou overkomen.

'De verzekeringsexpert berekent het raakpunt tussen risico en waarschijnlijkheid, in de hoop de kans op ongewenste gebeurtenissen te verkleinen.'
Handboek voor verzekeringsexperts

'De kans is groot dat je een goede kans maakt.'
Johnny Mathis

1

Buenos tardes.
Toen ze in Bogotá waren aangekomen was het eerste wat Paul en Joanna zagen, een man zonder hoofd.
Een foto van de man in kwestie, blijkbaar de voormalig locoburgemeester van Medellin, was te zien op een groot aantal enorme posters die tegen de muren van El Dorado Airport waren geplakt en die allemaal reclame maakten voor verschillende kranten die in Bogotá verschenen. De man lag achteloos midden op straat uitgestrekt, alsof hij slechts een zeer noodzakelijke rustpauze nam. Maar zijn overhemd was besmeurd met opgedroogd bloed, en hij miste duidelijk zijn hoofd. Het was eraf geblazen door een autobom, die óf door de linkse FARC óf door het rechtse USDF was geplaatst – het hing ervanaf welke theorie je verkoos te geloven.
Paul vond het niet zo'n prettig welkom. Maar alles bij elkaar genomen had hij toch het gevoel dat hij *bedankt* moest zeggen.
Blij hier te zijn.
Dat kwam doordat vlucht 31 van JFK naar Colombia achttien uur had geduurd, elf uur langer dan gepland. Er was een vertraging van vijf uur opgetreden op J.F. Kennedy Airport, en een onvoorziene tussenlanding in Washington DC om bagage op te pikken die toebehoorde aan een naamloos gebleven Colombiaanse diplomaat.
Ze hadden uren in de brandende zon op een landingsbaan in Washington gestaan – zonder bloody mary's of gin-tonics om de verveling te verdrijven of de hitte tegen te gaan. Het serveren van alcoholische drankjes tijdens een vertraging aan de grond werd blijkbaar niet toegestaan door de FAA. Dat was waarschijnlijk een goed idee. De algemene stemming aan boord was kwaad en opstandig geworden – mogelijk met uitzondering van Joanna en de passagier rechts van Paul, die rustig voor zich uit zat te kijken naar de rugleuning van de stoel voor hem.

Hij was amateur-ornitholoog, vertelde hij.

Hij was gewend aan wachten. Hij was onderweg naar de oerwouden van Noord-Colombia om op zoek te gaan naar de geelgevlekte toekan. Paul bleef op zijn horloge kijken en zich afvragen waarom de wijzer maar niet wilde bewegen.

Joanna, zoals gewoonlijk een bolwerk van rust, had hem eraan herinnerd dat ze vijf jaar gewacht hadden. Tien uur meer of minder zou niet dodelijk zijn.

Ze had gelijk, natuurlijk.

De vertraging in New York, de tussenstop van zes uur in Washington, de steeds smeriger wordende lucht in de cabine, *zouden* hem niet doden. Hij wist wat mensen zou doden en wat niet. Hij was tenslotte expert bij een grote verzekeringsmaatschappij waarvan het logo – een paar vaderlijk wiegende handen – twintig keer per dag te zien was in weeïg-zoete reclamespots. Hij kon de risicopercentages van allerlei dagelijkse activiteiten, de percentages van ongelukken en sterfgevallen, van A tot en met Z opdreunen.

Hij wist dat de kans om te overlijden in een vliegtuig, bijvoorbeeld, precies 1 op 354.319 was – zelfs na de recente, kleine stijging die te wijten was aan mannen wier voornaam *Al* was en wier achternaam *Qaida*. Vertraging bij het opstijgen zou in verzekeringstaal *statistisch onbelangrijk* genoemd worden.

Vluchtvertragingen konden je niet doden.

Autobommen wel.

Over autobommen gesproken.

Toegegeven, het zien van de man zonder hoofd bracht hen een beetje van hun stuk. Toen ze van de gate in de richting van de bagageband liepen zag Joanna de eerste gruwelijke poster. Onmiddellijk wendde ze haar blik af, terwijl Paul de eerste, vage angstprikkels voelde.

Dat ze zich een weg moesten banen naar de douane onder de norse ogen van soldaten met AK-47's aan hun schouder hielp niet bepaald. Nadat ze eindelijk hun bagage van de band hadden gehaald, werden ze benaderd door een gebogen man met wit haar, die een slordig met de hand geschreven bordje boven zijn hoofd hield.

Breidbard, Paul, stond erop. Hun achternaam was verkeerd gespeld.

'Ik word zeker als bagage beschouwd,' fluisterde Joanna hem toe.

De oude man stelde zich voor als *Pablo,* waarna hij Paul verlegen een hand gaf. Hij pakte alle drie de koffers met één snelle beweging op. Toen Paul probeerde hem ten minste één koffer te ontfutselen, de man moest tenslotte zeker dertig jaar ouder zijn dan hij, weigerde Pablo beleefd.

'Het gaat prima,' zei hij lachend. 'Volgt u me alstublieft...'

Pablo was ingehuurd door het Santa Regina-weeshuis. Hij zou hun gids zijn in Bogotá, verklaarde hij. Hij zou hen rijden, boodschappen voor hen doen, en hen door de hele procedure loodsen. Hij zou hen overal vergezellen, deelde hij hun mee.

Dat was een geruststellende gedachte.

Pablo loodste hen door de wanordelijke, verstikkende menigte. Op alle luchthavens heerste een nauwelijks beheersbare chaos, maar El Dorado was erger. Het publiek leek te bestaan uit voetbalsupporters die hadden verloren – luid, door elkaar krioelend en gevaarlijk. Paul, die zijn Spaans een beetje had opgehaald, was het woord voor *pardon* vergeten – en moest terugvallen op een primitieve vorm van gebarentaal bij zijn pogingen om mensen ertoe te bewegen opzij te gaan. De meesten negeerden hem eenvoudigweg, of keken hem aan alsof hij gestoord was. Uiteindelijk nam hij zijn toevlucht tot domweg duwen, om zich een weg naar de uitgang te banen.

Door de mensenmassa dringen was echter slechts een van hun problemen.

Het andere was, Speedy Gonzalez, alias Pablo, bij te houden.

Hij leek opvallend vief voor iemand die tegen de zeventig moest lopen, zelfs terwijl hij drie uitpuilende koffers droeg.

'Denk je dat hij coca kauwt of zoiets?' vroeg Joanna. Joanna ging drie ochtenden per week joggen en kon ruim anderhalf uur bezig zijn op de stepmachine, maar zelfs zij had er moeite mee om zijn tempo bij te houden.

'Pablo...?' Paul moest zijn naam verschillende keren roepen voor Pablo zich eindelijk omdraaide en merkte dat de twee mensen aan wie hij zich zou moeten vastplakken, buiten adem waren en gevaarlijk ver achterop raakten.

'Sorry,' zei hij, bijna schaapachtig. 'Ik ben gewend aan... hoe zeg je het ook weer... *giddyup.*' Hij glimlachte.

'Dat is oké,' zei Paul. 'Maar we willen je niet kwijtraken.'

Ze waren nu de automatische schuifdeuren door en stonden aan de

9

rand van een uitgestrekt parkeerterrein dat aan de luchthaven grensde. Een zee van auto's, bespikkeld met golfjes langzaam wandelende passagiers, leek zich eindeloos naar alle richtingen uit te strekken.

'Wat ruik ik toch?' vroeg Joanna.

Paul snoof de lucht op; motorolie en diesel wilde hij zeggen. Maar Joanna beschikte over een griezelig accuraat reukvermogen, meer een reukintuïtie, dus hij hield wijselijk zijn mond.

'Ah...' zei Pablo. 'Wacht.' Voorzichtig zette hij de koffers op het gebarsten plaveisel, daarna liep hij een meter of zeven door tot wat, althans van deze afstand, een soort kaartjesloket leek.

Dat was het niet. Hij kwam terug met twee stevig opgerolde pakjes waar stoompluimpjes uit kwamen.

'*Empanadas*,' zei hij, en hij gaf ze aan Paul en Joanna. '*Pollo*.'

'Kip,' fluisterde Paul in Joanna's oor.

'Bedankt,' fluisterde ze terug, 'ik heb ook bij Taco Bell gegeten.' Daarna vroeg ze Pablo: 'Wat zijn we je schuldig?'

Pablo schudde zijn hoofd. '*Nada*.'

'Dank je, Pablo – dat is erg aardig van je.' Joanna nam een hap van haar empanada, waarna ze een klodder rode saus van haar onderlip moest likken. 'Mmmm... dat is echt lekker.'

Pablo grinnikte. Paul dacht dat zijn gezicht tegelijkertijd teder en hard leek – of op zijn minst verweerd.

'Wacht hier, ik zal de auto halen,' zei Pablo, rekening houdend met hun kennelijk niet al te beste conditie.

'Hij is lief, vind je niet?' zei Joanna, nadat Pablo verdwenen was in een rij Volkswagens, Renaults en Mini-Coopers.

'Ja, misschien moeten we hém maar adopteren,' antwoordde Paul. Hij pakte haar vrije hand en drukte die – de hand was plakkerig van het zweet. 'Opgewonden?'

Ze knikte. 'Nou, en of.'

'Op een schaal van een tot tien?'

'Zeshonderdelf.'

'Is dat alles?'

Twee minuten later verscheen Pablo, achter het stuur van een oude, blauwe Peugeot.

2

Hun advocaat had een kamer voor hen gereserveerd in een hotel met een Franse naam en een Amerikaanse ambiance, gelegen in een van de betere wijken van Bogotá. De straat, de *Calle 93*, bestond voornamelijk uit moderne boetieks, hoge hotelgebouwen en hip-uitziende restaurants met blauwgetinte ramen.

Hun hotel heette *l'Esplanade,* een naam die riekte naar Franse luxe, maar in de koffiebar in de lobby stonden Texas Steerburgers en Philly Fries op het menu.

Hun suite op de negende verdieping bood een onbelemmerd uitzicht op de omringende, groene bergen. Toen Joanna de gordijnen openschoof en Paul erop wees, vroeg hij zich tegen wil en dank af of er gewapende opstandelingen naar hem terugkeken. Hij besloot die gevoelens niet met zijn vrouw te delen.

Ze waren natuurlijk uitgebreid gewaarschuwd vóór hun vertrek naar Colombia.

Hun eerste advocaat had er bij hen op aangedrongen het elders te proberen.

Overal elders.

Korea, had hij geopperd. Hongarije. *Wat dachten jullie van China?* Colombia, had hij met nadruk gezegd, was te onzeker. De verkoop van kogelvrij glas was een *snelgroeiende, nationale industrie,* had hij eraan toegevoegd.

Maar Korea, of Hongarije, of China konden twee tot vier jaar wachttijd vergen.

In Colombia was die twee maanden. Maximaal.

Na vijf lange en vaak kwellende jaren te hebben gewacht om ouders te worden, hadden nog twee jaren hen ondraaglijk geleken. Wanhoop worstelde met voorzichtigheid, en had overtuigend gewonnen.

Ze waren prompt doorverwezen naar een andere advocaat, die gespecialiseerd was in Zuid-Amerika.

Zijn naam was Miles Goldstein, en waar hij beslist in gespecialiseerd leek, was enthousiasme. Hij was hartelijk, uitbundig, schijnbaar onvermoeibaar, en schaamteloos gedreven. In dit speciale geval om twee noodlijdende partijen bijeen te brengen. Er waren daarginds baby's die behoefte hadden aan een thuis – er waren hier echtparen die behoefte hadden aan baby's. Het was zijn missie om beide partijen gelukkig te maken. Aan de muur achter zijn bureau hing een met de hand geborduurde spreuk.

Hij die één kind redt, redt de wereld.

Het was moeilijk een advocaat die een dergelijke denkwijze eropna hield, niet te mogen.

Miles verzekerde hen dat, hoewel Colombia geen oase van vrede was, de hoofdstad vrijwel geen problemen bood. De oorlog was nu al dertig jaar aan de gang – die was eenvoudig een deel van het landschap geworden. Maar dat landschap lag voornamelijk in het noorden, was bergachtig en ver weg van Bogotá. Om precies te zijn was Bogotá, volgens een recent artikel in het tijdschrift *Destinations,* waarvan Miles een fotokopie uit zijn bureaula haalde om die aan hen te overhandigen, veiliger dan Zwitserland.

Je moet in Zürich echt op je tellen passen, zei Miles.

Pablo had woord gehouden.

Hij had hen tot voor het hotel gereden en was vervolgens naar binnen gevlogen met hun bagage, de aangeboden hulp van een merkbaar geïrriteerde piccolo afslaand. Toen Paul en Joanna Pablo achterna liepen, de bonte art-decolobby in, wachtte een portier met een lichtbruine huid en geverfd blond haar, die een beetje lispelde, om hen naar hun kamer te brengen.

Pablo beloofde drie uur later terug te komen om hen naar het weeshuis te brengen.

Nadat de man was vertrokken strekte Paul zich op het ruimbemeten bed uit en zei: 'Ik wilde dat ik in slaap kon vallen, maar het lukt niet.'

Twee uur later werd hij wakker en vroeg: 'Hoe laat is het?'

Joanna zat bij het raam de nieuwste editie van het tijdschrift *Moeder & Baby* te lezen. Paul moest er even aan denken dat ze zich er meer dan vier jaar geleden op had geabonneerd.

'Jammer dat je niet kon slapen, schat,' zei ze.

'Ik denk dat het me overviel.'

12

'Dat denk ik ook.'
'Heb jij een dutje gedaan?'
'Nee. Te opgefokt.'
'Hoe laat is het?'
'Nog een uur, dan komt Pablo terug.'
'Een uur. Nou...'
Joanna legde het tijdschrift ondersteboven neer en ze lachte tegen hem. De omslag toonde een verbazingwekkende close-up van de ogen van een pasgeboren baby: lichtblauw. 'Onwezenlijk, vind je ook niet?' zei Joanna.
'Onwezenlijk is het juiste woord.'
'Ik bedoel... over een uur krijgen we haar te zien.'
'Ja. Moet ik niet ijsberen, of zoiets?'
'Of zoiets.'
'Nou, ik wil best ijsberen. Maar er is niet genoeg ruimte. Denk maar dat ik in gedachten loop te ijsberen.'
'Paul?'
'Ja?'
'Ik ben zo gelukkig. Denk ik.'
'Waarom *denk ik?*'
'Omdat ik ook bang ben.'
Het was niets voor Joanna om ergens bang voor te zijn – dat was zíjn afdeling. Het was voldoende voor hem om van het bed af te komen en naar haar stoel te lopen, waar hij het prikkelende gevoel uit zijn benen schudde en zich vervolgens bukte om haar te knuffelen. Ze legde haar hoofd op zijn schouder en hij rook shampoo, Chanel No. 5, en ja, een lichte, zurige angst.
'Je zult het geweldig doen,' zei Paul. 'Fantastisch.'
'Hoe weet je dat?'
'Omdat je mij tien jaar als een baby hebt vertroeteld, en ík geen klachten heb. Omdat ik het zeg.'
'Nou ja, als jij het zegt...'
Ze hief haar hoofd op en hij kuste haar vol op haar lippen. Aardige lippen, dacht hij. Mooie lippen. Ze was een van die vrouwen die er goed uitzien wanneer ze net uit bed komen, misschien beter, omdat make-up haar gelaatstrekken eerder leek te bedekken dan te verfraaien. Een lichte, tikje sproetige huid, met lichtblauwe ogen — het blauw dat met de hand op tere, porseleinen beeldjes geschilderd

13

wordt. Teer zou echter niet direct een woord zijn dat hij zou gebruiken om Joanna te beschrijven. Sterk, intelligent, *geconcentreerd,* dat leek er meer op. Bij bepaalde gelegenheden had hij over haar gesproken als Xenia, de krijgshaftige prinses – altijd liefkozend, natuurlijk, en meestal binnensmonds. Over minder dan twee weken zou ze zevenendertig worden, maar ze leek nog steeds, nou... zevenentwintig. Van tijd tot tijd vroeg hij zich af of ze er in zijn ogen altijd zo zou uitzien, of echtparen die over het algemeen gelukkig zijn de neiging hebben elkaar te blijven zien zoals ze vroeger waren, tot ze plotseling op hun zestigste wakker worden en zich afvragen wie die persoon van middelbare leeftijd is die naast hen ligt te slapen.

'En als ik er nu helemaal niets van terechtbreng?' zei ze. 'Ik heb hier niet voor geleerd.'

'Er is me verteld dat het vanzelf komt.'

'Dan heb je blijkbaar niet *Moeder & Baby* gelezen.'

'Dat geeft niet. Dat heb jij al gedaan.'

'Goed. Ik zal niet meer in paniek raken.'

'Mooi zo. De volgende keer raak ik in paniek en dan stel je mij gerust.'

'Afgesproken.'

'Ik ga douchen. Ik heb het gevoel of ik twee dagen in een vliegtuig heb gezeten.'

'Je hébt twee dagen in een vliegtuig gezeten.'

'Zie je wel. Ik wist dat het ergens op sloeg.'

Pablo kwam twintig minuten te vroeg. Dat hele *mañana*-gedoe was kennelijk een etnisch vooroordeel dat nergens op sloeg.

Hij klopte aan hun deur en bleef daarna beleefd buiten wachten, zelfs nadat Joanna hem letterlijk smeekte om binnen te komen en te gaan zitten.

Paul, die nog maar half aangekleed was, moest haastig in de rest van zijn kleren schieten. Een zwarte, linnen broek, en een licht gekreukt, wit overhemd dat hij vergeten had uit zijn koffer te halen. Hij bekeek zich snel in de spiegel en zag wat hij min of meer had verwacht – een gezicht dat ergens tussen jongensachtig en de aansluipende middelbare leeftijd was blijven steken, iemand die duidelijk niet zou opvallen in een menigte. Nou, kleren maken de man. Hij voltooide zijn outfit met zijn roodgestreepte *power*-stropdas. Ten slotte bereidde hij zich voor op de belangrijkste ontmoeting van zijn leven.

Voor het hotel stond de Peugeot zachtjes stationair te draaien.

Het viel Paul op dat de portier Pablo iets in zijn oor fluisterde, toen hij zich bukte om hen op de achterbank te laten plaatsnemen. Uit de radio klonk een soort rumba.

'Wat zei hij?' vroeg Paul aan Pablo.

'Hij wenste u *Veel Zegen.*'

'O. Je hebt hem verteld waar we naartoe gaan?'

'Ja.'

'Doe je dit vaak, Pablo?' vroeg Joanna. 'Met veel echtparen?'

Pablo knikte. 'Fijne baan, toch?'

'Ja,' zei Joanna. 'Dat lijkt mij ook.'

Ze passeerden een konvooi soldaten, dicht opeengepakt in een open made-in-Detroit jeep. Onwillekeurig dacht Paul terug aan de groep gewapende schildwachten op het vliegveld.

'Er zijn heel wat soldaten op de been, niet?' zei Paul.

'Soldaten...? *Si.*'

'Hoe staan de zaken ervoor?' vroeg Paul, een beetje aarzelend omdat hij een vraag stelde waarop hij het antwoord misschien niet wilde horen.

'Zaken?'

'De rebellen? FARC?' Het klonk als een vloek, dacht Paul. Hij kon zich voorstellen dat het voor de overgrote meerderheid van de Colombianen ook zo was. *The Revolutionary Armed Forces of Colombia.* De linkse guerrilla's, die al een groot deel van het noorden bezetten, en de groep die hoogstwaarschijnlijk verantwoordelijk was voor het naar het hiernamaals blazen van de loco-burgemeester van Medellin.

Er bestond natuurlijk altijd een kans dat de autobom geplaatst was door de rechtse groepering. FARC was in een lange, smerige oorlog verwikkeld met het *United Self Defense Front,* of USDF, een rechtse, paramilitaire organisatie die even wreed optrad.

Toen ze het vliegveld verlieten waren ze een muur gepasseerd die overdekt was met rode graffiti, die er op een onplezierige manier uitzag alsof de woorden in bloed geschreven waren.

Libre Manuel Riojas. De USDF-commandant, die momenteel vastzat in een Amerikaanse gevangenis, voor drugstransacties in het verleden.

Pablo schudde zijn hoofd. 'Ik luister niet... geen politiek.'

'Ja. Dat is waarschijnlijk verstandig.'

'Si.'

'Toch moet het soms *angstaanjagend* zijn?'

'Angstaanjagend...' Pablo maakte een minachtend handgebaar. 'Ik bemoei me met mijn eigen zaken. Lees geen kranten. Het is allemaal slecht.'

Voor hun vertrek had Paul een video besteld, getiteld *Leven in Colombia*. Na de eerste vijf minuten te hebben gekeken, werd pijnlijk duidelijk dat die gemaakt was voor schoolkinderen onder de twaalf jaar. De video volgde twee tieners, Mauricio en Paula, wandelend door een zonnig Bogotá, met de bedoeling te laten zien *dat er meer is in deze moderne, Zuid-Amerikaanse stad, dan koffie, cocaïne en guerrillageweld* – althans dat verklaarde de voice-over.

Pablo reed met hen door een straat met grote villa's. Paul nam ten minste aan dat er ergens villa's waren – je kon ze niet echt zien. Een ononderbroken, drie meter hoge, gepleisterde muur stond in de weg. Op geregelde afstanden gaven elektronisch bediende toegangshekken de begrenzing aan van elk volgend huis, de namen waren te lezen op tegeltableaus die in de muur waren aangebracht.

Casa de Flora.

Casa de Playa.

Ze reden langs een gevlekte hond waarvan de ribben duidelijk zichtbaar waren, die achteloos zijn poot optilde tegen de oranje muur van *Casa de Fuego.*

Er was iets merkwaardigs aan deze omgeving, maar het duurde even eer Paul besefte wat het was.

Ja. De afwezigheid van mensen.

Behalve een aantal bedelaars, uitgemergelde vrouwen die lusteloos met baby's op schoot zaten, was er totaal niemand te zien. Niet in deze buurt. Ze hadden zich allemaal verschanst, verborgen achter een moderne muur van Jericho.

'*La Calera,*' vertelde Pablo, toen Paul hem vroeg hoe dit stadsdeel heette.

Daarna begon hun omgeving gelukkig te veranderen.

Eerst een paar verspreid staande elektronicawinkels en zaken met huishoudelijke apparaten, daarna kleine *cafeterias* die reclame maakten voor *empanadas, cholos* en *huevos,* gevolgd door een overvloed aan krantenkiosken, *lotteria*-verkopers, *supermercados,* verscheidene drukke winkels – alles wat je maar kon bedenken. Een kakofonie van geuren zweefde naar binnen door de gebarsten autoraampjes: uitlaatgassen, bloemen, verse vis, kranten – Paul kwam in de verleiding Joanna om een volledige opsomming te vragen. Ze bevonden zich hier kennelijk midden in het volkomen normale leven van een hoofdstad, precies zoals Miles had beloofd. Paul vroeg zich af of er hier een soort bewuste ontkenning plaatsvond – of er een struisvogel-mentaliteit zou *moeten* zijn in een land waar loco-burgemeesters met enige regelmaat werden opgeblazen. Of de Colombianen in staat waren delen van hun bewustzijn af te sluiten voor de aanhoudende oorlog, op dezelfde manier zoals ze armoede zorgvuldig met een muur afsloten voor de betere standen in de wijk La Calera.

Hij stopte met zijn peinzen; recht vooruit zag hij een bord, weggestopt tussen een groepje bomen.

Santa Regina Orfanato.

'Hier,' fluisterde Pablo. Hij draaide een verbogen oprit in en bracht de auto tot stilstand. Een gesloten hek; een zwarte, in koper gevatte belknop.

Pablo zette de motor af, stapte uit en drukte op de bel. 'Pablo,' zei hij. '*Señor y señorita* Breidbart.'

Tien seconden later zwaaide het hek open. Pablo stapte weer in en startte de motor. Hij reed een binnenplaats op, overschaduwd door hoge, spichtige pijnbomen.

'Vooruit,' zei *señor Breidbart*, toen de auto opnieuw stilhield. 'Laten we gaan kennismaken met onze dochter.'

3

Paul had geen gevoel meer in zijn benen.

Hij wist dat hij ze had – hij *stond* er duidelijk, onmiskenbaar op, maar hij had het gevoel dat ze zoek waren. Verdwenen.

Een seconde geleden was een kleine halfbloed verpleegster in een gesteven, witte jurk de kamer binnen geschuifeld, met een roze babydekentje tegen haar borst gedrukt.

In dit dekentje, wist Paul, lag een baby.

Niet zomaar een baby.

Zijn baby.

Nadat ze de steriele wachtkamer waren binnengegaan hadden ze ruim twintig minuten moeten wachten tot de directrice van Santa Regina, Maria Consuelo, hen kwam begroeten. Het leek langer te duren dan de vliegreis. Paul stond op, ging weer zitten, liep rond, keek uit het raam, ging zitten, stond weer op. Hij telde de zwarte tegels van het patroon op de vloer, zocht een vertrouwde troost in getallen – er waren er achtentwintig. Af en toe kneep hij in Joanna's hand en schonk hij haar fletse, bemoedigende glimlachjes. Ten slotte kwam Maria het vertrek binnen, een slanke, ernstig kijkende vrouw met gitzwart haar in een stijve knot. Ze werd gevolgd door een kleine, bedrijvige stoet.

Bij haar begroeting sprak ze Paul en Joanna aan bij hun voornaam, alsof ze oude vrienden waren die op bezoek kwamen in plaats van toekomstige ouders die kwamen bedelen. Daarna stelde ze formeel de leden van haar staf voor – de hoofdverpleegster, twee leraressen, en haar persoonlijk assistente, die hun allemaal een hand gaven alvorens achtereenvolgens weer te vertrekken. Maria nam hen mee naar haar kantoor, waar ze plaatsnamen om een tafeltje waar tijdschriften in keurige stapeltjes op lagen, en daarna brachten ze nog eens twintig minuten door met nippen aan bittere koffie – gebracht door een som-

18

ber tienermeisje – en een geforceerd gesprek over alledaagse onderwerpen.

Maar misschien waren het geen alledaagse onderwerpen.

Paul kreeg steeds meer de indruk dat het een mondeling examen was, nadat het schriftelijk gedeelte al was afgehandeld: salarisgegevens, bankverklaringen, aandeelbewijzen, hypotheekaflossing, diverse aanbevelingen van familie en vrienden die allemaal verklaarden dat ze een goed karakter hadden en volkomen betrouwbaar waren. En de hartverscheurende brief waar Paul een hele week over had gedaan om hem op te stellen, te verscheuren, te herschrijven, nauwgezet te corrigeren, en ten slotte te verzenden.

Mijn vrouw en ik schrijven deze brief om u te vertellen wie we zijn. En wat we willen worden. Ouders.

Maria begon met hen te bedanken voor het pakket met hulpgoederen dat ze naar het weeshuis hadden gestuurd – luiers, flesjes, babyvoeding, speelgoed – een soort gelegaliseerde omkoperij waarvan Miles hen had verzekerd dat die een normale gang van zaken was wanneer je een kind uit Zuid-Amerika adopteerde.

Daarna kwam ze ter zake.

Ze vroeg Paul naar zijn baan – *je bent verzekeringsagent, nietwaar, Paul?* Ja, zeker, – hoewel hij haar niet vertelde dat in zijn geval verzekeringsagent zijn betekende, zich opsluiten in een kamertje om de statistieken samen te stellen aan de hand waarvan de premies werden vastgesteld die de echte verzekeringsagenten aan de cliënten berekenden. Dat zijn levenswerk bestond uit het berekenen van het risico bij elke bekende menselijke activiteit, uit zwemmen door rivieren van ruwe gegevens in een poging het leven te reduceren tot een min of meer beheersbaar mijnenveld. De definitie van een verzekeringsexpert: *iemand die accountant wilde worden, maar er niet de geschikte persoonlijkheid voor had.*

'Hoe lang werk je daar al?' vroeg ze.

'Elf jaar,' antwoordde hij, zich afvragend of dat hem bestempelde tot degelijke kostwinner of tot iemand die voortdurend van baan verandert. Zinloos, hij wist dat ze die informatie al had. Misschien was het gewoon een test of hij de waarheid sprak.

Daarna werd het wat lastiger.

Ze vroeg Joanna naar haar baan.

Human Resource Executive voor een farmaceutisch bedrijf. Het werd echter duidelijk dat ze niet echt naar de inhoud van Joanna's baan informeerde, maar dat ze wilde weten of ze al dan niet bereid was die op te geven, nu ze een dochtertje had om voor te zorgen.

Goede vraag.

Een vraag waar Paul en Joanna een aantal weekenden over hadden gediscussieerd, zonder ooit feitelijk tot een definitieve keuze te komen. Aan de klank in Maria's stem hoorde Paul dat ze vond dat het waarschijnlijk een goed idee zou zijn als Joanna zou ophouden met werken. Een tijdlang zei Joanna niets. Het enige wat Paul hoorde was het geluid van de sputterende ventilator, het elektrische gezoem van de neonlampen, en zijn eigen innerlijke stem, die tegen Joanna schreeuwde dat ze moest liegen.

Voor deze ene keer.

Het probleem was dat liegen geen onderdeel vormde van haar karakter. Ze was er verschrikkelijk goed in ze te ontdekken – leugens, halve waarheden, grove verdraaiingen van feiten – maar ze was er vrijwel niet toe in staat een leugen over haar lippen te krijgen.

'Ik neem voorlopig vrij,' zei Joanna.

Nou, oké, dacht Paul, dat is in elk geval waar.

'Voor hoe lang?' vroeg Maria.

Paul merkte dat hij staarde naar de fotogalerij die de halve muur van Maria's kantoor in beslag nam – gezichten in allerlei huidskleuren die hem aankeken vanaf terrassen in achtertuinen, vanuit zwembaden, speelkamers, vanaf sportvelden, vanonder schuin opgezette eindexamenbaretten – en hij vroeg zich af of mettertijd ook een foto van zijn dochter die wand zou sieren.

'Dat weet ik nog niet precies,' zei Joanna.

Paul keek naar Maria, en hij glimlachte. Hij moest eruitzien als een opgeschoten kind dat op een snoepje hoopte.

'Ik weet dat ik uiteindelijk zal doen wat het beste is voor de baby, en het beste voor mijzelf,' zei Joanna. 'Ik zal een goede moeder zijn.'

Maria zuchtte. Ze pakte Joanna's hand. Het was een gebaar dat Paul had gezien van artsen en priesters wanneer ze op het punt staan slecht nieuws mee te delen – van één priester in het bijzonder, toen hij elf jaar was en het zíjn hand was die gepakt, beklopt en stevig vastgehouden werd. De dag dat zijn moeder stierf.

'Joanna,' zei Maria, 'ik ben er ook van overtuigd dat je een goede moeder zult zijn.' Ze lachte.

Het duurde een minuut voor Paul begreep dat ze geslaagd waren.
Het examen was voorbij.
Hij voelde een enorme angst uit zich wegvloeien. Maar dat duurde slechts heel even.
Dit kwam doordat Maria zei: 'Ik denk dat het tijd wordt dat jullie kennismaken met jullie dochter.'
Maria bleef praten, maar Paul kon niet meer luisteren.
Haar stem werd naar de achtergrond gedrongen door het geluid van zijn hartslag, die rumoerig leek en gevaarlijk onregelmatig. En dan was er nog een geluid – zware voetstappen die langzaam maar gestadig naderden in de gang. Paul werd zich pijnlijk bewust van het zweet dat hem letterlijk langs beide armen stroomde.
Was ze dat?
De voetstappen gingen voorbij en verstomden.
Daarna, een minuut of twee later waarin Paul moeite had met adem-halen, verscheen een nieuwe reeks voetstappen op zijn radarscherm, die toenam in volume en structuur en duidelijkheid, en net voor de deur leek te stoppen.
Maria zei: 'Ik weet dat jullie haar dolgraag willen zien. Ze is mooi.'
Ze hadden een kleine zwartwitfoto ontvangen, dat was alles – een pasfoto, donker en waanzinnig onscherp.
De deur ging langzaam open. De plafondventilator draaide zichtbaar. Paul had kunnen zweren dat de lucht doodstil bleef.
De donkere verpleegster kwam de kamer in met een donzig babyde-kentje tegen haar borst gedrukt. Paul en Joanna vlogen overeind, Paul had geen gevoel meer in zijn benen, het leek of hij op stelten balan-ceerde.
Langzaam sloeg de verpleegster de bovenkant van het dekentje om. Piekerig, zwart haar werd zichtbaar, en twee peilloos diepe, zwarte ogen. Het effect was een soort baby-*punk,* een betoverende mix van onschuld en brutaliteit.
Paul werd op slag en dodelijk verliefd.
Hij dacht terug aan de keer dat hij Joanna voor het eerst zag, aan de andere kant van een wachtruimte op een vliegveld, vol vermoeide en gefrustreerde mensen, toen hij lusteloos had opgekeken en zag dat dit blanke, blauwogige visioen van lieftalligheid een ongelukkige en on-willige grondstewardess driftig aansprak om informatie los te krijgen. Vrouwelijkheid en onverschrokkenheid leken elkaar in gelijke mate te

21

ontmoeten, en hij had iets gevoeld wat leek op een door cocaïne opgewekte energie, iets wat hij tijdens zijn studententijd een paar maal had geprobeerd. Die heerlijke, maar gevaarlijke uitbarsting van pure verrukking, die dreigde je hart naar extatische hoogten te stuwen, of het in tweeën te breken.

Mogelijk allebei.

De verpleegster hield hun hun dochter voor, en op de een of andere manier stak Paul het eerst zijn armen naar haar uit. Op het moment dat hij haar tegen zijn borst drukte, voelde het alsof ze daar hoorde.

Joanna boog zich naar hen toe en streelde het hoofdje van de baby zachtjes met een perfect gemanicuurde vinger. Ze opende haar mondje.

'Kijk,' zei Paul tegen niemand in het bijzonder, 'ze lácht tegen ons.'

Maria lachte. 'Ze moet een boertje laten, denk ik. Maar het is een schoonheid, vind je niet?'

'O, ja,' zei Paul, 'het is een schoonheid.' De huid van zijn dochter had een heel lichte olijfkleur. Haar nachtzwarte ogen schenen een intiem soort begrip uit te drukken. Dat ze eindelijk thuisgekomen was.

Paul keek naar Joanna. Tranen hadden haar ogen veranderd in twee lichtblauwe meren.

Maria Consuelo keek hen stralend aan.

'Ik wist dat dit kind voor jullie bestemd was,' zei ze. 'Ik weet het altíjd. Hebben jullie al een naam bedacht?'

'Ja,' zei Paul. 'Joelle,' zei hij. Het was een samentrekking van *Joseph,* Joanna's grootvader van vaderskant, en *Ellen,* zijn moeder. Beiden overleden. Beiden heel erg gemist, zeker nu.

'*Joelle.*' Maria probeerde hoe het klonk, daarna knikte ze bevestigend. De naam was goedgekeurd.

'Mag ik, schat?' Joanna stak haar armen uit en Paul stond haar aarzelend af. Ze was zo ondraaglijk licht, zo belachelijk klein, hij was bang dat ze elk moment kon verdwijnen.

Maar nee.

Joanna nam haar in haar armen en maakte kirrende geluidjes.

'O... ja Joelle... lieverdje... mamma is hier...' Ze schoof haar pink in Joelles handje en Joelle omklemde die met haar vingertjes.

Er had zich een soort cirkel gevormd, dacht Paul: Joanna, Joelle, en hij. Een cirkel is op zichzelf staand en onafhankelijk.

Een cirkel heeft geen begin en geen einde, voor eeuwig.

4

Op de terugrit van Santa Regina passeerden ze een veld van menselijke hoofden.

Misschien hadden ze dat moeten opvatten als een teken, een omen dat duidelijk aangaf wat er zou gaan gebeuren. Maar dat is het probleem met voortekenen – ze worden pas voortekenen wanneer ze gebaseerd zijn op latere gebeurtenissen.

Er was Joanna, die een heel slaperige Joelle tegen haar borst gedrukt hield.

Er was Paul, die in gedachten het pas ontdekte terrein van het vaderschap doorkruiste.

Er waren twintig hoofden die uit de grond staken.

Hoofden die duidelijk en nadrukkelijk, nou, leefden. Ze knipperden met hun ogen, ze deden hun mond open, ze keken langzaam naar boven en naar beneden, naar rechts en naar links.

'*Hambre*,' zei Pablo, en hij slaakte een zucht.

'Wat?' zei Paul. Wat betekende hambre ook weer...? *Honger.*

Joanna had ze ook gezien. Intuïtief had ze Joelle dichter tegen zich aangedrukt als om haar te beschermen, haar moederinstinct werd plotseling tot actie gedwongen.

Pablo zei: 'Ze houden een *protesta.*'

Hongerstaking.

Ze hadden zich tot hun nek ingegraven op een stuk ongeplaveide weg. Twintig of dertig, voornamelijk jonge mannen en vrouwen. Het leek op iets van een schilderij van Jeroen Bosch, dacht Paul, gedoemde boetelingen die gevangen zaten in de derde cirkel van de hel.

'Waar protesteren ze tegen?' vroeg Joanna.

Pablo haalde zijn schouders op. 'Omstandigheden...' zei hij.

'Hoe lang zijn ze...?'

'Lange tijd,' zei Pablo. 'Vier, vijf weken...'

Misschien niet veel langer.

Het eerste wat Paul hoorde was de sirene.

Een ziekenauto, veronderstelde hij – omdat hij een stationcar met *Ambulancia* op de zijkant, plotseling zag stoppen naast het trottoir. Het zwaailicht was verdacht stil. Nee, de sirene kwam ergens anders vandaan.

Twee politieauto's. *Urbano Guardia*. Een ervan schoot vlak voor hen langs, zodat Pablo vol op de rem moest trappen en onverwacht naar links uitwijken, waar hun auto tot stilstand kwam met de voorbumper tegen een stenen muur.

Joelle begon te huilen.

Ze was niet de enige.

De agenten gebruikten lange, zwarte gummiknuppels.

Het leek op dat caféspelletje. Waarbij kleine, plastic egels ineens boven de grond komen en je punten kunt halen door ze op hun kop te slaan. Alleen kunnen ze bij het spelletje weer wegkruipen. Ze kunnen zich verbergen.

Hier niet.

Binnen enkele minuten, minuten waarin Joelle steeds harder begon te huilen en Pablo probeerde de auto te keren, werd de grond rood.

Daarom was de ambulance er – het resultaat van goede, burgerlijke planning.

Eindelijk lukte het Pablo de auto met de neus in tegengestelde richting te krijgen en weg te rijden, een belachelijk smalle zijstraat in, waarbij hij met moeite de stroom mensen ontweek die plotseling van alle kanten kwamen aanzetten om te kijken.

Het veld van bebloede hoofden verdween in de verte. Het was moeilijker de aanblik uit zijn hoofd te zetten.

Joanna trilde – of was hij het? Toen hij zijn arm om haar heen sloeg en haar tegen zich aandrukte, was het moeilijk te zeggen. Hij was hier een dag geweest, dacht hij, minder dan een dag, maar hij raakte er steeds meer van overtuigd dat Bogotá niet zozeer de derde wereld was, als wel de vierde dimensie.

Locombia, had hij iemand in het vliegtuig horen zeggen. Het sloeg op Colombia: land van gekken.

Hij had er nu een vrij goed idee van waarover ze het gehad hadden.

Hij was dolblij dat ze Joelle hiervandaan haalden. Ze mochten dan naar Colombia gekomen zijn om zichzelf te redden – van eenzaamheid, neerslachtigheid, een leven zonder kinderen, maar ze redden

24

haar ook. Hiervan. Joelle zou opgroeien in een wereld van betrekkelijke veiligheid en rust. Waar ze nooit mensen zou zien die zich tot hun nek hadden begraven in een straat midden in de stad, en zelfs als ze zoiets zou zien, zouden politieagenten hen niet halfdood knuppelen.

Pablo vroeg of alles met hen in orde was.

'Ja,' antwoordde Paul, omdat hij merkte dat Pablo merkwaardig onaangedaan leek door het incident. Misschien hoorde het, wanneer je in Colombia woonde, bij de dagelijkse gang van zaken.

Toen ze de hotellift in stapten, glimlachte Paul naar het echtpaar van middelbare leeftijd dat enkele seconden na hen binnenkwam, in de verwachting dat er teruggelachen zou worden, wat het recht leek van nieuwe ouders over de hele wereld. Geen sprake van. Hij werd begroet met koele, onmiskenbare vijandigheid.

Even vroeg hij zich af of het gewoon door hun nationaliteit kwam. Waren Amerikanen tegenwoordig niet het doelwit van íeders boosheid? Maar de man fluisterde iets in het Spaans tegen zijn vrouw, en tussen de Spaanse woorden was er een dat Paul herkende uit de taallessen van de middelbare school. *Niña.*

Het ging er niet om wie ze waren. Het ging erom wat ze deden. Een baby adopteren.

Een *Colombiaanse* baby.

Ze waren gewoon weer twee van die Amerikanen die deden wat Amerikanen altijd hadden gedaan in andere landen dan hun eigen land. Het beroven van grondstoffen. Eerst goud, olie en kolen en gas. Nu baby's. Paul had nog niet eerder over dat standpunt nagedacht. Maar nu hij in een onbehaaglijk kille lift stond, deed hij het. Het zorgde ervoor dat hij zich iets minder redder voelde, en iets meer plunderaar. Gelukkig kwam hun verdieping eerst. Hij loodste Joanna de lift uit en de gang in.

'Zag je dat?' vroeg hij Joanna.

'Wat?'

'Die mensen. In de lift?' Hij stak zijn sleutel in het slot en opende de deur.

'Zachtjes praten,' zei Joanna. 'Joelle slaapt.'

'Dat stel,' zei Paul fluisterend. 'Ze keken alsof ze wilden dat we het land uitgezet werden. Of doodgeschoten.'

'Wat?'

25

Misschien had Joanna geprobeerd te vergeten wat ze zo-even had gezien. Dit was haar niet opgevallen.

'Ze haten ons, Joanna.'

'Dat meen je niet. Ze kennen ons niet eens.' Langzaam ging Joanna in een leunstoel zitten. Ze stond op het punt in elkaar te zakken.

'Ze hoeven ons niet te kennen. Ze keuren niet goed wat we doen. We nemen hen hun kinderen af.'

'Hún kinderen? Waar heb je het over?'

'De kinderen van hun land. De kinderen van Colombia. Ik zeg je, ze keken me aan alsof ik haar zou moeten teruggeven.'

'Het doet er niet toe. Zo denken zij erover. Alle anderen zijn heel aardig voor ons geweest.'

'Alle anderen pakken ons geld aan. Dat werpt een heel ander licht op de zaak.'

Joanna luisterde niet meer.

Ze keek neer op haar kind, druk bezig te doen wat moeders doen, veronderstelde hij – zich koesteren in dat deel van de ononderbroken cirkel dat vaders niet durven betreden.

5

Zo maakten ze kennis met Galina.

Ze waren op hun stoel in een soort toestand van verdoving geraakt, en werden wakker van een schril, oorverdovend alarm dat hun dochter bleek te zijn. Onmiddellijk begrepen ze dat ze in de problemen zaten. Ze waren vergeten de flesjes te steriliseren die ze uit New York hadden meegenomen.

Ze waren vergeten de spenen uit te koken.

Al die dingen die de verpleegster in Fana uitentreuren met hen had doorgenomen.

Er was een kitchenette vlak naast de zitkamer. Paul zette haastig een pan water op de kookplaat en begon daarna koortsachtig te zoeken naar iets om de blikjes babyvoeding mee te kunnen openen. Joelles gekrijs bereikte een tot dusver onbekend decibelniveau.

Paul legde twee flesjes en spenen in water dat nog maar nauwelijks kookte, maar er was nergens een blikopener te vinden. Beide keukenladen waren volkomen leeg.

Joanna wiegde Joelle, heen en weer lopend tussen de kitchenette en het bed, wat er alleen voor leek te zorgen dat Joelle nog harder krijste, als dat menselijkerwijs mogelijk was. Joanna, onverschrokken, ontembaar, al vier jaar geabonneerd op het tijdschrift *Moeder & Baby,* leek radeloos.

Er werd op de deur geklopt.

Paul begon excuses te bedenken terwijl hij op weg was om open te doen. *Nieuwe baby, honger, sorry voor de...*

Het was Pablo. Met een vrouw.

'Galina,' zei hij, blijkbaar heette de vrouw zo. 'Ze is jullie verpleegster.'

Pablo's omschrijving van haar baan bleek te bescheiden.

Technisch gezien was Galina misschien verpleegster, maar in werkelijkheid was ze een wonderdoener.

Joanna, die zich nog steeds, zij het heel vaag, verbonden voelde met de katholieke kerk uit haar jeugd, was bereid haar voor te dragen voor zaligverklaring.

'Zie je dat?' fluisterde Joanna tegen Paul.

Galina was erin geslaagd Joelle te kalmeren, de gesteriliseerde flessen en spenen uit het water te halen, en een blikopener voor de voeding te vinden, en dat alles binnen twee minuten. Op dit moment gaf ze een verbijsterend staaltje van handigheid te zien, door Joelle in haar gebogen linkerarm te houden en te voeden, terwijl ze met haar rechterhand een geïmproviseerde commode gereedmaakte.

Paul vond dat ze aardig leek op hoe een kinderverzorgster eruit zou moeten zien – ergens tussen midden vijftig en midden zeventig, met een vriendelijk gezicht vol diepe lachrimpeltjes, en zachte, grijze ogen waar het geduld van... nou, van een heilige, uit leek te stralen.

'Zal ík dat doen?' vroeg Joanna, maar ze werd vriendelijk weggewuifd. 'Tijd genoeg om dit te doen wanneer je je baby mee naar huis neemt,' zei Galina. Haar Engels was uitstekend. 'Kijk nu maar hoe ik het doe.'

Joanna deed het. Paul eveneens, hij had beloofd zo'n vader te zijn die echt zijn steentje bijdroeg.

Nadat Galina Joelle gevoed had, vervolgde ze met een demonstratie van de techniek boertjes laten, die uiteraard perfect verliep. Een flinke tik op haar ruggetje, en Joelle maakte een geluid dat klonk of er een fles koolzuurhoudend water werd geopend. Daarna legde Galina Joelle voorzichtig op de tot commode omgebouwde aanrecht en deed haar vieze luier af, waarbij Paul fungeerde als assistent.

Hij was blij te merken dat het onprettige van een baby verschonen werd weggenomen doordat de baby in kwestie van jezelf was.

Het hotel had een wit kinderledikantje in de hoek van hun slaapkamer geplaatst. Galina legde Joelle op haar buik op het pas gestreken lakentje en trok een roze dekentje op tot aan haar hals.

'Eh...' Joanna leek ergens moeite mee te hebben.

'Ja, mevrouw Breidbart?' zei Galina.

'Zeg toch alsjeblieft Joanna.'

'Joanna...?'

'Moet ze niet... Ik dacht dat een baby op haar rug moest liggen. Wanneer ze slaapt. Dan kan ze niet stikken of krampjes krijgen...'

'Krampjes?' Galina lachte en ze schudde haar hoofd. 'Er is niets met haar maag,' zei ze.

'Nou, ja, maar... ik heb er iets over gelezen. Vijf jaar geleden is er onderzoek naar gedaan en ze zeiden...'

'Er is niets met haar maag, Joanna,' herhaalde ze en ze klopte haar op de schouder.

Nu leek Joanna het niet meer zo prettig te vinden om bij haar voornaam genoemd te worden.

Plotseling heerste er een onbehaaglijke stilte in de kamer.

Paul kreeg de indruk dat er een of andere overtreding was begaan, hij wist alleen niet zeker door wie. Joanna was Joelles moeder, zeker. Galina was haar verzorgster. Haar zeer ervaren, en naar duidelijk was gebleken zeer bekwame, verzorgster. Een jury zou het hier wel eens lastig mee kunnen hebben.

Galina was de eerste die de stilte verbrak.

'Als je je er prettiger door voelt, Joanna...' zei ze, en ze stak haar hand in het ledikantje om Joelle voorzichtig op haar ruggetje te draaien.

In de strijd om de macht had de ander blijkbaar een oogje toegeknepen.

6

'Je hebt niets gezegd,' zei Joanna.

Joanna sliep niet. Paul ook niet, maar dat kwam doordat ze hem net wakker had gemaakt.

Wanneer niets gezegd? Hij was midden in een droom over een vriendin van de universiteit en een loom, tropisch strand, en even schrok hij omdat hij in bed lag in wat kennelijk een hotelkamer was.

In Bogotá. Ja.

Zijn bewustzijn begon duidelijker te worden als een polaroid waarmee driftig in de lucht gewapperd wordt. Hij was in een hotelkamer in Bogotá. Met zijn vrouw.

En zijn nieuwe dochtertje.

Maar niet met Galina. Ze was naar huis gegaan nadat ze hen naar beneden had gestuurd voor het diner, waar ze geen enkel Colombiaans gerecht op de menukaart hadden kunnen vinden.

Galina, dat was degene over wie Joanna het had. Hij had niets gezegd toen Joanna Galina ervan had beschuldigd Joëlle verkeerd in haar bedje te hebben gelegd.

'Ik dacht dat ik me beter terughoudend kon opstellen,' zei Paul.

'O. Ik heb gelezen dat baby's op hun rug horen te slapen, Paul.'

'Misschien had zij niet dezelfde artikelen gelezen.'

'Boeken.'

'Goed dan. Boeken. Die had ze vermoedelijk ook niet gelezen.'

'Je had aan mijn kant moeten staan.'

Paul dacht hierover na. Dat hij misschien haar kant had moeten kiezen. Hij kwam in de verleiding Joanna erop te wijzen dat ze beiden hierin nieuwelingen waren, en dat hij, alles goedbeschouwd, niet geneigd was mee te gaan met basiskennis uit zelfstudieboeken en het tijdschrift *Moeder & Baby.* Daar stond tegenover dat hij, als hij haar gelijk gaf, een redelijke kans had zich te kunnen omdraaien en weer te gaan slapen.

'Ja, sorry,' zei Paul. 'Dat had ik moeten doen, geloof ik.'
'Gelóóf je dat? Wij zijn nu haar ouders. We moeten elkaar steunen.'
'Bedoel je dat we elkaar voor die tijd niet hoefden te steunen?'
Joanna zuchtte en ze liet zich bij hem vandaan rollen. 'Laat maar.'
Het was duidelijk dat Joanna niet echt bedoelde dat hij het erbij moest laten.
'Hoor eens,' zei Paul. 'Ik wist niet wie er gelijk had. Opeens is deze baby van ons. Wij zijn... *verantwoordelijk* voor haar. Galina lijkt te weten waar ze mee bezig is. Ik bedoel, het is haar werk.'
De gedachte kwam bij Paul op dat het proces een cirkel te vormen wel eens gepaard zou kunnen gaan met groeipijnen. God wist dat ze die al genoeg hadden gehad toen ze probeerden een baby te *krijgen*.
Neem nu de seks, bijvoorbeeld.
Je kon zo ongeveer stellen dat die terugliep vanaf het moment dat ze hadden besloten een gezin te stichten.
Voorzover Paul het zich herinnerde, hadden ze in een mooi hemelbed gelegen in Amagansett, Long Island, aangeschoten door de Californische cabernet. Toen Joanna zei dat ze haar spiraaltje niet in had, had hij niet gezegd 'oké, ik wacht wel' en was zij niet opgestaan om het te pakken.
Ze waren zes jaar getrouwd. Ze waren tweeëndertig. Ze waren dronken, geil en stapelverliefd.
Dat zou hun laatste spontane moment zijn wat de liefdesdaad betrof. Toen ze een maand later ongesteld werd, hadden ze onmiddellijk besloten het nog een keer te proberen.
Deze keer waren er geen Californische cabernet en geen branding in Amagansett. Het resultaat was ongeveer hetzelfde.
In huize Breidbart werd menstruele spanning een heikel onderwerp.
Kort daarna begonnen ze de uitputtende rondedans langs artsen, op zoek naar altijd ontwijkende antwoorden, terwijl de seks zijn langzame en moeizame evolutie van vrijen tot het maken van een baby voortzette. Op een gegeven moment moest hij haar vruchtbaarheidsmedicijnen inspuiten, precies een half uur voor ze gingen vrijen. Het werd een soort karwei – en steeds vaker een gedwongen karwei, waarbij hij op alle mogelijke tijden van de dag en de nacht werd opgeroepen om zijn plicht te doen. Deze tijden hingen af van allerlei fysieke factoren, waarvan geen enkele iets te maken had met zin hebben in seks.
Wat volgde was een soort subtiel spel over wie de schuld had. Toen

grondig onderzoek van Pauls sperma uitwees dat zijn aantal zaadcellen onder het gemiddelde was en nauwelijks sterk genoeg, had hij een lichte verandering in de atmosfeer gevoeld. Het woord *jij* leek frequenter voor te komen in Joanna's gesprekken, met bovendien een duidelijk beschuldigende klank.

Toen grondig onderzoek van Joanna's eierstokken een lichte afwijking aantoonde die, in sommige gevallen, een belemmering kon zijn om zwanger te raken, had Paul de rollen omgedraaid. Het was wreed en onvergeeflijk.

Het was tevens onmogelijk ermee op te houden.

Voor hen beiden.

Ze waren niet de enigen die elkaar op de zenuwen begonnen te werken. Anderen ook. Vriendinnen die Joanna haar hele leven had gekend, bijvoorbeeld, wier enige misdaad was dat ze blijkbaar onbeperkt zwanger konden worden. Zoals haar beste vriendin, Lisa, die met twee peenharige kleuters vlak tegenover hen woonde. Volslagen onbekenden begonnen hen eveneens lastig te vallen. Drie seconden nadat ze met elkaar kennis hadden gemaakt, stelden ze onveranderlijk de K-vraag. *Hebben jullie kinderen*? Paul vroeg zich af waarom dat niet als onmenselijk grof werd beschouwd. Vroegen *zij* aan echtparen die ze niet kenden of die een auto hadden, of een behoorlijk bedrag op hun bankrekening, of een inpandig zwembad?

Uiteindelijk leidde hun lange weg naar vruchtbaarheid hen onvermijdelijk naar de nieuwe hoop van onvruchtbare paren, overal ter wereld. In vitro fertilisatie, ook wel bekend als *je laatste kans*. Het was een soort roulette voor gokkers met een hoge inzet. Het kostte tenslotte tienduizend dollar per keer. En Paul had een hele statistiek over de mate van het succes ervan kunnen opzeggen – 28,5 procent, waarbij de kansen bij elke volgende poging kleiner werden.

Ze namen sperma af bij Paul. Ze namen eitjes van Joanna. Die werden formeel aan elkaar voorgesteld. Ze wachtten en hoopten dat er een romance zou ontstaan.

Wat niet gebeurde.

Ze probeerden het één keer.

Ze probeerden het twee keer.

Ze probeerden het drie keer.

Ze zaten al op veertigduizend, en er kwam nog meer bij, toen er iets merkwaardigs gebeurde.

Dat was de ochtend na een buitengewoon ellendige nacht.

Al hun licht genuanceerde beschuldigingen en insinuaties hadden de sfeer ten slotte giftig en explosief doen worden. Misschien was dat niet zo verbazingwekkend wanneer je bedacht dat elke uitademing uit kooldioxyde bestaat; het wachten was nog slechts op een lucifer. Het draaide eropuit dat ze dingen tegen elkaar zeiden, nee, *schreeuwden,* die beter ongezegd hadden kunnen blijven. Joanna was in tranen uit-gebarsten, Paul was nukkig naar zijn werkkamer verdwenen om naar een honkbalwedstrijd te kijken wat, gezien de algemene conditie van de New York Knicks, zijn stemming er niet op had laten vooruitgaan. De volgende morgen gingen ze ter afleiding wandelen in Central Park. Ze zeiden geen van beiden veel toen ze langs de speelweide bij 66nd Street liepen. Het geluid van lachende kinderen was die ochtend bij-zonder pijnlijk, een snijdende herinnering aan wat zij niet konden krijgen.

Paul stond op het punt een andere route voor te stellen, toen een klein meisje langs hen heen liep, dat vruchteloos probeerde een losgeraakte, roze ballon te vangen. Ze was donker, Zuid-Amerikaans, en ongeloof-lijk schattig.

'Waar is je moeder?' had Joanna haar gevraagd.

Een interessantere vraag zou zijn geweest: wíé is je moeder? Dat was de vrouw die enkele seconden later ademloos op hen af kwam hollen, en haar dochter zachtjes een standje gaf omdat ze was weggelopen. Deze vrouw was blond, blank, en ongeveer van hun leeftijd. Ze pakte haar giechelende dochtertje op, zoende haar in de hals, lachte naar Paul en Joanna, en liep daarna terug naar de wip.

Tot op dat moment hadden ze er niet over nagedacht.

Adoptie.

Misschien moesten ze het gewoon eerst in het echt zien.

Die middag, toen ze in de flat terug waren, vroeg Joanna hem het vuilnis weg te gooien. Tot zijn verbazing bestond dit vuilnis uit injec-tiespuiten, thermometers, een hoeveelheid medicijnen, plichtsge-trouw bijgehouden dagboeken, en al het andere dat ze hadden verza-meld bij hun pogingen om een baby te krijgen. Paul gooide alles met plezier in de vuilverbrander.

Toen hij terug was, hadden ze gevrijd zoals vroeger – wat goedbe-schouwd geweldig was.

Direct de volgende dag gingen ze naar een advocaat.

Nu hoorde Paul Joanna naast zich in het donker. En het zachte, kalmerende geluid van Joelles ademhaling. Hij draaide zich om en kuste zijn vrouw op de mond.

'De volgende keer sta ik achter je. Oké?'

Hij kon haar glimlach in het donker voelen.

Alles was gereed om terug te keren naar het land van Nod.

Behalve dat Joelle wakker werd.

En begon te krijsen.

7

Het begon de volgende middag.

Galina legde Joelle in bed voor haar middagslaapje. Bij het bedje neuriede ze een klaaglijk slaapliedje. In de badkamer hield Paul zijn hoofd schuin om naar Galina's zangerige stem te luisteren. Toen hij fris geschoren en met slechts een beetje gebrek aan slaap tevoorschijn kwam, opperde Galina dat hij en Joanna een luchtje konden gaan scheppen. De baby sliep. Galina zou nog een paar uur blijven.

Feitelijk was het winter in Colombia, maar ondanks de nabijheid van de bergen lag Bogotá dicht genoeg bij de evenaar om een dromerige warmte vast te houden. Joelle sliep – een wandeling leek precies wat ze nodig hadden.

Uit de hotellobby komend sloegen ze rechtsaf en weldra passeerden ze het soort winkels waar alleen toeristen en misschien één procent van de Colombiaanse bevolking het zich konden veroorloven naar binnen te stappen.

Hermes.

Vuitton.

De la Renta.

Ze liepen hand in hand, en Paul feliciteerde zichzelf met zijn tactische manoeuvre in bed, de afgelopen nacht. Het ging duidelijk heel goed tussen hen.

Joanna had Joelle vanochtend de fles gegeven, terwijl hij luierdienst had verricht. Om beurten hadden ze non-stop babytaal tegen haar gebabbeld. Dat wil zeggen, wanneer ze niet tegen elkaar zeiden hoe opmerkelijk geweldig ze was. Hoe ongelooflijk expressief haar gezichtje leek. Wat een ongewoon lief karakter ze had. Hier was blijkbaar een of andere natuurwet werkzaam, die twee redelijk intelligente mensen kon veranderen in verliefde dwazen.

Paul genoot echter van dat dwaas-zijn.

Nu kneep hij in Joanna's hand bij het wachten om over te steken. Hij kuste haar in haar hals wanneer ze bleven stilstaan voor de etalage van een galerie. Een expositie van Botero, de Zuid-Amerikaanse schilder die iedereen zwaar misvormd afbeeldde, dik en opgezwollen als ballonnen in een Thanksgiving-optocht.

Nadat ze nog een paar straten verder waren gelopen merkte hij dat hij zijn dochter miste. Dit was een nieuwe ervaring – ergens naartoe gaan en een deel van jezelf achterlaten. Hij voelde zich – *incompleet.* De cirkel moest weer gesloten worden.

'Wil je terug?' vroeg hij Joanna.

'Ik wilde net hetzelfde zeggen.'

'Ik denk dat ik haar *Jo* ga noemen,' zei Paul, nadat ze waren overgestoken en terugwandelden naar l'Esplanade. Twee stellen op scooters gaven gas en raceten hen voorbij, een dunne wolk blauw uitlaatgas uitbrakend.

'Jakkes,' zei Joanna, en het was duidelijk dat ze niet de giftige dampen bedoelde.

'Mankeert er iets aan Jo?'

'Toen je probeerde míj Jo te noemen, dreigde ik je aan te vliegen. Ik geloof dat ik je aangevlogen bén.'

'Ja. Waarom was dat ook weer?'

'Ik heb een vriend gehad die Joe heette, weet je nog? Hij was werkloos en psychotisch – niet in die volgorde. Dus als het jou hetzelfde is,' zei Joanna, 'zou ik liever hebben dat je haar niet Jo noemt.'

'Mij best. Wat vind je van *Joey?*'

'Zoals Joey Buttafuco?'

'Zoals Joey Breidbart.'

'Als we nu eens beginnen met Joelle. Dan leert het arme kind haar naam tenminste.'

Ze kwamen langs een speelgoedwinkel, de etalage stond van boven naar beneden vol poppen, auto's, videospelletjes, knuffelbeesten, voetballen, en een paar dingen die hij echt niet herkende.

'Wat denk je?' zei Paul.

'Leuk,' zei Joanna. 'Laten we wat speelgoed kopen.'

Toen ze de hal van het hotel binnenliepen, hadden ze de portier nodig om hen te helpen de lift in te komen. Ze hadden het een tikje overdreven – zíj waren als kinderen in een speelgoedwinkel geweest.

Er leek zo veel meer te koop te zijn dan toen ze zelf nog kinderen waren. Destijds waren het voornamelijk soldaatjes, barbiepoppen en dinkytoys. Nu waren er heel wat nieuwe categorieën om over na te denken, en die waren weer onderverdeeld. Dingen die praatten, liepen, bliepten, flitsten, zapten, dansten en zongen.

En overal leek Joelles naam op te staan.

Het lukte de portier hen zonder ongelukken de lift in te krijgen.

Toen de ze deur van hun hotelkamer opendeden was Galina er niet.

'Ze is in de badkamer,' zei Joanna.

Paul deed de badkamerdeur open, met een pluchen giraf in zijn hand, maar daar was Galina ook niet.

Paul draaide zich met zijn handen in de lucht om en zag dat Joanna doodsbleek geworden was.

Niet alleen omdat Galina zoek was.

Het ging om hun dochter.

Zij was ook verdwenen.

'Nee, meneer Breidbart, ik heb niet met uw kinderverzorgster gesproken.' De receptionist bleef behulpzaam meewerken, maar bij Pauls totale paniek was het bedroevend ontoereikend.

'Ze zijn niet in de kamer,' zei Paul. 'Begríjpt u me?'

'Ja, meneer. Ik begrijp het.'

Paul was naar de lobby gegaan – na het zwembad op het dakterras, het restaurant, de kapsalon en de recreatiezaal te hebben geïnspecteerd. Joanna was in de kamer gebleven voor het geval Galina zou bellen.

'Misschien is ze boodschappen gaan doen,' opperde de gerant.

'Hebt u hen uit het hotel zien weggaan?'

'Nee. Ik had het druk met een aantal gasten.'

'Nou, is er dan íémand die hen het hotel heeft zien verlaten?'

'Dat weet ik niet, meneer Breidbart. Laten we het gaan vragen.'

De gerant liep met hem naar de balie, waar hij de receptionist, die bezig was een gast in te checken, midden in diens gesprek onderbrak. Hij sprak in het Spaans tegen hem, naar Paul wijzend. Paul hoorde hem Galina's naam noemen, daarna *niña,* weer dat woord. De receptionist keek naar Paul, daarna weer naar de gerant, en hij schudde zijn hoofd.

'Hij heeft hen niet gezien,' zei de gerant. 'Gaat u mee.'

Ze liepen naar buiten, waar de portier die hen zo-even de lift in had geholpen, stond te flirten met een knappe vrouw in een te krap T-shirt.

De portier ging onmiddellijk rechtop staan en liet de vrouw midden in een zin in de steek. Nadat de gerant had uitgelegd wat het probleem was, keek hij naar Paul en knikte hij langzaam.

'*Si*,' zei de portier. Blijkbaar had hij Galina en Joelle uit het hotel zien weggaan. '*Hace una hora...*'

Een uur geleden. Dat moest geweest zijn vlak nadat Paul en Joanna uit het hotel waren vertrokken.

'Aha, het raadsel is opgelost,' zei de gerant met een stompzinnig lachje. 'Ze is met uw baby gaan wandelen.'

Zijn baby had liggen slapen.

Waarom zou Galina met een slapende baby gaan wandelen?

Paul voelde zich duizelig worden; de grond leek onder zijn voeten weg te zakken. De gerant praatte nog steeds tegen hem, maar hij kon de woorden niet in zich opnemen. Er hing een gestadig gezoem in de lucht.

'Ze heeft mijn baby meegenomen,' zei Paul.

De portier en de gerant keken hem bevreemd aan.

'Hoort u wat ik zeg? Ze heeft mijn baby meegenomen.'

'Ja,' reageerde de gerant ten slotte. 'Voor een wandeling, meneer Breidbart.'

'Ik wil dat u de politie belt.'

'*Policía?*'

'Ja. Bel ze.'

'Ik geloof dat u misschien te opgewonden bent...'

'Ja, ik ben opgewonden.' De grond helde eerst naar één kant over, daarna naar de andere. De zon was koud geworden. 'Mijn baby is gestolen. Daar wind ik me over op. Bel de politie.'

'Ik denk niet...'

'*Bel de politie.*'

'U beschuldigt uw kinderverzorgster van kidnapping, meneer Breidbart.' Het kwam eruit als een verklaring, niet als een vraag, en Paul merkte dat de stem van de gerant veranderd leek te zijn, van hartelijk en behulpzaam in koel en niet bepaald hulpvaardig.

'Mijn dochtertje lag te slapen. Ze zei ons dat we een luchtje moesten gaan scheppen. Daarna is ze twee minuten later uit het hotel vertrokken en ze is niet teruggekomen.'

'Misschien is de baby wakker geworden.'

'Misschien hebt u gelijk. Toch wil ik dat u de politie belt.'

'Zullen we niet nog even wachten om te zien of ze terugkomt?'
'Nee.'
'Ze is hier vele malen als kinderverzorgster werkzaam geweest, meneer Breidbart.' Ja, de toon van de gerant had beslist een verandering ondergaan.
Paul beschuldigde een Colombiaanse vrouw van een misdrijf.
Een vriendelijke, Colombiaanse vrouw met lachrimpeltjes en geduldige, grijze ogen, die zorgde voor een *Colombiaanse baby*. Een baby die hij, een Amerikaan, het land uit meenam omdat er blijkbaar niet genoeg Amerikaanse baby's voorhanden waren.
'Het kan me niet schelen hoe vaak ze hier gewerkt heeft. Ze heeft mijn kind meegenomen zonder mijn toestemming. Ik moet met de politie praten.'
De gerant mocht het niet met hem eens zijn, hij mocht hem zelfs niet aardig vinden, maar hij bleef nog altijd de gerant.
'Zoals u wilt, meneer,' zei hij stijfjes.
Hij liep de lobby weer in, ging naar zijn bureau, waar hij met merkbare tegenzin de telefoon pakte en een nummer draaide. Paul bleef zwijgend wachten terwijl de gerant een paar Spaanse woorden in de hoorn sprak. Hij legde die vervolgens onnodig hard neer. De klik weergalmde door de steriele lobby, zodat verscheidene mensen geschrokken en verbaasd opkeken.

De agenten hadden stevige, zwarte, leren laarzen aan en wapens die op uzi's leken om hun heupen gegespt.
Paul zag geen zwarte gummiknuppels.
De gerant sprak met hen in het Spaans, terwijl Paul geduldig bleef luisteren. In de tijd die verstreek tussen het telefoongesprek van de gerant en de komst van de agenten had Paul Joanna weer gebeld.
Geen nieuws.
Een van de agenten sprak behoorlijk Engels. Maar ook als dat niet zo was, zou zijn bedoeling overduidelijk zijn geweest.
'Waarom denkt u dat uw kindermeisje uw baby gestolen heeft?' vroeg hij. Hij zag er niet naar uit dat hij een antwoord wilde horen.
Paul legde het zo goed mogelijk uit. Joelle lag te slapen, de kinderverzorgster had voorgesteld dat ze zouden gaan wandelen, en was daarna zelf weggegaan. Ze had geen toestemming gevraagd en evenmin een briefje achtergelaten. Ze wisten niet waar ze was.

'Hij zegt dat deze vrouw goed is.' De *hij* over wie de agent het had, was de gerant, die in de buurt was blijven staan met een frons op zijn gezicht. In het spel van goede agent, slechte agent, zou het moeilijk zijn om te kiezen wie wie was.

'Misschien hebt u me niet goed begrepen,' zei Paul, en hij zag de agent ineenkrimpen. Hij dacht terug aan de bebloede hoofden die uit de grond staken en even vroeg hij zich af of hij, als hij geen Amerikaan was geweest, nu al een klap op zijn hoofd zou hebben gekregen en zijn meegesleurd naar de gevangenis wegens het doen van een valse en irritante aangifte.

Hij was nog bezig zijn positie te rechtvaardigen, alle redenen op te sommen voor zijn enorme paniek, zorgvuldig uit te leggen waarom zijn kinderverzorgster niet zomaar met hun baby zou zijn vertrokken tenzij ze iets verkeerds in de zin had, toen Galina met Joelle de lobby binnenstapte.

8

Uren nadat Paul zijn verontschuldigingen had aangeboden aan de politie, de gerant, en Galina, in die volgorde, zich daarna opnieuw had verontschuldigd tegenover Galina, om haar goed te laten begrijpen hoezeer het hem speet, was hij met Joanna op bed gaan liggen, waar hij zich hardop afvroeg of paranoia soms deel uitmaakte van de vreemde, nieuwe ervaring van het ouderschap.

'We zijn in een vreemd land, Paul,' zei Joanna, en Paul dacht onwillekeurig dat ze ook in de figuurlijke betekenis gelijk had. 'We kwamen in onze kamer en onze baby was weg. Ze had ons niet verteld dat ze haar zou meenemen.'

Om eerlijk te zijn, Galina *had* hun meegedeeld dat ze Joelle zou meenemen. Ze had een briefje achtergelaten, onder de asbak in de badkamer – toen ze weer boven waren was Galina er naar binnen gegaan en had ze het gepakt. Misschien zouden ze, als ze niet zo snel in paniek waren geraakt, het gezien hebben. Dan hadden ze geweten dat Joelle uit haar middagslaapje wakker was geworden, twee seconden nadat Paul de deur achter zich had dichtgetrokken. En dat haar voorhoofd volgens Galina een beetje te warm aanvoelde – niet gevaarlijk koortsachtig, nee, maar een beetje warm, en dat Galina er niet de vrouw naar was om risico's te nemen. En dan hadden ze ook geweten dat tot de dingen die ze níét uit New York hadden meegebracht, een thermometer behoorde. Wat Galina ertoe gebracht had om Joelle mee te nemen naar een apotheek om er een te kopen. Van haar eigen geld.

Het bleek dat Joelle verhoging had, 38 graden. Niets om je ongerust over te maken bij een baby, had Galina hen verzekerd, maar iets wat beslist in de gaten gehouden moest worden.

Galina vergaf hen, toch zag hij een onmiskenbare glimp van gekwetstheid in die zachte, grijze ogen. Boosheid zelfs. Iets wat hem vertelde dat zelfs heilig geduld grenzen heeft.

De volgende dag bracht Pablo hen naar de Amerikaanse ambassade. Nadat ze het buitenste hek waren binnengegaan, waar ze gedwongen werden niet door één, maar door twee metaaldetectors te lopen – passeerden ze een bekend gezicht dat hun uit tegengestelde richting tegemoet kwam.

De vogelkenner. De man die achttien uur lang geduldig als een slaapwandelaar bij hen in het vliegtuig had gezeten.

'Hallo,' zei hij ter begroeting. Hij had zijn oerwouduniform al aan. Een safarihemd met grote, geplooide zakken, kakishorts tot op zijn knieën, en zware, bruine wandelschoenen.

'Hallo,' zei Paul.

'Ah,' zei hij, terwijl hij zijn bril hoger op zijn neus schoof en naar Joelle staarde alsof ze een nieuw soort Colombiaanse vink was. 'Van jullie?'

'Ja,' zei Joanna. 'Ze heet Joelle.'

'Nou, gefeliciteerd,' zei hij.

'Bedankt,' zei Paul. Het was aardig om iemand uit je eigen land tegen het lijf te lopen – ook al was het iemand die hij slechts achttien uur had gekend. 'We moeten nog wat papieren regelen, dan kunnen we haar mee naar huis nemen. En jij?'

'Hoe bedoel je?'

'De ambassade?'

'O, als je de jungle in wilt moet je een vrijwaringsverklaring ondertekenen. Ze willen niet dat je naaste familieleden klagen dat ze slordig waren en je niet gewaarschuwd hebben. Ik denk dat wat ze echt willen is, dat niemand een aanklacht kan indienen.'

'Nou, veel succes,' zei Paul.

'Dank je. Jullie ook.'

Toen ze de ruime wachtkamer binnenstapten, liepen ze onder een portret van een glimlachende George Bush door. Het leek niet echt op een ambassade, meer op een crèche tegen etenstijd. Het vertrek zat stampvol echtparen die een gevarieerde verzameling opgewonden Colombiaanse baby's vasthielden, wiegden, kalmeerden of een schone luier gaven. Als de ontmoeting met de ornitholoog een welkome herinnering aan thuis was, dan leek dit meer op echt thuiskomen. Alle nieuwe ouders waren, natuurlijk, Amerikanen. Joanna en Paul vonden twee zitplaatsen naast een stel van een jaar of dertig, uit Texas. Paul nam aan dat ze uit Texas kwamen omdat de man een T-shirt aan had met de opdruk GOD BLESS TEXAS. Toen de man zei: *howdy,* werd het min of meer bevestigd. Zijn vrouw had een pikzwart jongetje op schoot. Paul gaf zichzelf onmiddellijk een standje, boos omdat zijn eerste indruk van het jongetje niet was dat hij groot of klein of lief of lelijk of verlegen of vriendelijk was, maar alleen maar dat zijn huid donker was.

Donkerder dan die van Joelle.

Hij was teleurgesteld over zichzelf. Maar toen hij de wachtkamer rondkeek dacht hij, dat het mogelijk was dat hij niet de enige was die enig vergelijkend warenonderzoek verrichtte. Alle ouders leken in stilte vergelijkingen te maken. Misschien hield het verband met het feit dat ze allemaal een kant-en-klaar kind hadden gekregen.

Ze werden naar een met neonlampen verlichte kamer geroepen, waar een zuur kijkende Colombiaanse vrouw om Joelles geboortebewijs vroeg. Waar, natuurlijk, niet Joelle op stond. Paul had niet precies geweten wat er in het geboortebewijs stond, omdat het in het Spaans was opgemaakt. Tussen de Spaanse woorden stond blijkbaar de naam van de baby – die haar was gegeven door haar natuurlijke moeder.

'*Marti,*' zei de vrouw, terwijl ze iets opschreef.

De biologische moeder was een volslagen onbekende voor hen. Maria Consuelo had aangeboden hun iets over haar te vertellen, waarvoor ze prompt en beleefd hadden bedankt. Het was een soort ontkenningsmechanisme, wisten ze, en kinderachtig bovendien. Het was ongeveer zo: als ze niets over de moeder wisten, bestond die niet echt. En als ze niet echt bestond zou het gemakkelijker zijn te geloven dat Joelle helemaal van hen was.

De vrouw stelde hun een paar vragen. Haar optreden was beleefd, maar afstandelijk. Paul, op zijn hoede voor mogelijke antipathie van de Colombianen, kon niets bijzonder kwaadaardigs ontdekken aan haar manier van vragen. Toch was hij opgelucht toen het gesprek voorbij was.

'Uw baby is volkomen gezond,' zei de dokter.

Hun tweede bezoek van de dag.

Geadopteerde baby's moesten een medisch onderzoek ondergaan voor ze het land uit mochten. Pablo had hen naar een kinderarts in de buurt van het hotel gebracht.

Dokter Dalliego was van middelbare leeftijd, kalend en efficiënt. Hij woog Joelle, en porde en betastte haar met robotachtige afstandelijkheid, terwijl Paul en Joanna er zwijgend en bezorgd bij stonden. Was het mogelijk dat de dokter iets aan haar zou vinden wat niet in orde was? Haar lichte koorts was die ochtend even snel verdwenen als ze was gekomen, maar had het weeshuis iets over het hoofd gezien? Iets waardoor ze haar zouden moeten terugbrengen, om vervolgens Colombia met lege handen en een gebroken hart te moeten verlaten?

Zo nu en dan kwam de assistente de dokter storen met een telefoontje, dan gaf hij Joelle terug aan Joanna terwijl hij geduldig luisterde naar de ouders van een andere baby die hun zorgen aan hem voorlegden. Rustig sprak hij een paar woorden Spaans in de hoorn, knikte ter bevestiging van zijn wijsheid, en gaf daarna de telefoon weer aan de assistente.

Daarna wijdde hij zich weer aan Joelle.

Na een poosje gaf Paul het op om naar het gezicht van de dokter te kijken, op zoek naar een of andere aanwijzing. Hij besloot dat hij eenvoudig de uitslag zou afwachten.

Die was blijkbaar eersteklas. *Uw baby is volkomen gezond,* zei dokter Dalliego. *Ze is prima in orde.*

Wat meer was dan je van haar vader kon zeggen.

Eindelijk waagde Paul het een diepe zucht te slaken.

9

Ze waren terug in hun hotelkamer.

Galina was de rest van die dag vrij. Joelle lag in haar bedje te slapen. Stralen amberkleurig licht vielen schuin naar binnen door het raam.

Hij zou zich dit precieze moment lang herinneren. Zo ongeveer voor altijd. Hij zou zich herinneren hoe het eruitzag – hoe de zonnestralen kriskras over de sprei vielen en Joanna's blote been in tweeën leken te klieven. Hij zou een foto nemen van dit moment, en die in het album van heel nare dingen plakken.

Joanna lag half boven en half onder het laken, strak naar het plafond starend. Ze leek een beetje neerslachtig.

Lang geleden was Paul opgehouden Joanna te vragen waarom ze ongelukkig keek, omdat hij altijd wist wat het antwoord zou zijn, en het altijd iets met hem te maken had. Hij hoopte dat het nu anders zou zijn – nu ze zo volkomen gelukkig waren, dus hij vroeg het toch.

'Wat is er aan de hand?'

'Je zult denken dat ik gek ben,' zei ze.

'Nee, dat doe ik niet.'

'Ja, dat doe je wel. Je weet niet wat ik denk. Het is belachelijk.'

'Ja, dat doe ik wel. Jij denkt dat ik denk dat je gek bent.'

'Behalve dat.'

'Wat, Joanna?'

'Het is idioot.'

'Oké, het is idioot. Zeg het me maar.'

'Ze ruikt anders.'

'Wat? Wíé?'

'Joelle. Ze ruikt anders.'

'Anders dan wat?'

'Anders dan... eerst.'

Paul wist niet goed hoe hij daarop moest reageren.

'Dus?'

'Dus?'

'Dus ze ruikt anders. Ik weet niet...'

'Begrijp je niet wat ik bedoel?'

'Nee.'

Joanna ging op haar zij liggen en ze keek hem aan. 'Ik geloof niet dat zij het is.'

'Wat?'

'*Ik geloof niet dat zij het is.*' Deze keer benadrukte ze elk woord zodat hij precies wist wat ze zei. Wat duidelijk en beslist, nou... idioot was.

'Joanna, natuurlijk is het Joelle. We zijn vandaag met haar naar de dokter geweest. Je was de hele dag bij haar. Ben je...?'

'Gék?'

'Dat wilde ik niet zeggen,' zei Paul. Natuurlijk was dat precies wat hij had willen zeggen. 'Ik wilde alleen... ik bedoel, het is alleen zo... het is Joelle.'

'Hoe weet je dat?'

'Hoe bedoel je, hoe ík dat weet?'

'Het is een simpele vraag. Hoe wéét je dat het Joelle is?'

'Omdat ik twee dagen bij haar ben geweest. Omdat... ze eruitziet zoals zij is.'

'Ze is pas één maand oud. Hoe veel andere baby's heb je hier gezien die precies op haar lijken?'

'Geen enkele.'

'Mooi. Nou, ik wel.'

'Joanna, omdat ze anders rúíkt? Geloof je niet dat dat een beetje... paranoïde is?'

'Bedoel je, zoals toen we dachten dat Galina haar gekidnapt had?'

'Ja.'

'Misschien waren we niet paranoïde. Misschien heeft Galina haar gekidnapt.'

'Hoor je zelf wel wat je zegt? Hoor je het? Het is belachelijk.'

'Gisteren vond je het niet belachelijk.'

'Nee, gisteren vond ik het niet belachelijk. Dat was voor ze met haar *terugkwam.* Ze had koorts, dus Galina ging een thermometer voor haar kopen. Weet je nog?'

'Joelle had geen koorts toen we gingen wandelen, zo is het toch?'

'Hoe weten we dat?'

'Omdat ik haar moeder ben. Ik heb haar vastgehouden voor we weg-gingen. Alles was goed met haar.'

'Baby's krijgen soms koorts, schat.'

Joanna ging rechtop zitten. Ze nam Pauls handen in de hare – ze voelden koud en klam aan.

'Hoor eens, Joelle had een moedervlekje op haar linkerbeen. Precies hier.' Ze stak haar hand uit en raakte zijn been aan, net onder de knie. Hij schrok er bijna van. 'Ik heb het gezien. Ik heb het gevoeld. Toen jij die eerste avond in slaap viel ben ik naar haar bedje gegaan en... nou, toen heb ik gewoon naar haar gekeken. Ik kon niet geloven dat we haar hadden. Ik werd wakker en ik dacht dat ik misschien gedroomd had. Ik moest haar zien. Om te weten dat ze echt was. Snap je?'

Paul knikte.

'Oké. Toen de dokter haar vandaag onderzocht, zag ik het niet. Ik zei tegen mezelf, misschien heb je je vergist, misschien heb je niet echt een moedervlekje gezien. Het was donker in de kamer. Misschien was het een stofje, een vlekje. Alleen... vandaag heb ik de hele dag gedacht dat ze anders rook dan eerst.'

'Lieverd...'

'Luister naar me. Alsjeblieft.' Ze kneep in zijn handen, alsof ze pro-beerde haar geloof letterlijk in hem te drukken, alsof het iets was wat je kon oplopen, als een ziekte. Maar hij wilde haar ziekte niet. Hij wilde dat ze hiermee ophield, dat ze weer de opgetogen, jonge moeder werd die midden in de nacht wakker werd om naar haar dochtertje te kijken. 'Joelle had zo'n... hoe zal ik het zeggen, zo'n kruidig luchtje. Ze had het toen we haar ophaalden bij het weeshuis, en ze had het hier. Ze had het niet meer toen Galina haar terugbracht.'

'Oké. Waarom heb je toen niets gezegd?'

'Omdat ik wist dat je zou denken dat ik gek was. Zoals je nu denkt. Ik zei tegen mezelf dat ik gek was. Maar vandaag heb ik de moedervlek niet gezien. Dus misschien ben ik niet gek.'

'Waarom zou ze baby's verwisselen, Joanna? Waarom? Wat kan ze daar in vredesnaam voor reden toe hebben?' Paul probeerde haar te laten inzien hoe raar dit allemaal was. Geloof was immuun voor logica; het opereerde volgens eigen wetten. En dat maakte hem bang, al was het maar omdat een heel klein deel van hem begonnen was naar haar te luisteren. Het was een feit, Joelle had een beetje kruidig geroken. Nu Joanna erover begonnen was, oké, ja, dat was zo.

'Ik weet niet waarom ze baby's zou verwisselen, Paul. Misschien omdat we ruzie hadden gemaakt.'

'Ruzie? je bedoelt, over de manier waarop ze in haar bedje moest liggen?'

Joanna knikte.

'Dat is belachelijk.'

'Goed, dan is het belachelijk. Dan ben ik belachelijk. Ik denk alleen dat we over twee dagen dit land uit zullen gaan met de verkeerde baby. En dan is het te laat.'

'Wat wil je dat ik doe, Joanna? Zelfs al zou ik je geloven. Wat zou ik tegen de politie moeten zeggen? *Wat?* Dat ik weet dat we onze excuses hebben aangeboden omdat we volhielden dat onze dochter gekidnapt was, en raad nu eens, dat we nu geloven dat ze *verwisseld* is?'

'We kunnen naar Santa Regina teruggaan,' zei Joanna. 'We kunnen vragen of ze haar voor ons willen nakijken.'

'Wat denk je dat Maria daarvan zou zeggen? Hoe stabiel zou ze denken dat we zijn? Hoe graag zou ze willen dat wij een van haar baby's kregen? Er staat nog niets vast, Joanna. Ze kunnen Joelle nog steeds terugnemen.'

'*Deze baby is niet Joelle.*'

'Toevallig ben ik het niet met je eens. Oké? Toevallig geloof ik dat ze het wél is. Omdat het alternatief niet logisch is. Absoluut niet. Luister naar jezelf. Jezus, je baseert dit op een geur en op iets waarvan je dénkt dat je het midden in de nacht gezien hebt.'

'Laat me je dan iets vragen, oké?' zei Joanna.

Nee, wilde hij zeggen – het is niet oké.

'Laten we aannemen dat er een kans bestaat van één procent dat ik gelijk heb.'

'Wat?'

'Dat is toch redelijk? Eén procent?'

'Hoor eens, ik...'

'Ik stel je een simpele vraag. Jij wilt me aanvallen met logica, prima, dat begrijp ik. Dus ik stel je een logische vraag. Jij houdt toch van percentages? Je bent verzekeringsexpert – doe alsof het een van je statistieken is. Is er een kans van één procent dat ik gelijk heb?'

'Je wilt dat ik een percentage aanneem van iets waarvan ik geloof dat het volslagen belachelijk is?'

'Ja. Ik wil dat je een percentage aanneemt van iets waarvan je denkt dat het volslagen belachelijk is.'

48

'Oké, goed – er is een kans van één procent dat ze niet Joelle is. En een kans van negenennegentig procent dat ze het wel is.'

'Goed. Ben je bereid het land uit te gaan met ook maar de *geringste* kans dat ze niet onze baby is?'

Hij stond op het punt te zeggen dat Joelle sowieso niet *van hen* was – omdat ze het letterlijk niet was. Maar hij kon het niet zeggen. Omdat het niet meer waar was. Vanaf de eerste seconde dat hij haar tegen zijn borst gedrukt had, was ze van hun geworden.

Ze was hun dochter.

Wat nu?

10

Het leek een eeuwigheid te duren voor Galina de deur open deed.
Misschien omdat Paul nog steeds niet wist wat hij tegen haar zou zeggen, en dus koortsachtig iets stond te bedenken. Intussen hopend dat ze niet thuis zou zijn, dat er niemand zou reageren op Pablo's klopje.
Pablo had hen drieën naar Galina's huis gereden in de wijk Chapinero, een arbeidersbuurt met lichtbruine flatgebouwen en bescheiden huizen. Toen ze op de achterbank hadden plaatsgenomen, had Joanna hun dochter niet van hem overgenomen, zoals ze dat meestal had gedaan tijdens de twee dagen dat ze haar bij zich hadden.
Ze maakte er een punt van.
Dit is mijn dochter niet. Hou jij haar maar vast.
Goed, dacht Paul. Ze zouden wel zien.
'Hallo, Galina,' zei Paul, toen de deur eindelijk open ging.
Ze leek verbaasd hen te zien, maar niet op een manier die op Paul als geschrokken overkwam. Nee, ze bukte zich en fluisterde een lief hallo tegen haar favoriete baby. Paul zou zich het liefst tot Joanna wenden en zeggen 'Zie je wel, ben je nu tevreden?' Joanna keek niet anders dan ze tijdens de rit had gedaan, en dat was grimmig en ongelukkig.
Galina vroeg of ze binnen wilden komen.
De deur gaf toegang tot een kleine woonkamer. Er stonden een leren bank, en twee versleten, maar gemakkelijke stoelen voor een televisie. Ze had naar een soap zitten kijken, Paul nam ten minste aan dat het zoiets was. Een knappe, jonge vrouw kuste een knappe, jonge man. Een logge, gele hond bewoog zich nauwelijks van de plek waar hij op de vloer uitgestrekt lag.
'Ga toch zitten,' zei Galina, naar de bank wijzend. *Zie je wel*, vervolgde Paul zijn lopende, zij het zwijgende commentaar tegen Joanna, *ze nodigt ons uit om binnen te komen. Ze vraagt of we op haar bank willen gaan zitten.*

Galina haalde koekjes en vier koppen sterke, Colombiaanse koffie in wat haar mooiste porselein moest zijn. Ze zette het geluid van de tv zacht.

Ze praatten over koetjes en kalfjes.

'Hoe heeft de baby vannacht geslapen?' vroeg Galina.

'Goed,' antwoordde Paul. 'Ze is even wakker geworden, om twee uur geloof ik, en daarna viel ze meteen weer in slaap.'

'Jullie boffen. Ze is een goede slaapster.'

'Ja,' zei Paul. Joanna bleef opvallend zwijgen.

'Je hebt een mooi huis, Galina,' merkte Paul op, die bleef zoeken naar van alles om over te praten behalve over het eigenlijke doel van hun bezoek.

'Dank je.'

'Hoe heet je hond?' vroeg hij.

'Oca,' zei Galina. Bij het horen van zijn naam tilde de hond zijn kop op en begon te snuffelen.

'Heeft Pablo jullie gisteren naar de dokter gebracht?' vroeg Galina.

'Ja.'

'En wat heeft hij gezegd?'

'Alles is in orde.'

'Geweldig,' zei Galina. Ze glimlachte; haar lachrimpeltjes werden dieper.

Toen nam Joanna het woord.

'Ze had geen koorts meer.'

'Dat is goed,' zei Galina.

'Ik vraag me af wat het geweest is,' liet Joanna erop volgen.

'Wie weet?' Galina hief haar handen op in het universele gebaar van de menselijke beperking om de raadselen van het universum te doorgronden.

Wat Joanna probeerde te doen, natuurlijk. Althans één raadsel te doorgronden.

Paul wist dat van hem verwacht werd dat hij het overnam.

Als hij op zijn gemak bleef zitten en niets zei, zou Joanna hem ervan beschuldigen dat hij niet achter haar stond, dat hij met de vijand heulde. Maar de vijand onthaalde hen op koffie en koekjes en ze ontving hen gastvrij in haar huis. De vijand was naar een *farmacia* gegaan om een thermometer voor Joelle te kopen toen die ziek was. Toch werd erop gerekend dat hij bepaalde dingen zou doen. Haar steunen,

51

bijvoorbeeld. Iets wat hij niet had gedaan toen ze had volgehouden dat Joelle, volgens haar de *echte* Joelle, op een verkeerde manier in haar bedje was gelegd. Iets wat hij nu met nadruk en onvoorwaardelijk zou moeten doen.

'Eh, Galina... we vroegen ons iets af,' begon hij.

'Ja?'

'Dit zal een beetje raar klinken, oké?'

'Oké.' Duidelijk geamuseerd herhaalde Galina zijn Amerikaanse uitdrukking.

'Mijn vrouw... wij allebei eigenlijk, hebben een verschil opgemerkt. Bij Joelle.'

'Verschil. Hoe bedoel je, verschil?'

'Nou, ik zei al dat het raar zou klinken, maar het gaat hierom, ze ruikt anders. Dan eerst.'

'*Ruikt?*' Ze keek naar Pablo, alsof ze bevestigd wilde zien dat ze het goed verstaan had. Kennelijk was dat zo. Pablo keek even verward als zij.

'Ze rook een beetje kruidig,' stamelde Paul door, 'en nu niet meer. Het leek veranderd te zijn nadat, eh... toen we dachten dat ze... toen je een thermometer voor haar ging kopen.'

'Ja?'

'We vroegen het ons alleen maar af,' zei Paul. 'Dat is alles.'

'Juist.'

Blijkbaar had Galina er nog steeds geen idee van waar hij het over had.

'We hoopten dat jij het misschien kunt uitleggen.'

'Wat uitleggen?'

'Waarom ze... anders ruikt.'

Galina zette haar kopje neer op het porseleinen schoteltje. Het geluid leek onnatuurlijk te weergalmen. Misschien omdat het in de kamer plotseling onbehaaglijk stil geworden was, het enige geluid was een vaag gemompel van de zacht gezette tv. Als ze alle vijf meespeelden in die soap, dacht Paul, zou dit het moment zijn voor een onwelluidend orgelakkoord, als voorbode van een dramatische ontwikkeling. In dit geval Galina's groeiende besef dat ze, al ging het onhandig, beschuldigd werd van iets wat ze niet begreep.

'Wat bedoel je?' vroeg ze nu. 'Wil je beweren... *wat?*'

'Niets, Galina,' zei Paul, een beetje te snel. 'We waren alleen nieuwsgierig, dat is alles.'

'Waarnaar?'

'Waarom ze anders ruikt.'

'Ik begrijp het niet. Wat vraag je me?'

We vragen je of je onze baby gestolen hebt, Galina. Of je haar hebt verwisseld.

'Niets.'

'Waarom zijn jullie dan hier?'

Paul zou dat het liefst zelf aan Joanna vragen.

'We wilden weten...' en hier klapte Paul opeens dicht.

'Ze had een moedervlek,' zei Joanna.

'*Wat?*' Galina keek Joanna aan.

'Ze had een moedervlek, toen we haar kregen. Die heeft ze nu niet meer.'

'Moedervlek?'

'Mijn dochter had een moedervlekje op haar linkerbeen. En ze rook... nou, zoals ze rook. De moedervlek is weg. Ze ruikt anders.' *Ik wil weten of het dezelfde baby is.*

Oké, dacht Paul. Xenia, de krijgshaftige prinses, was op het oorlogspad. De poppen waren aan het dansen. Maar het waren geen poppen, eerder was het een Tasmaanse duivel, iets groots, verscheurends en afzichtelijks. Waarschijnlijk zoals ze op dit moment Galina aankeken. Haar rug was tenslotte zichtbaar verstijfd – een van die clichés die blijkbaar klopten. Haar vriendelijke, grijze ogen waren glashard geworden.

Paul merkte dat hij probeerde overal naar te kijken, behalve naar haar, zoekend naar een gat waar hij zich in zou kunnen verstoppen.

Er stond een doos sigaren op de schoorsteenmantel, met ernaast een foto van een man met een witte panamahoed.

Paul vroeg zich af of Galina sigaren rookte. Een paar zachte, bruine pantoffels hadden zich als katten op de mat bij haar voordeur genesteld. De hond, die zich uit zijn half bewusteloze toestand had losgerukt, nam er een in zijn bek, waarna hij die aan Pablo's voeten liet vallen waar de pantoffel met een harde bons terechtkwam.

Hij dwong zich weer naar Galina te kijken. Ze had nog steeds geen woord gezegd – Joanna's beschuldiging had haar met stomheid geslagen. Ze leek enigszins ontzet.

Later, veel later, vroeg Paul zich af of er zoiets als marginaal gehoor bestaat. Iets wat tot het oor doordringt, maar zich pas later aankondigt.

Hij probeerde niet naar Galina's geschokte gezicht te kijken. Hij vroeg zich af of hij haar zijn verontschuldigingen moest aanbieden. Het gesmoorde geluid dat ergens binnen uit het huis kwam, viel hem niet op.

Galina wel. Dat was de oorzaak van haar gezichtsuitdrukking.

Joanna had het ook gehoord.

Omdat ze haar hand uitstak en haar nagels in zijn arm begroef. Hij gilde het bijna uit.

Ergens in het huis huilde een baby.

Eindelijk hoorde hij het.

Eindelijk drong het tot hem door. Want toen hij op Joelle neerkeek, lag die te slapen. Wat betekende dat er ergens in huis een baby huilde, ja, maar het was niet deze baby.

'Wie is dat?' Dat was het eerste wat hij zei. Stom, oké, maar hij leek vandaag een beetje traag van begrip te zijn.

Galina gaf geen antwoord.

'Wiens baby is dat?' zei hij, al begon hij te begrijpen wiens baby het zou kunnen zijn.

'Pablo. Wil je gaan kijken wie dat is?'

Pablo verroerde zich niet.

'Galina?'

De uitdrukking op haar gezicht was niet veranderd. Of misschien ook wel. De hardheid in haar ogen was er nog, en er was nu iets anders bij gekomen, een angstaanjagende uitdrukking van concentratie en kracht.

'Galina, is dat onze dochter? Is dat *Joelle?*'

Het duurde even voor Paul besefte dat Pablo zich nog steeds niet had verroerd. Dat Galina hem nog steeds geen antwoord gaf.

Paul stond op met de baby in zijn armen – de vraag was: wíéns baby. Hij voelde zich duizelig worden. 'Goed, dan ga ik wel kijken wie het is.' Hij kondigde zijn voornemen op luide toon aan alsof hij om toestemming vroeg.

Hij maakte aanstalten om Joelle aan Galina te geven, maar toen bedacht hij zich natuurlijk. Galina was hun kinderverzorgster niet meer; het was mogelijk dat deze baby niet Joelle was. Hij had het gevoel of hij op de rand van een diepe, gevaarlijke afgrond balanceerde – fysiek en emotioneel. Zelfs de kamer leek heen en weer te bewegen.

Toen kwam de zaak in beweging.

Joanna stond op en zei *Ik ga kijken,* en onmiddellijk begon ze in de

54

richting te lopen waar het geluid van de huilende baby vandaan kwam. Pablo kwam uit zijn stoel overeind.

Paul wilde hem de baby geven die hij in zijn armen hield, zodat hij met zijn vrouw mee kon gaan, maar het bleek enorm veel moeite te kosten om haar op te tillen.

'Ga zitten, Paul,' zei Pablo vriendelijk.

Hij bood aan zelf te gaan kijken. Hij zei tegen Paul dat deze moest gaan zitten en de baby bij zich houden. Pablo was Pablo.

Dankbaar nam Paul weer plaats terwijl Pablo achter Joanna aan de gang in liep. De baby huilde harder, het was nu meer een gekrijs. En ten slotte moest Paul definitief en onvoorwaardelijk erkennen dat wat Joanna gevreesd had, waar was.

Hij *herkende* dat gekrijs.

Hij herinnerde het zich van de eerste dag in de hotelkamer toen hun dochter eindeloos om eten had liggen jammeren. Tot Galina kwam opdagen en overal voor zorgde.

Galina zat nog steeds stijf rechtop in haar stoel – alleen leek ze fysiek dichter bij hem te zijn dan eerst. Hoe kon dat?

Ongeveer een minuut gebeurde er niets.

De baby bleef ergens in het huis huilen; Galina bleef hem aanstaren met een vreemde kalmte, die hem van zijn stuk bracht.

Toen kwam Pablo terug, hij liep de woonkamer in, Joanna met één sterke arm ondersteunend. Ze leunde tegen hem aan, haar hoofd rustte op zijn schouder alsof ze dreigde flauw te vallen. Waar was de baby?

Joanna was duidelijk overstuur, terwijl Pablo behulpzaam leek. Er was ongetwijfeld een oorzakelijk verband tussen deze beide dingen, maar Paul kon het niet plaatsen.

Er was iets mis.

Kijk nog eens goed.

Haar hoofd op zijn schouder. Het kostte Paul een paar seconden – seconden waarin de wereld van A tot Z veranderde, om te begrijpen dat haar hoofd op Pablo's schouder rustte omdat Pablo het donkere, weelderige haar van Pauls vrouw stevig om zijn vuist gewikkeld had.

Pablo trok Joanna aan haar haren de kamer in.

Haar mond stond open in een halfgesmoorde kreet.

Hij gooide Joanna op de bank, achterover, alsof ze een koffer was die hij op het vliegveld van El Dorado in de achterbak van zijn auto had gegooid.

'Zít,' beval hij. Alsof hij een hond commandeerde. Een stomme, koppige hond, een hond die beter zou moeten weten.

Paul zat als vastgenageld op de bank, toeschouwer bij een afschuwelijk drama dat plotseling en onverklaarbaar echt was geworden. Hij wachtte op de pauze, waarin hij zijn benen zou kunnen strekken, de spinnenwebben uit zijn hoofd verjagen, om vervolgens de spelers te bedanken voor hun verbijsterend overtuigende opvoering. Het spel ging door.

Galina stond op.

Zorgvuldig begon ze de houten luiken voor de ramen aan beide zijden van de kamer te sluiten, intussen tegen Pablo pratend in een stortvloed Spaans. Alsof hij en Joanna niet in de kamer waren. Ze leek hem een standje te geven – Pauls Spaans begon terug te komen als een ver weggestopte herinnering, en het leek erop dat hij zo ongeveer elk vijfde woord kon begrijpen. *Jij. Gebeld. Niet hier.* Eén betreurenswaardig, dom ogenblik vroeg Paul zich af of ze tegen Pablo schreeuwde omdat hij Joanna zo hard op de bank had gegooid.

Omdat hij hun baby niet had gehaald.

Omdat hij zich tegen hen keerde.

Het was echter net zoiets als hopen dat je slaapt en droomt, wanneer je angstwekkend wakker bent.

Paul gaf de baby aan Joanna – de baby waarvan hij had geloofd dat het zijn dochter was en waarvan hij nu wist dat ze het niet was – en hij kwam overeind om te protesteren tegen de manier waarop Pablo zijn vrouw behandelde, om dit uit te praten, om Joelle terug te krijgen en Pablo te zeggen dat hij hen onmiddellijk naar het hotel terug moest brengen.

'Ik heb je gezegd dat je moest blijven zitten, Paul,' zei Pablo.

Hij maakte de opmerking over Pauls uitgestrekte lichaam heen. Dit was een enorme verrassing voor Paul. Dat hij niet stond. Hij lag op een houten vloer die naar natte vacht en schoenpoets rook. *Hoe was hij daar terechtgekomen?* Hij hoorde dat Joanna scherp haar adem inzoog.

'Alles is oké met me, schat,' zei hij. Het vreemde was dat hij de woorden niet hoorde. Zijn tong werkte op een vreemde manier niet mee; die had besloten in staking te gaan. Net als de rest van zijn lichaam, dat absurd zwaar aanvoelde. Hij had een vieze, metalige smaak in zijn mond.

56

Hij probeerde zich overeind te werken. Het lukte niet. Hij voelde trillingen in de vloerplanken, alsof er gewicht van de ene plek naar de andere verplaatst werd. Hij hoorde zwaar geschuifel en voelde beweging in de lucht.

Ze leken op mariniers.

Vijf mannen in camouflagekleding die plotseling de kamer in stroomden als een zilte rivier die buiten haar oevers treedt. Jonge gezichten met een onverstoorbare, vastberaden uitdrukking. Ze hadden allemaal een geweer.

'Alsjeblieft,' zei Paul.

Het was griezelig donker in de kamer; Galina had alle luiken dichtgedaan op één na. Het leek het moment vóór iedereen *verrassing* roept.

De verrassing is voor ons, dacht Paul.

Toen verloor hij het bewustzijn.

11

Duisternis.

Maar niet totaal. Er flikkerden eindeloze visioenen en dromen door het donker. Alsof je een hele tijd in een bioscoop hebt gezeten.

Hij was elf jaar, en opeens bang in het donker. Voor die tijd was hij niet bang geweest, maar hij was het nu wel. Misschien omdat het donker was boven aan de trap waar zijn moeder sinds kort verbleef. Niet gewoon donker – een dikke, verstikkende duisternis alsof er een wollen deken over je hoofd was gegooid. *Je moeder rust,* had zijn vader tegen hem gezegd. *Ze slaapt. Je mag haar niet storen.*

Hij kroop de trap op, waar het onprettig naar medicijnen rook. Voor de deur bleef hij staan luisteren, en hij hoorde duidelijk het geluid van een spelletjesshow op de tv: een zoemer, een stem, ingeblikt gelach van publiek.

Dus zijn moeder sliep toch niet. Het zou oké zijn om de deur open te doen en in haar armen weg te kruipen. Maar de duisternis in de kamer was nog somberder dan die op de overloop. Alleen bij het zachte schijnsel van de draagbare tv met de treurig omlaag hangende spriet-antenne kon hij iets zien.

Het duurde even voor hij het monster dat op het bed lag, kon onderscheiden.

Vorig jaar, met Halloween, was hij langs de deuren gegaan om snoep op te halen, verkleed als skelet – helemaal in het zwart, behalve de witte beenderen waar zijn armen en benen zouden moeten zijn.

Daar leek het op.

In de droom tilde dit skelet een benige arm op en het gebaarde dat hij dichterbij moest komen.

Ten slotte werd hij wakker. De film was voorbij.

'Morgen,' zei de jongen.

Zoals hij het elke ochtend had gezegd sinds ze het hem hadden geleerd. Niet met opzet. Toen Paul eindelijk zijn ogen had geopend nadat hij was flauwgevallen op de vloer bij Galina, had de jongen staan luisteren toen hij Joanna vroeg hoe laat het was. Was het *morgen*? De jongen herhaalde het een aantal malen alsof hij het wilde testen. Nu gebruikte hij het om hen te begroeten.

Deze ochtend, wat óf de derde óf de vierde morgen was dat ze hier waren, wachtte de jongen tot ze iets terug zouden zeggen.

'Goedemorgen,' zei Joanna.

Daarna zette de jongen hun ontbijt – maïsbroodjes en worstjes – op de grond, en hij ging weg.

Ze bevonden zich in een huis, ergens in Colombia.

Ze konden onmogelijk te weten komen *waar* in Colombia, omdat ze niet naar buiten mochten. De ramen waren met planken dichtgemaakt. Ze konden weinig geluiden van buiten horen – het verre gerommel van passerende auto's, af en toe zweefde er god weet waarvandaan een melodietje naar binnen, ergens krijste een papegaai. Het enige wat ze wisten was dat het *niet* Galina's huis was.

Ze waren naar een andere plek overgebracht.

Een claustrofobische kamer met een smerige matras op de vloer, en twee plastic stoelen. In een hoek stond een emmer.

Dat was het.

Die eerste ochtend was Joanna eerder wakker geworden dan Paul. Toen ze hem niet wakker kon krijgen – blijkbaar had ze alles geprobeerd behalve op hem staan dansen, had ze geprobeerd de deur te openen. Die zat stevig op slot. Het lukte haar een luik open te wrikken, maar ze zag niets anders dan solide hout dat naar haar terugstaarde.

Toen Paul eindelijk en versuft ontwaakte zag hij Joanna, die midden in de kamer op de vloer heen en weer zat te wiegen. 'O god,' fluisterde ze. 'O god...'

Hij had natuurlijk geprobeerd haar te troosten, terwijl hij pogingen deed te begrijpen wat er gebeurd was, zich door een gevoelloos waas heen te vechten dat zich om zijn hoofd gewikkeld leek te hebben. Ze leek vreemd ver weg, ook toen hij zijn armen om haar heen sloeg, alsof ze koppig een deel van zichzelf op afstand hield. Hij dacht dat hij wel wist waarom.

'Het spijt me, Joanna,' zei hij. 'Dat ik je niet geloofd heb.'

'Ja. Oké. Geweldig.'

'Het leek belachelijk. Baby's verwisselen. Ik kon me niet voorstellen...'
'Waar is ze, Paul?' viel ze hem in de rede. 'Wat wíllen ze?'
Die vraag was moeilijk te beantwoorden.
De eerste dag zagen ze niemand anders dan de jongen. Hij was gekleed in een camouflagepak, net als de anderen. Hij droeg een geweer dat veel te groot voor hem leek. Hij was hoogstens veertien. Behalve zijn *goedemorgens* zei hij niets.
De volgende middag werden ze eindelijk bezocht door iemand die hoger op de hiërarchische ladder moest staan. Een man van midden dertig, Paul dacht dat hij zijn gezicht herkende uit Galina's huis, net voor hij naar het plafond had liggen staren.
'Hoor eens, we hebben niets met *politiek* te maken,' zei Paul, nadat de man de kamer binnen was gekomen en de deur achter zich op slot had gedaan. 'Ik doe in verzekeringen.' Dat herinnerde hem aan iets anders. 'We zijn niet rijk.'
De man draaide zich om en keek hem aan. 'Denk je dat we *bandidos* zijn?' Zijn Engels was redelijk. Hij had iets wat op een kalasjnikov leek over zijn schouder hangen, maar leek verder noch gewelddadig noch onsympathiek.
'Waar is mijn baby?' zei Joanna. 'Ik wil mijn baby terug. Alstublieft.'
'Ik denk dat ik hier degene ben die vragen stelt,' zei hij, niet bijzonder grof. Het was gewoon een onherroepelijke vaststelling van een feit.
'Jullie zijn gevangengenomen door FARC,' zei hij, 'de Revolutionary Armed Forces of Colombia,' het voor hen spellend voor het geval ze niet bij de tijd waren wat acroniemen betrof. 'Wij zijn de wettige stem van het Colombiaanse volk.' Paul dacht dat het klonk als een toespraak die hij al honderden malen eerder had gehouden. 'Jullie zijn onze politieke gevangenen. *Comprende?*'
Paul zei: 'We kunnen jullie niet helpen. Ik zei toch al, we hebben niets met politiek. We hebben geen *geld...*'
Hij werd onderbroken door een stomp van het geweer in zijn middenrif. Toegebracht met genoeg kracht en precisie om hem op zijn knieën te laten vallen.
'*Paul...!*' Joanna deinsde terug, een begrijpelijke reactie wanneer je man onder je ogen fysiek wordt aangevallen.
'Wanneer ik een vraag stel, geef je me antwoord,' zei de man. 'Dat moet je onthouden.'
Paul probeerde overeind te komen, zo niet voor hemzelf dan wel voor

Joanna. Hij voelde haar vrees als een fysieke entiteit, koud en tastbaar en onverbiddelijk. Maar hij kon niet opstaan; zijn maag stond in brand. Zijn ogen traanden.

'Jullie zijn politieke gevangen van de Revolutionary Armed Forces of Colombia. *Comprende?*'

'Ja,' zei Paul, nog steeds op zijn knieën, nog steeds naar adem snakkend van de gemene stoot in zijn middenrif.

'Jullie zullen niet proberen te ontsnappen. *Comprende?*'

'Ja.' Hij probeerde het nog één keer, vermande zich in een poging iets wat een steile muur van pijn leek te beklimmen, en ten slotte slaagde hij erin min of meer rechtop te gaan staan.

'Jullie gaan bij de deur vandaan wanneer we de kamer in komen. Jullie gaan bij de deur vandaan wanneer we weggaan. Jullie blijven bij de ramen vandaan. Ja?'

'Ja, we begrijpen het.'

'Hoe voel je je?' Dit was tegen Joanna gericht.

'Ik ben misselijk.' Haar stem trilde maar bleef effen, alsof ze wanhopig probeerde te laten zien dat ze zich beheerste, maar ze slaagde er nauwelijks in. 'Ik heb het gevoel dat ik moet overgeven.'

Hij knikte, alsof hij dit had verwacht. '*Escopolamina*,' zei hij.

'Wat?' vroeg Joanna, waarmee ze de geen-vragen-stellen regel overtrad, deze keer blijkbaar zonder gevolgen.

'Een straatdrug. Ze gebruiken het hier om de *turistas* te beroven.' Hij schudde zijn hoofd en slaakte een minachtende zucht, alsof zoiets, berovingen en dergelijke, beneden zijn stand was. 'We kwamen te laat – zij werd bang.'

Galina, dacht Paul. Hij bedoelde Galina.

'Ze heeft iets in onze koffie gedaan,' merkte Joanna ronduit op.

De man haalde zijn schouders op. 'Morgen zul je je beter voelen. Veel beter.'

Hij draaide zich om en liep naar de deur, waar hij aarzelde, alsof hij wachtte tot iemand die zou openen. Hij keerde zich opnieuw om en keek hen aan met een blik vol verwachting.

Wat nu weer?

'O,' zei Paul. Hij pakte Joanna bij de hand en nam haar mee naar de tegenoverliggende muur.

'Goed,' zei de man, alsof hij het tegen kinderen had die hun kamer hadden opgeruimd, zoals hen was opgedragen.

Daarna liep hij de kamer uit en deed de deur achter zich op slot.

Ze brachten het grootste deel van de tijd door met herinneringen ophalen.

Om de beurt noemden ze alles op wat ze prettig vonden aan New York. Zelfs dingen die ze, vreemd genoeg, vroeger niet leuk hadden gevonden – vakantiedrukte bijvoorbeeld. De zwerm bezoekers die de stad bezet houden van Thanksgiving tot Kerstmis, en opstoppingen veroorzaken van Times Square tot Houston Street. Paul vond de menselijke verkeersopstopping altijd irritant en verstikkend, maar nu dacht hij eraan terug als vrolijk, kalmerend zelfs. De onvermijdelijke stank van vuilnis dat nog opgehaald moest worden werd een aroma dat ze misten en koesterden. De hindernisbaan vol bouwkranen, hekjes om gaten in het wegdek, en grote Con Ed bestelwagens, die elke New Yorkse taxi moest afleggen van de ene kant van het centrum naar de andere, werd een racebaan van stedelijke opwinding.

Het was allemaal een kwestie van perspectief. En op dit moment was hun perspectief beperkt tot een rattenhol in Colombia.

Ze haalden ook herinneringen op aan plaatsen buiten de stad, door aan al hun vakanties terug te denken.

De ruwhouten blokhut in Yosemite, waar ze naartoe waren geweest toen ze nog maar net met elkaar omgingen, maar al diep verliefd waren. Het Sea Crest Motel in Montauk, dat aan het witste strand stond dat hij ooit gezien had. Het belachelijk dure, maar buitengewoon mooie George V in Parijs – de bestemming van hun huwelijksreis.

Ze probeerden elk fantastisch diner dat ze ooit hadden gegeten, te reconstrueren – van Prudhommes tot Pinks. Uitgelezen amuses, overdadige voorgerechten, suikerzoete desserts.

Ze speelden hun eerste ontmoeting na – twee vermoeide zakenreizigers die wachtten bij dezelfde gate. Ze bedachten theorieën over hoe groot de kans was elkaar op die manier tegen te komen, verliefd te worden, te trouwen.

Dit alles was hun manier om de tijd door te komen.

Ze praatten over het verleden om te vermijden aan de toekomst te denken. Het was volslagen en totaal irreëel. Gebeurde dit *werkelijk* met hen – het kon toch niet? *Ontvoerd?* Iemand zou *stop* roepen, en dan zou het allemaal voorbij zijn. Dat moest wel.

Beter om over het verleden te blijven praten.

Op wat hun vierde dag in gevangenschap moest zijn – het was moeilijk om de tel niet kwijt te raken – zei Joanna: 'Waarom denk je dat ze ons gezegd hebben dat we niet bij de ramen mochten komen?'

Paul, die geleidelijk tot lusteloosheid was vervallen, haalde nauwelijks zichtbaar zijn schouders op.

'Omdat we ergens moeten zijn waar mensen ons kunnen zien,' beantwoordde Joanna haar eigen vraag. 'We moeten nog steeds in Bogotá zijn.'

'Oké.'

'We zouden wel eens aan een straat kunnen zitten.'

Paul vond het niet prettig waar dit gesprek naartoe ging. Joanna had die blik, die ik-ben-er-klaar-voor-om-iets-te-ondernemen blik. De blik die hij gezien had wanneer ze zich verzette tegen een meerdere die een overtreding beging, iemand die menselijke relaties schond, dezelfde blik die ze in haar ogen had toen ze had besloten dat ze, wat er ook gebeurde, een baby zou krijgen.

'Er zitten alleen maar een paar planken voor de ramen,' zei ze. 'Die kunnen we loswrikken.'

'Waarmee?'

'Ik weet het niet. Met onze handen.'

'Ik denk niet dat we dat moeten doen.'

'O nee? Wat dan? Blijven zitten en niets doen?'

Ja, dacht Paul. Tot dusver was hun niets verteld – waarom ze daar waren, wat hen te wachten stond. Het enige wat hun was meegedeeld was, dat ze niet bij de ramen mochten komen. Dat was hun verteld.

'Blijf bij de deur luisteren,' zei Joanna. 'Als je hen hoort aankomen, hou ik op.'

Dit was het moment waarop hij zou moeten aanbieden de planken los te wrikken. Of zeggen, nee – het is te gevaarlijk, vergeet het, laten we ons rustig houden.

Joanna leek niet bereid het zich uit het hoofd te laten praten.

Goed dan, hij zou het proberen. De planken leken behoorlijk stevig vastgespijkerd. Een flinke ruk zonder resultaat zou waarschijnlijk genoeg zijn om haar te ontmoedigen, haar terug te sturen naar de matras, dan konden ze doorgaan herinneringen op te halen aan vroeger tijden.

Paul zei: 'Ik doe het wel.'

Joanna ging bij de deur op wacht staan. Paul deed de luiken open, waardoor twee stevige houten planken zichtbaar werden. Hij dacht dat hij buiten vage verkeersgeluiden kon horen.

Hij kon één plank aan de onderkant vastpakken. Hij trok.

De plank gaf een beetje mee.

Je kon het hout duidelijk zien bewegen voor het weer op zijn plaats sprong. Joanna zou het zeker opmerken.

'Ik zei het toch,' fluisterde ze.

Paul gaf opnieuw een flinke ruk. Deze keer gaf de plank nog meer mee, een paar centimeter.

Ja, er was beslist verkeer, daarbuiten. Tamelijk gestadig ook – ze moesten zich vlak bij een grote, doorgaande weg bevinden. Ergens leidden mensen hun volkomen normale, dagelijkse leven, ze deden boodschappen, gingen eten, waren op weg naar hun werk, en dat alles binnen gehoorsafstand van twee gekidnapte Amerikanen.

Met hernieuwde kracht ging Paul door, opeens een golf zoet ruikende lucht inademend. Hij werkte in een gestadig ritme, trekken, rusten, trekken, rusten. Langzaam, stukje bij beetje, gaapte de plank open; hij kon rode tegels zien – een binnenplaats?

Joanna zat gehurkt bij de deur, één bundel nerveuze energie, hem met haar ogen aanmoedigend.

Plotseling kraakte het hout – de plank brak in tweeën. Het klonk als een donderslag, nee, luider, en Paul bleef met een halve plank in zijn handen staan wachten tot de deur opengesmeten zou worden door gewapende bewakers.

Joanna verstijfde – ze drukte haar oor tegen de deur. Paul hield zijn adem in en wachtte.

Na wat een eeuwigheid leek schudde Joanna haar hoofd. Niets.

Paul durfde weer adem te halen.

Daarna keek hij voor het eerst goed uit het raam.

Ja, het was inderdaad een binnenplaats. Omgeven door een muur van adobe, waar een aantal potten met cactussen schots en scheef tegenaan hingen. Een eenzame tafel stond midden in de tuin, zonder stoelen eromheen. Maar er was nog iets anders. Een ingang; een simpele, houten poort die toegang gaf tot de buitenwereld. Paul staarde ernaar. Er stond een meisje in een schooluniform. Ze staarde naar hem terug.

Paul kon zich er met moeite van weerhouden om *help* te roepen.

Ze zaten vast in die kamer; het raam was hoog, maar erg smal en het was nog maar de vraag of ze zich erdoor naar buiten zouden kunnen wringen.

Paul sprak tegen Joanna zonder zich om te draaien. Hij was bang dat het meisje, als hij niet naar haar bleef kijken, zou verdwijnen, als een luchtspiegeling of een mooie droom.

'Er staat iemand, buiten.'

Joanna verliet onmiddellijk haar post en holde naar het raam.

Even bleven ze alle drie elkaar alleen maar aanstaren, alsof ze afwachtten wie er het eerst met zijn ogen zou knipperen. Het meisje leek een jaar of elf, twaalf, ze omklemde haar schoolboeken die te zwaar voor haar leken, en ze keek met grote ogen naar wat twee wanhopig uitziende Amerikanen moesten lijken die naar haar terug keken.

'*Hola*,' zei Joanna tegen het meisje – ergens tussen een fluistering en een normale gesprekstoon.

Het kind reageerde niet.

'*Hola!*' probeerde Joanna opnieuw. Ze stak haar hand uit het raam en ze wuifde, als een wanhopig muurbloempje dat hoopt ten dans gevraagd te worden.

Ze bleef echter aan de kant zitten. Het meisje bleef hen aanstaren zonder ook maar de geringste reactie te tonen.

Het was een kwelling. Ze staarden een mogelijke redding in het gezicht, maar dat gezicht bleef volkomen uitdrukkingsloos.

Paul pijnigde zijn hersens af in een poging zich het Spaanse woord voor help te herinneren, maar het schoot hem niet te binnen. Misschien was *help* universeel. Misschien had het meisje Engels als tweede taal.

'*Help*.' Hij herkende zijn eigen stem niet. Die klonk schril en schor. 'Help,' zei hij nog een keer, 'help ons... alsjeblieft.'

Het meisje hield haar hoofd schuin en ze deed een stap achteruit.

'We zitten gevangen...' vervolgde Paul, die nu zijn beide handen uit het raam had gestoken, met de polsen tegen elkaar alsof ze vastgebonden waren, in een soort primitieve pantomime.

Het meisje keek naar links, alsof iemand haar had geroepen. Daarna keek ze weer naar hen, lachte vriendelijk, en liep weg.

'Nee!' riep Paul.

Hij was vergeten waar hij zich bevond.

In een afgesloten kamer. Onder gewapende bewaking.

Het was slechts een kwestie van tijd.

Seconden later hoorde hij het. Het geluid van laarzen die over tegels stampten, van een sleutel die in het slot van de deur werd geramd, van nerveus, kwaad gebrabbel.

Wanhopig probeerde hij de plank weer voor het raam terug te duwen, die op zijn plaats te schuiven en te hopen dat ze het niet zouden merken. Als een kind dat probeert een gebroken vaas te lijmen voor zijn ouders door de voordeur komen. Het was zinloos.

De eerste man die binnenkwam was degene die hun de regels had uitgelegd. Het was duidelijk dat het niet aan zijn aandacht ontsnapte dat ze er minstens twee hadden overtreden. *Gij zult niet bij de ramen komen. Gij zult niet proberen te ontsnappen.* Een ogenblik bleef hij alleen maar naar Paul staan staren, die de gebroken plank als een schild in zijn hand hield. Het bood hem weinig bescherming. De man was in drie snelle stappen bij Paul en sloeg hem hard in zijn gezicht met de kolf van zijn geweer. Paul vloog naar achteren en knalde tegen de muur. Hij proefde bloed. De gebroken plank viel kletterend op de grond.

Paul zag dat Joanna met een asgrauw gezicht naar hem keek. De man haalde opnieuw uit met zijn geweer en raakte Paul nu onder zijn kin. Hij beet op zijn tong, voelde stukjes afgebroken tand. Hij drukte zich tegen de muur, zijn gezicht achter zijn beide handen verbergend.

'Handen omlaag,' zei de man.

Dit was werkelijke en absolute macht, besefte Paul. Het was niet nodig om Pauls handen van zijn gezicht weg te trekken; hij wilde het Paul zelf laten doen.

'Nee,' zei Joanna. 'Het is mijn schuld. Ik heb hem gezegd dat hij het moest doen. Laat hem met rust. Alsjeblieft.'

'Handen omlaag,' herhaalde de man.

'Ik zei toch dat het míjn schuld is.' Joanna probeerde haar lichaam tussen Paul en de man te dringen. 'Sla mij. Míj.'

De man zuchtte. Hij schudde zijn hoofd, greep de kraag van Joanna's jurk en tilde haar van de grond.

'Als je je handen niet weghaalt, sla ik haar. Als je ze nog een keer voor je gezicht houdt, sla ik haar harder.'

Paul liet zijn handen zakken.

12

Soms kregen ze kranten.

Deze kleine luxe werd hun toegestaan door de machthebbers. Een uiterst kleine luxe, omdat ze geen van beiden Spaans spraken. Maar het kwam weer bij Paul boven – stukje bij beetje, woorden en uitdrukkingen, soms hele zinnen.

Het gaf hun in elk geval iets te doen. Paul was tot de ontdekking gekomen dat je iets te doen moest hebben om je gedachten af te leiden van de onuitgesproken vraag: wat zou er met hen gebeuren?

De jongen bracht allerlei kranten die hun bewakers hadden weggegooid – meestal waren het roddelbladen.

De achterpagina's waren gevuld met de plaatselijke sportuitslagen. Na een poosje begreep Paul dat de voorpagina's ook uitslagen vermeldden. Het leek wel of Colombia één grote voetbalwedstrijd was, waarin beide teams fanatiek op hun doel afgingen, spelend tot de dood erop volgde. Het linkerdoel werd bewaakt door degenen die hen gevangen hielden, FARC, en het rechter door het USDF, terwijl de regering zonder resultaat probeerde voor scheidsrechter te spelen.

De score werd bijgehouden aan de hand van ontvoeringen, bomaanslagen en executies.

Op de voorpagina stond onveranderlijk een artikel over een ontvoering. Een archieffoto van de gekidnapte senator, vermiste radiomedewerker, of verdwenen zakenman. (De Breidbarts waren opvallend afwezig in de reeks verdwenen personen.) Gewoonlijk ging het verhaal vergezeld van een foto van de huilende echtgenote, snikkende kinderen, of een sombere woordvoerder van de familie.

Het Spaanse woord voor ontvoering was *secuestro*.

Bomaanslagen waren slechts iets minder frequent. Bijvoorbeeld: in de stad Fortul was een tien jaar oude jongen, Orlando Ropero, die van voetballen en *ventello*-muziek hield, door een tiener gevraagd een fiets af te leveren. Als beloning kreeg hij een bedrag dat gelijkstond aan vijfendertig cent. Toen de fiets en zijn berijder – een opgetogen en dankbare Orlando, bij een kruispunt kwamen waar twee soldaten op wacht stonden, ontplofte hij eenvoudigweg. *Afstandsbediening,* zeiden de kranten.

De verantwoordelijkheid werd op de drempel direct links van Paul gelegd. Bij FARC. Hij besloot niets over dit speciale artikel te zeggen.

Dan waren er vanzelfsprekend de vergeldingsaanslagen van de rechtsen, de paramilitaire eenheden van het United Self Defence Front. De zelfverdediging bestond er blijkbaar uit zo veel mogelijk mensen te doden zonder erop te letten of ze onschuldig waren. De *generalissimo* van deze verheven organisatie voor orde en gezag verbleef momenteel in een Amerikaanse gevangenis, wegens drugssmokkel.

Paul had in de Verenigde Staten natuurlijk gelezen over Manuel Riojas.

Wie *was* hij precies? Drugsbaron, politicus, bevelhebber van het USDF, tekstschrijver? Hij was óf een daarvan, óf twee, óf mogelijk alle vier. In elk geval tekstschrijver. Hij stond erom bekend dat hij een nummer één-hit geschreven had voor de Colombiaanse zangeres Evi, die enig succes had gehad in Amerika. Een lovesong, getiteld *I Sing Only For You.* Een titel die een ironische bijbetekenis kreeg toen ze liggend op de vloer van haar penthouse werd ontdekt, half dood, haar stembanden operatief verwijderd. De minnaars hadden kennelijk onenigheid gehad. Evi had ervan afgezien een aanklacht in te dienen – *ik kan het me niet herinneren,* had ze op een blocnote geschreven toen haar gevraagd werd te verklaren wie haar dat had aangedaan.

Moord en marteling schenen Riojas' andere talenten te zijn.

Hij was een van die mensen wier naam altijd gevolgd werd door de woorden *naar wordt beweerd.* Er werd, bijvoorbeeld, *beweerd* dat hij zijn eigen dierentuin had op een van zijn vele haciënda's, waar hij, naar werd *beweerd,* zijn tegenstanders aan de tijgers voerde. Er werd *beweerd* dat hij het leuk vond om mensen uit een Blackhawk helikopter in een vijver vol met wriemelende piranha's te gooien. Dat hij mensenoffers bracht in bloedige en bizarre Santeria-rituelen – ook dat werd *beweerd.* Hij leverde voortdurend stof voor de roddelbladen, en die maakten er gretig gebruik van.

Paul en Joanna gaven elkaar de kranten door tot hun handen vlekkerig waren van de inkt, en hun ogen wazig werden.

Op een nacht maakte Joanna hem wakker en ze vroeg hem of hij naar de baby wilde gaan kijken.

Het duurde even voor Paul begreep dat ze in de war was.

Dat ze niet in de hotelkamer sliepen, naast Joelle, maar in een afgesloten kamer zonder frisse lucht.

Zijn gezicht deed pijn waar de man hem herhaaldelijk met de geweerkolf had geslagen, een aframmeling die op zijn hoogst vijf minuten had geduurd maar veel langer leek. Hij was minstens één tand kwijt, zijn lip was gescheurd en nog bedekt met opgedroogd bloed. Daarna hadden ze schuldbewust vanaf de vloer midden in de kamer moeten toekijken terwijl twee bewakers binnenkwamen en een nieuwe plank voor het raam timmerden, intussen voortdurend tegen hen mompelend.

'Ssst...' fluisterde Paul tegen Joanna. 'Je droomt.'

Ze deed haar ogen open.

'Ik dacht dat ik haar hoorde...' Ze begon te huilen. Zachte, gesmoorde snikken die des te meelijwekkender klonken omdat er geen andere geluiden waren om ze te verhullen.

Paul nam haar in zijn armen. 'Stil maar, Joanna. We komen hieruit. Ze zijn niet van plan ons te vermoorden – die kans hebben ze gehad toen ze ons betrapten bij het raam. We zullen hieruit komen. We zullen Joelle terugkrijgen. Ik beloof het je.'

Hij vroeg zich af of het wel zo'n goed idee was om Joanna iets te beloven. Maar hoop was het enige wat hun niet was afgenomen. Nog niet.

Toen deed ze iets eigenaardigs. Ze hield op met huilen en ze maakte zich uit zijn omarming los. Ze legde een vinger op haar lippen.

'Luister,' fluisterde ze.

'Wat? Ik hoor niets,' zei hij. Alleen het geluid van hun ademhaling. Zacht, regelmatig en op een vreemde manier in hetzelfde ritme.

'Luister,' zei ze nog eens.

Toen hoorde hij het.

'Het is de tv,' zei hij.

'Misschien is het echt.'

'Waarschijnlijk niet. Nee.'

'Luister dan, Paul. Luister. *Zij* is het.'

Er huilde een baby.

Net als in Galina's huis, alleen anders dan in Galina's huis.

'Ik weet het...' zei Joanna. 'Ik wéét het gewoon...'

In Galina's huis had het geluid van een huilende baby hen bang gemaakt.

Hier had het precies de tegenovergestelde uitwerking; het kalmeerde hen.

Ze drukte zich tegen hem aan in het donker. Ze legde haar hoofd op zijn borst en beiden bleven ze naar het geluid liggen luisteren alsof het een prachtige rapsodie was. Alsof het hun lied was.

De volgende ochtend kwam de man terug.

Deze keer was hij niet alleen.

Hij had blijkbaar een belangrijk iemand bij zich. Paul merkte het aan de manier waarop zijn aanvaller hem respecteerde. Zijn rol was opvallend veranderd; hij was nu de tolk.

Dit werd duidelijk toen de nieuwe man naar Paul en Joanna keek en iets zei in het Spaans.

'Hij vraagt of jullie willen gaan zitten,' zei de man die hen oorspronkelijk gevangengenomen had.

Paul wist wat de man hen had gevraagd. Maar de klappen die hij eerder had opgelopen deden nog steeds pijn. Het leek hem beter goed na te denken voor hij ook maar de eenvoudigste handeling verrichtte. De man had hun gevraagd te gaan zitten, goed – misschien was het beter om *zeker* te weten dat hij wilde dat ze gingen zitten. Joanna was om een andere reden blijven staan, wist hij. Pure koppigheid, moed terwijl ze een aanval onder ogen zag.

De man wees naar de twee plastic stoelen. Ooit moesten die op de binnenplaats hebben gestaan, dat hemelse visioen dat hij vluchtig had opgevangen voor het weer verdween achter nieuw vastgespijkerd eikenhout. Er was vuil in het witte plastic gedrongen, het vuil dat zich verzamelt na te veel winters in de buitenlucht.

Ze gingen zitten.

De man die de leiding had begon op zachte, afgemeten toon tegen hen te spreken. Hij concentreerde zich voornamelijk op Paul, oogcontact houdend tussen trekken aan een dikke, stinkende sigaar die blauwe rookpluimen zachtjes naar het plafond liet stijgen. Paul herkende het merk: *de doos op Galina's schoorsteenmantel.* De man had een ruige baard; zijn huid was geschonden door de acne die hij in zijn jeugd moest hebben gehad. Hij sprak voortdurend in het Spaans, in een tempo dat rustig genoeg was om zijn woorden door zijn luitenant – zo beschouwde Paul hem nu – in het Engels te laten vertalen.

'Dit ga je voor ons doen...' zei de man.

En eindelijk hoorden ze waarom ze hier waren.

13

Er stonden drie dozen met condooms op tafel.

Een Frans merk. *Cheval,* stond op de dozen, boven het plaatje van een witte hengst met vurige ogen en wapperende manen.

Een Indiaanse vrouw die een bril met multifocale glazen droeg die niet bij haar paste, stond over de tafel gebogen, waar ze de condooms stuk voor stuk voorzichtig uitrekte. Ze had zwarte, latex handschoenen aan en ze droeg geen topje, alleen een grijze sportbeha met het zwarte Nike-logo.

Aan de andere kant van de tafel was een andere vrouw met zwarte, latex handschoenen en een sportbeha bezig zorgvuldig blokken wit poeder klein te snijden met een glimmend operatiemesje. De luitenant stond tegen de deur geleund, met zijn ogen op de halfnaakte vrouwen gevestigd als iemand die verliefd is.

Paul zat tegen de muur te wachten.

Ze hadden hem opgedragen zichzelf twee klysma's te geven, met een uur tussenruimte. Terwijl hij wachtte tot het tweede begon te werken, staarde hij naar de tweeëndertig uitpuilende condooms die al midden op de tafel op een hoop lagen, en probeerde hij niet misselijk te worden.

Het deed hem denken aan een van die waanzinnige reality shows die nog maar kortgeleden zo veel opschudding in het land hadden veroorzaakt. *Fear Factor* – heette die niet zo? Rauwe varkenshersens, bloederig slachtafval, ingewanden van koeien, die op een tafel uitgestald lagen voor drie gulzige deelnemers. *Ga je gang,* zei de presentator elke week uitnodigend, *wie het meest naar binnen kan werken, wint.*

En stortten ze zich er niet op met uitbundig enthousiasme? Kauwden ze het niet weg, tot en met het laatste stukje, hun ogen strak op de prijs gericht? Het hielp Paul om aan hen te denken. Ze waren zijn pas ontdekte voorbeelden. Wat zij konden, kon hij ook.

Hij was tenslotte niet op louter geld uit. De grote prijs van deze show bestond uit twee levens.

Die van zijn vrouw en zijn dochter.

De tweeëndertig condooms werden er drieëndertig. De vrouw aan de andere kant van de tafel had er zojuist weer een aan de stapel toegevoegd.

Hij voelde het bekende gerommel in zijn ingewanden. Hij vroeg Arias – zo bleek de luitenant te heten – of hij naar het toilet mocht.

Arias knikte en wenkte dat hij kon opstaan. De vrouwen bleven zonder onderbreking doorwerken, lopendebandwerksters die het signaal voor de lunch nog niet hadden gehoord.

Arias deed de deur open en duwde hem naar buiten. Er was een toilet aan het eind van de gang. Arias bleef kijken terwijl hij naar binnen ging en gooide de deur achter hem dicht.

De deur sloot niet helemaal.

Natuurlijk niet. Arias' gelaarsde voet hield hem tegen, zoals hij hem ook die eerste keer toen Paul naar het toilet holde, had tegengehouden.

De deur zwaaide een eindje terug toen Paul op de vuile bril ging zitten en probeerde er niet op te letten dat Arias hem in het oog hield. Dat was tamelijk moeilijk. Paul sloot zijn ogen en dacht aan de badkamer bij hem thuis, waar een exemplaar van *The Sporting News Baseball Stats,* vol ezelsoren, rechts van het toilet hing. Niet omdat honkbal hem bijzonder interesseerde – helemaal niet. Hij hield van statistieken. Hij stelde zich pagina 77 voor – Derek Jeter. Slaggemiddelde, homeruns, RBI's, gestolen honken. Cijfers vertelden altijd een verhaal, zo was het toch? Het stelde hem op zijn gemak om nu aan cijfers te denken. Cijfers brachten orde in het universum – je kon erop vertrouwen, er troost in vinden. Ze klopten altijd.

Voor de tweede keer binnen een uur had hij het gevoel dat al zijn ingewanden naar buiten kwamen. Daarna, terwijl Arias nog steeds toekeek, stond hij op en veegde zich schoon.

Terug naar de tafel. Waar nog drie condooms aan de stapel waren toegevoegd.

'*Si,*' zei Arias. Hij keek Paul aan en liet de vrouwen met hun bezigheden stoppen. 'Slik ze in.'

Dit is wat de FARC-commandant hen had verteld.

'We zijn een revolutionair leger. We zijn verwikkeld in een lange strijd tegen onderdrukking. We moeten deze strijd financieren, dus we moeten doen wat we kunnen.'

Wat we kunnen bleek de uitvoer van pure Colombiaanse cocaïne naar de oostkust van de Verenigde Staten te zijn.

Zo was hij begonnen, alsof hij zocht naar een soort goedkeuring van hun kant. Door de walgelijke drugshandel voor te stellen als een soort noodzakelijk kwaad. Een middel om een doel te bereiken.

Toen hij even zweeg, knikte Paul, hij glimlachte zelfs nerveus, alsof hij hem zoiets als absolutie verleende. Misschien is dat alles wat hij wil, dacht Paul, iemand die de boodschap verder uitdraagt.

Ja, we smokkelen drugs, maar alleen ter wille van de goede zaak.

Dat was natuurlijk stom. Ze hadden hen niet ontvoerd om hun verontschuldigingen over te brengen. Paul had uiteraard iets anders gehoopt. Tot de minuut waarin de man tegen Paul zei dat hij zesendertig condooms, gevuld met cocaïne ter waarde van twee miljoen dollar, moest inslikken en die bij een huis in Jersey City moest afleveren.

Dat moest hij doen, als hij zijn vrouw en zijn nieuwe dochter levend wilde terugzien.

Toen pas begreep Paul de volledige gruwelijke omvang van hun situatie.

Er waren echter nog steeds dingen die Paul niet begreep.

De man vroeg hem wie ervan op de hoogte was dat ze hier waren, in Colombia – niet iedereen, alleen de mensen die hun bewegingen volgden, die verwachtten dat ze op een bepaalde datum zouden terugkeren. Paul vertelde het hem. Te beginnen met zijn baas, Ron Samuels, hoofd verzekeringsexpert van de firma waar hij zich de afgelopen elf jaar zo goed thuis had gevoeld. Zijn schoonouders, natuurlijk, William en Patty, die in Minnesota woonden en van plan waren een vliegtuig te nemen en naar hen toe te komen, met cadeaus voor hun eerste kleinkind. Ten slotte John en Lisa, hun naaste buren en tevens beste vrienden.

Paul werd bevolen brieven aan hen te schrijven, zo ongeveer dezelfde brief, drie keer.

De zaken vergen hier een beetje meer tijd dan we verwacht hadden, en het zal nog een paar weken duren voor we naar huis kunnen met onze geadopteerde dochter – dat was de algemene inhoud. Ze lieten hem er een gedeelte aan toevoegen, dat het geen zin had om te bellen, omdat ze van de ene plaats naar de andere zouden trekken, met weinig tijd voor een praatje.

Paul dacht: *ze willen niet dat iemand het weet*. Nog niet.

Maar ze waren iets vergeten, of niet?

'Pablo heeft jullie uitgecheckt bij l'Esplanade,' zei Arias. 'De receptionist denkt dat jullie naar een ander hotel zijn gegaan. Dat is alles.'

Dus ze waren niets vergeten.

Niemand zou weten dat ze vermist werden.

In geen weken.

Ze gaven hem drie blaadjes papier en een blauwe balpen waar iemand letterlijk het uiteinde van had afgekauwd. Paul schreef de brieven terwijl Arias over zijn schouder toekeek, blijkbaar op zoek naar mogelijk verborgen boodschappen, gecodeerde kreten om hulp.

Toen Paul de brieven af had, las Arias ze hardop voor.

Later die middag, toen ze samen op de matras zaten, met hun rug tegen de muur, zei Paul: 'Ik denk dat ik weet waarom ze haar hebben verwisseld.'

'Wat?'

Hij had erover nagedacht, en hij geloofde dat hij het nu begreep. 'Waarom ze de baby's omgeruild hebben. Waarom ze niet eenvoudig gewacht hebben om ons alle drie tegelijk gevangen te nemen.'

'O. Waarom?'

'Weet je nog toen Galina terugkwam met de thermometer? Je zei toen dat we niet paranoïde waren, dat we in een vreemd land waren. *Paranoia* is een vreemd land, Joanna.'

'Ik begrijp het niet.'

'Ze heeft die dag Joelle meegenomen opdat we bij terugkomst zouden merken dat ze weg was. Opdat we de politie zouden bellen. Er was geen briefje – weet je nog, zíj is naar de badkamer gegaan en heeft het gevonden.'

'Waarom zouden ze willen dat we de politie belden?'

'Omdat ze wilden dat die erbij zou zijn wanneer Galina terugkwam.'

'Dat is toch niet logisch.'

'Natuurlijk wel. Je bent nu in het land van de paranoia, dat weet je toch? Denk als een inwoner. Ze wilden dat we drukte maakten om niets. Ze wilden het erop laten lijken dat we gek zijn.'

'Waarom?'

'Omdat gekke mensen niet geloofwaardig zijn. Gekke buitenlanders zijn het nog minder.'

'Ik begrijp nog steeds niet...'

'Eerst belden we de politie en hielden we vol dat onze baby gekidnapt was. Maar ze was niet gekidnapt. Toen merkten we dat we de verkeerde dochter terug hadden gekregen, en dat was ook zo. Maar als we de politie een tweede maal erbij gehaald hadden. zouden we nog erger gestoord lijken dan eerst. Ze wílden dat we wisten dat ze haar in handen hadden.'

Joanna leek erover na te denken. 'Oké. Maar als we het niet hadden gemerkt? Ik heb het gemerkt – jij niet.'

Paul haalde zijn schouders op. 'Dat deed er niet toe. Als we het niet gemerkt hadden, zouden ze ons gebeld hebben om het ons te vertellen. *We hebben jullie baby – kom haar halen, of anders...* Hoe dan ook, we hadden niet naar de politie kunnen gaan zonder te worden aangezien voor een paar idioten. Misschien was het een soort verzekeringspolis – voor het geval een van ons weg zou gaan, of dat er iets met de ontvoering zou mislopen, of dat ik zou weigeren die koffie op te drinken en niet bewusteloos zou raken. Wie zal het zeggen? Misschien waren ze aldoor van plan ons te bellen. We waren te vroeg, zei hij, weet je nog? Galina begon tegen Pablo te schelden over iets – misschien was dat het, dat hij ons daarheen gebracht had voor ze eraan toe was.'

'Goed,' zei Joanna. 'Waarom wij?'

'Waarom *niet*? Ze moesten mensen uitzoeken van wie ze het idee hebben dat ze niet lastiggevallen zullen worden door de douane. Voorzover ik weet zag ik er niet uit als een drugssmokkelaar.'

Joanna zei: 'Je bent geen drugssmokkelaar.'

'Nog niet.'

Ze keek hem aan alsof ze van zijn gezicht wilde aflezen hoe ernstig hij het meende. 'Ben je van plan het te doen?' vroeg ze, maar het klonk meer als het vaststellen van een feit.

Paul keek naar zijn vrouw. Haar gezicht was veranderd, dacht hij. Vier dagen, waarin ze vrijwel niet had gegeten of geslapen, hadden haar jukbeenderen gescherpt en wallen onder haar ogen aangebracht. Maar hoewel haar ogen hol en verschrikt stonden, zag hij iets op haar gezicht gegrift, alsof de afgelopen dagen alles wat overbodig was hadden weggenomen en slechts het enige waar het op aankwam hadden overgelaten. Hij hoopte dat het *liefde* was.

'Ja,' zei hij.

'Ze zullen je arresteren. Je kunt twintig jaar de gevangenis in gaan voor drugssmokkel. Je bent geen misdadiger – ze zullen je meteen doorhebben.'

Ja, dacht hij, alles wat ze zei was waar.

'Welke andere keuze heb ik?'

Joanna had er geen antwoord op. Of misschien ook wel. Ze liet haar hoofd tegen zijn borst rusten, ergens in de buurt van zijn hart.

Bonk, bonk, bonk.

'Als ze nu eens liegen? Als ze liegen, dat ze ons vrij zullen laten?'

Die vraag had Paul natuurlijk verwacht. Hij gaf het enig mogelijke antwoord.

'Als ze nu eens niet liegen?'

14

Hij had er achttien uur voor.

Driekwart dag. 1080 minuten.

Dat was het.

In die achttien uur zou hij zesendertig condooms moeten inslikken, gevuld met twee miljoen dollar aan zuivere, onversneden cocaïne, een vliegtuig moeten nemen naar Kennedy Airport, en vervolgens naar een huis in Jersey City moeten gaan, waar van hem verwacht werd dat hij ze op een vuile *Newark News* zou deponeren.

Als hij ook maar een minuut na de hem toegemeten achttien uur bij het huis aankwam, zouden Joanna en Joelle gedood worden.

Als hij op tijd bij het huis was en er maar vijfendertig condooms uitkwamen, zouden Joanna en Joelle gedood worden.

Als de condooms er niet vlot uitkwamen en een ervan in zijn maag stukging, zou *hij* sterven.

Hij zou een hartstilstand krijgen, en zijn lichaam zou in een toxische shock raken.

Er zou speeksel uit zijn mond lopen en hij zou onbedaarlijk beginnen te trillen. Hij zou dood zijn voor iemand wist wat er met hem aan de hand was.

Dit was hem zorgvuldig en nauwgezet uitgelegd door Arias. Om zijn aandacht vast te houden, om ervoor te zorgen dat hij geconcentreerd bleef.

Een soort peptalk.

Natuurlijk zou, als hij binnen achttien uur het huis bereikte met alle zesendertig condooms nog in zijn lichaam, Arias een telefoontje krijgen.

Dan zouden Joanna en Joelle vrijgelaten worden, zodat ze zich in New York bij Paul konden voegen.

Daar hadden ze Arias' woord op, als dat van een goed FARC-revolutionair.

De avond voor ze hem naar het huis hadden gebracht waar Spaans-Indiaanse vrouwen in sportbeha's onvermoeibaar werkten aan Colombia's voornaamste exportproduct, hadden ze iemand dat klaaglijke slaapliedje horen zingen, net buiten de deur.

Joanna, die probeerde te slapen op de gescheurde, vuile matras, werd onmiddellijk wakker. Haastig ging ze staan. Het liedje ging verder, door de deur dringend als de onweerstaanbare geur van langverwacht voedsel.

De deur ging open.

Joanna drukte haar knokkels tegen haar mond in een poging een snik te onderdrukken, maar ze slaagde er maar half in.

'Alsjeblieft...' zei ze, 'alsjeblieft...'

Galina. Daar stond ze, met Joelle tegen haar borst genesteld.

'Alsjeblieft... Galina...'

Galina stapte de kamer in en iemand deed de deur achter haar op slot. Ze ontmoette Joanna midden in de kamer, en ze legde Joelle voorzichtig in haar al uitgestoken armen. Paul geloofde dat een dergelijke tederheid niet gespeeld kon zijn. Dat Galina iemand was die van kinderen hield, ook al ontvoerde ze hun ouders, een tegenstrijdigheid die hij maar moeilijk kon accepteren.

Joanna had geen last van die gevoelens. Ze drukte haar dochtertje tegen haar borst en ze huilde geluidloos.

Paul ging naast haar staan, met zijn arm om haar schouders, de cirkel was weer compleet. Tegen wil en dank keek hij buiten de cirkel. Naar Galina. Hij wilde dat ze naar hem terugkeek – hij dacht dat ze daar moeite mee zou hebben. Hij had ongelijk.

Volkomen rustig ontmoette ze zijn blik.

Ze glimlachte zelfs, alsof ze zojuist weer een wandelingetje met Joelle had gemaakt en gereed was haar taak als perfecte kinderverzorgster te hervatten.

'Kijk,' zei Joanna tegen Paul. Ze had de linkerpijp van Joelles blauwe kruippakje omhooggeschoven en wees naar een bruine moedervlek, net onder de knie. Precies op de plek waar ze gezegd had dat die was.

'*Joelle*,' fluisterde ze, en ze kuste het gezichtje van haar dochter. 'Mogen we haar vannacht bij ons houden?' vroeg ze Galina. 'Alsjeblieft?'

Galina knikte.

'Dank je,' zei Joanna.

En Paul dacht hoe snel gevangenen dankbaar worden voor elke vriendelijkheid van hun gijzelnemers. *Alsjeblieft* en *dankjewel* tegen de mensen die je uit de buitenwereld hebben weggerukt en je hebben opgesloten in een bedompte kamer. Galina stak haar hand in de zak van haar wijde, zwarte hemdjurk. Ze haalde er een flesje uit, al gevuld met dikke, gelige babyvoeding, en twee extra luiers.

Paul pakte het flesje van haar aan; onwillekeurig herinnerde hij zich dat de laatste keer toen hij iets vloeibaars van haar aannam, de drank vermengd was geweest met *escopolamina*.

Galina maakte aanstalten om weg te gaan.

Paul wilde haar echter niet laten vertrekken zonder dat ze erkende wat ze hun had aangedaan. Ze moest toegeven dat ze er verantwoordelijk voor was, al deed ze het afwerend, kwaad, of onvriendelijk.

'Hoe veel mensen heb je dit aangedaan, Galina?' vroeg hij.

Galina draaide zich om. 'Het is uw land niet,' zei ze langzaam. 'U begrijpt het niet.'

Voor Paul haar kon antwoorden, voor hij haar kon vertellen dat *begrijpen* en *ontvoeren* niet in dezelfde wereld thuishoren, laat staan in dezelfde zin, keerde ze zich opnieuw om en klopte ze twee keer op de deur.

De jongen deed de deur open en liet haar eruit.

Joanna kleedde Joelle uit.

Ze bekeek elke centimeter van Joelles lichaam, op zoek naar blauwe plekken, schaafwonden, verdachte verkleuringen. Het werd snel duidelijk dat Joelle niets was overkomen – althans niet voorzover ze konden zien. Paul werd zich bewust van de vreugde die Joanna voelde, alleen al door haar dochter weer aan te raken, haar hartje te voelen kloppen, haar haren te strelen.

'Het gaat uitvallen, weet je,' zei Joanna zacht.

'Wat?'

'Haar haartjes. Het begint zoals dit, wanneer ze geboren worden, daarna raken ze het kwijt.' Joelles haar was inktzwart en zo zacht als angora.

'Wanneer groeit het weer aan?' vroeg Paul, terwijl hij zich afvroeg of ze er nog zouden zijn om dat te zien. Hij voelde dat Joanna zich hetzelfde afvroeg.

'Met een halfjaar, denk ik,' antwoordde ze. 'Zo ongeveer.'

Er was iets onwezenlijks aan hun gesprek. Alsof ze het thuis voerden, in hun flat, twee jonge ouders, net als alle andere jonge ouders zich

80

hardop verbazend over het wonder dat hun dochter is. Alsof de toekomst zich onbegrensd voor hen uitstrekte – crèche en kleuterschool en lagere school. Examens, eerste communie, en verjaarsfeestjes. Vriendinnetjes en vriendjes. Dagboeken en danslessen.

Paul begreep het. Ze hadden deze ene nacht, voor hij vertrok. Ze zouden die zo normaal mogelijk doorbrengen.

Ze voelden dat het ochtend was zonder het feitelijk te weten. Hun horloges waren hun afgenomen, de ramen waren stevig dichtgespijkerd. Maar hun lichamen waren afgestemd geraakt op de verschillende tijden van de dag, zoals bij blinden wier andere zintuigen compenseren voor het gebrek aan gezichtsvermogen. De morgen voelde anders aan dan de nacht.

Deze morgen voelde anders dan andere ochtenden.

Het zou niet lang duren voor hij Joanna moest achterlaten. Hij zou het land uit gaan en haar hier laten.

Ze was in slaap gevallen met Joelle in haar armen en even later was hij in slaap gevallen met Joanna in zijn armen. Toen hij zijn ogen opende kostte het hem een aantal minuten om te beseffen dat Joanna ook wakker was – hij hoorde het aan haar ademhaling, geen van hen was er blijkbaar al aan toe om de ander aan te kijken.

Toen, na een poosje, zei Joanna: 'Goedemorgen.'

'Van hetzelfde.'

Zijn armen waren gevoelloos omdat hij haar de hele nacht had vastgehouden, maar hij durfde ze niet te bewegen. Het zou de laatste keer kunnen zijn voor een lange tijd. Het zou wel eens de laatste keer, punt, kunnen zijn.

'Ze hebben Joelle tenminste bij ons gebracht,' fluisterde ze. 'Misschien zijn ze niet zo kwaad. Ze hoefden het niet te doen.'

'Het was geen vriendelijk gebaar, Joanna.'

'Nee? Waarom hebben ze het dan gedaan?'

'Om me eraan te herinneren, denk ik.'

'Waaraan?'

'Wat er op het spel staat. Wat ik zal verliezen als ik de drugs niet aflever – als ik het verknal. Ik denk dat ze me wilden laten beseffen dat ze echt is. Dat is alles.'

Joanna drukte haar rug tegen hem aan, alsof ze probeerde in hem weg te kruipen.

'Paul,' zei ze langzaam, 'als je er aankomt, en besluit het aan iemand te vertellen, dóé het dan. Ik zal het begrijpen. Misschien valt er met hen te onderhandelen. Misschien kun je hun iets geven als wederdienst.'

'Herinner je je de foto's die we aan de muur van het vliegveld hebben gezien – de loco-burgemeester van Medellin? Ze hebben zijn hoofd twee straten verder gevonden dan de plek waar de bom ontplofte. Ik denk dat dát zo ongeveer is hoe ze onderhandelen. Ik zal de drugs afleveren en daarna plegen ze dat telefoontje en dan laten ze jullie gaan. Jou en Joelle.'

Een tijdlang bleven ze zwijgend liggen.

Toen zei ze: 'Soms denk ik dat we behoorlijk veel pech hebben gehad. Soms denk ik juist het tegenovergestelde. We konden geen baby krijgen – dat was moeilijk, het moeilijkst wat ik ooit heb meegemaakt. Voor dit. Ik bedoel, wie moet zoiets als dít doormaken? We zijn nu een verhaal voor de krant, nietwaar? Maar het is ook zo, dat ik van je hield. Ik heb aldoor van je gehouden. En ik geloof dat jij ook van mij gehouden hebt – ondanks alles geloof ik dat. En dat is goed, toch? Dus, wie weet.'

Het waren haar afscheidswoorden voor hem.

Voor het geval dat.

Hij probeerde te denken aan zíjn afscheid. Hij probeerde de juiste woorden aan elkaar te rijgen om de verschrikkelijke pijn over te brengen die in zijn binnenste knaagde. Hij probeerde hoop te verwoorden. Hij probeerde zich te beheersen; afscheid te nemen zonder in te storten.

In de gang klonk geschuifel.

Daarna werd de deur opengegooid. Arias kwam binnen.

15

Retardo.

Een van de acht miljoen Spaanse woorden dat hij nog steeds niet kende. Maar soms klonken Spaanse worden als Engelse woorden. De truc was om ze in hun context te bekijken.

De context was op dit moment het grote, zwarte bord met de vertrektijden op El Dorado Airport. En de woorden en symbolen die eraan voorafgingen.

FLT345aJFK. Nueva York.

Dat gaf hem een paar nuttige, belangrijke aanwijzingen.

Paul probeerde echter die aanwijzingen te negeren. Hij hield zich opzettelijk dom, een detective die niet van plan is om twee en twee bij elkaar op te tellen.

Twee uur geleden had hij de zesendertig condooms ingeslikt, in een huis even buiten Bogotá.

Hij was naar het vliegveld gereden door Pablo, dezelfde man die hem hier precies zeven dagen geleden had afgehaald.

Hij was zonder problemen door de controle en de douane gekomen.

Achter het vluchtnummer stond: *Retardo.*

Goed, jongens en meisjes, placht zijn leraar Spaans, meneer Schulman, te zeggen. *Kan iemand het raden?*

Er was hier nog een aanwijzing – een die hij onmogelijk over het hoofd kon zien. Zijn *medepassagiers* bij de gate. Ze kreunden, mompelden, schudden hun hoofd tegen elkaar met die aloude, aloude berustende blik.

Paul stond van zijn stoel op. Hij liep naar de incheckbalie. Bij elke stap voelde hij de condooms in zijn lichaam. Het leek of hij een basketbal had ingeslikt. Een dodelijk jumpshot van Kobe, gereed om door het net te vallen en een mogelijke rally in de kiem te smoren.

'Pardon,' zei Paul tegen de charmante Colombiaanse vrouw achter de balie van de luchtvaartmaatschappij.

83

'Ja, meneer?' zei ze. Ze had die blik – dezelfde die je zag bij de ruil-toonbank op de dag na Kerstmis. Een verdedigingslinie die was opge-trokken voor de komende slachting.

'Is alles goed met de vlucht?'

Hij wist natuurlijk dat alles niet goed was met de vlucht.

Als alles goed was, zou het woord *retardo* niet op het bord met ver-trektijden staan. Zijn medepassagiers zouden geen gezamenlijk ge-kreun van frustratie uiten. Maar tot de vrouw het bevestigde, zou hij zich van den domme houden. Hij zou zich houden aan het tijdschema in zijn hoofd – volgens dat schema zou hij over ongeveer vierenhalf uur op JFK arriveren, en twee uur later bij dat huis in Jersey City aan-komen.

'De vlucht is vertraagd, meneer.'

Plotseling was het enige wat zwaarder aanvoelde dan zijn maag, zijn hart. Het zakte als een steen omlaag. Het tuimelde naar de diepe, donkere zeebodem waar het misschien voor eeuwig zou blijven liggen om nooit meer aan de oppervlakte te komen.

Er was nog één vraag die hij moest stellen.

'Hoe *lang?*'

'Dat weten we niet. We zullen het omroepen zodra we meer weten, meneer.'

Paul dacht dat hij zelf iets wilde omroepen. Ik heb zesendertig con-dooms vol cocaïne in mijn maag en als ik die er niet snel uit krijg, zullen ze knappen en me doden.

Daarna zal Arias mijn vrouw en mijn dochter vermoorden.

Er stond een Colombiaanse politieagent tussen de gates. Hij rookte, en hij keek naar de benen en de billen van iedere vrouw die hem pas-seerde – een echte gelegenheidsgluurder.

Als je besluit om het aan iemand te vertellen, moet je het doen – had Joanna gezegd. *Ik zal het begrijpen.*

Wat zou het gemakkelijk zijn. Te praten. Het te vertellen.

Hij zou alles opbiechten aan de agent, die zou ophouden naar de pas-serende vrouwen te gluren. Hij zou Paul naar het dichtstbijzijnde zie-kenhuis brengen waar ze de drugs uit zijn maag zouden pompen. Ze zouden zijn verhaal aanhoren, en een volledige beschrijving van de ontvoerders krijgen. Ze zouden Pablo en Galina arresteren.

Hoe gemakkelijk kon het zijn?

Maar dit was weer zo'n Zuid-Amerikaans land met een inflatoire economie. een land waar alles in theorie duur was, maar in werkelijkheid goedkoop. Je leven, bijvoorbeeld. Je leven was hier goedkoop. Joanna's leven was spotgoedkoop. Als hij zijn mond opendeed, kon hij er vrijwel zeker van zijn dat hij de hare voor altijd zou sluiten.

De agent gooide de gloeiende peuk van zijn sigaret op de grond en trapte hem uit met een indrukwekkende, zwarte laars.

Daarna wandelde hij weg.

Paul zat te wachten.

Zo ongeveer om het kwartier stond hij op om naar de incheckbalie te lopen, waar de Colombiaanse vrouw met wie hij al had gesproken, nerveus dekking zocht. Ze leek altijd wel iets te vinden wat ze kon doen, het vluchtplan controleren of de tickets op een keurig stapeltje leggen. Hij werkte haar op de zenuwen, een hinderlijke aanbidder die weigerde een afwijzing te accepteren.

'We weten nog niets,' antwoordde ze toen hij voor de tweede keer informeerde wanneer het vliegtuig zou vertrekken. Hij merkte dat ze het *meneer* wegliet.

'Ik moet naar New York voor een belangrijke bespreking. Ik kan niet te laat komen. Begrijpt u?'

Ja, ze begreep het. Maar ze wist nog niets, dus of hij alstublieft wilde gaan zitten en op de aankondiging wachten?

Na een kwartier te hebben gewacht op een aankondiging die niet kwam, was hij weer terug. Een kwartier later opnieuw.

'Hoor eens,' zei ze, 'ik heb het u al gezegd. We hebben nog geen rapport binnengekregen.'

'Nou, is het vliegtuig hier? U kunt me toch wel vertellen of het vliegtuig hier is?'

'Als u nu rustig gaat zitten, zal ik het omroepen wanneer ze ons iets meedelen.'

Hij wilde niet gaan zitten. Hij wilde antwoorden horen. 'Wie zijn *ze?*'

'Pardon?'

'Wie zijn die geheimzinnige *ze?* De *ze* die u iets zullen meedelen?'

'Gaat u nu alstublieft zitten.'

'Ik vraag u gewoon iets. Ik probeer erachter te komen hoe lang ik hier moet blijven zitten. Ik wil een aanwijzing, een schatting, *iets*. Is dat te veel gevraagd?'

Paul besefte dat hij luider sprak dan normaal. Hij voelde het, omdat verscheidene vermoeide passagiers in de wachtruimte hadden opgekeken van hun kruiswoordpuzzels en kranten en tijdschriften, om naar hem te staren. Ze leken half geschrokken en half aanmoedigend. Misschien omdat hij alleen maar deed wat ze zelf wilden doen – een toenemende kwaadheid ventileren, ook al deed hij het op een manier die tegen de regels van het fatsoen indruiste. Ze zouden zich op een afstand houden en hem zwijgend laten doorgaan. Hij herinnerde zich een andere passagier die lang geleden een andere employee van een luchtvaartmaatschappij had lastiggevallen om informatie. Lang geleden, en ver weg.

De vrouw achter deze balie – *Rosa*, zei haar naambadge – schoot hem niet te hulp.

'Ik heb het u toch al gezegd. Wanneer ze me iets vertellen zal ik het omroepen. Ik verzoek u dringend nu te...'

'Goed. Ik ga zitten. Als u me vertelt wie *ze* zijn?'

Ze besloot hem gewoon te negeren. Ze ging weer ijverig verder met haar werk alsof hij zich al had omgedraaid en naar zijn stoel was teruggelopen.

Paul voelde iets omhoogkomen in zijn slokdarm. Heel even dacht hij dat een van de condooms in zijn maag moest zijn gebarsten, dat hij zo dadelijk op de grond zou liggen, verdrinkend in zijn eigen braaksel. Maar het was geen cocaïne. Het was woede – al het venijn dat hij de afgelopen vijf dagen van gevangenschap had opgebouwd. Woede, jegens Galina en Pablo en Arias en de man met de sigaar – die zich nu focuste op deze vrouw die weigerde hem te vertellen of hij op tijd Colombia uit zou raken om zijn vrouw en zijn dochter te redden.

'Ik heb je verdomme iets gevraagd,' zei Paul. Nee, hij schreeuwde. 'Ik wil verdomme antwoord.'

Bijna niemand keek nog meelevend. Hun gezichten drukten pure schrik uit, ook dat van Rosa. Ze ging een stap achteruit alsof hij haar fysiek had aangevallen.

'Er is geen reden om dergelijke taal te gebruiken,' zei ze scherp. 'U bent beledigend, en ik zal de autoriteiten erbij halen als u niet...' Paul kon niet meer volgen wat ze zei. Voornamelijk omdat hij zag dat een aantal mensen in blauwe uniformen zich verzamelde bij de plek van de commotie. Hij wist niet zeker of het mensen van de luchtvaartmaatschappij waren, of een Colombiaans arrestatieteam.

Als de politie me arresteert kom ik niet aan boord van het vliegtuig. Dat schoot onmiddellijk door zijn hoofd.

De vlucht mag dan vertraagd zijn en het vliegtuig mag god weet wanneer vertrekken, maar als ze me arresteren zit ik er niet in.

'Het spijt me,' zei Paul. 'Neemt u me niet kwalijk. Ik sta onder druk vanwege die bespreking. Het spijt me. Werkelijk.'

De blauwe uniformen waren employés van de luchtvaartmaatschappij. Drie mannen en een vrouw, die de balie omringden met een indrukwekkend vertoon van hulpvaardigheid. Personeel van een luchtvaartmaatschappij had tegenwoordig de neiging een lijn te trekken, nu ze in de frontlinies opereerden.

'Is er een probleem?' vroeg een van de mannen aan Rosa.

Ze aarzelde, daarna schudde ze haar hoofd. 'Nee, alles is in orde,' zei ze. 'Meneer Breidbart gaat weer zitten.'

Meneer Breidbart ging weer zitten.

Het vliegtuig was al een uur te laat.

Hij had nog zeventien uur over.

16

Ze vertoonden een comedy met Reese Witherspoon. Paul wist dat het een comedy was omdat een aantal passagiers zat te lachen.

Hij keek ook naar de film. Hij had er geen idee van waar die over ging. Er was iets mis met zijn maag – iets anders dan wat voor de hand lag. Wanneer hij zijn maag aanraakte voelde die zo gespannen als een bongodrum. Hij kon er *Wipe-Out* op spelen. Hij werd ontzettend misselijk.

Ik ga niet overgeven, hield hij zich voor.

Als hij de condooms uitspuugde, zou hij ze weer moeten inslikken; het was de eerste keer al moeilijk genoeg geweest om ze naar binnen te werken. Elke keer dat hij slikte kreeg hij in een reflex de aandrang om over te geven. Hoe was het hem eigenlijk gelukt? Door diverse en slechts deels succesvolle strategieën toe te passen.

Eerst had hij zich Joanna en Joelle voorgesteld, hoe ze in die kamer zaten – zich concentrerend op het eindresultaat. Dat had maar korte tijd gewerkt. Dus was hij van tactiek veranderd, had zich elk condoom voorgesteld als een soort plaatselijke delicatesse – een vreemd smakende delicatesse, zelfs een walgelijke, maar een die hij aan zijn eer verplicht was te nuttigen.

Toen ook dat niet meer hielp, toen hij begon te kokhalzen en bijna alles er weer uit kwam, had hij eraan gedacht als afzonderlijke doses *medicijnen.* Iets wat hem was voorgeschreven om zijn leven te redden – zijn leven en dat van hen.

Op de een of andere manier was het hem gelukt ze alle zesendertig naar binnen te krijgen.

Het moeilijkst was om ze daar te houden.

Het vliegtuig was twee uur te laat vertrokken. Om een onverwachte turbulentie boven de Caribische Zee te ontwijken was de piloot naar dertigduizend voet gestegen. Daardoor zou de vlucht langer duren, had de piloot verklaard, maar *beter laat dan hobbelig,* had hij eraan toegevoegd met dat neutrale, trage accent waarmee iedere piloot op de wereld leek te spreken. Hij paste de vluchtroute aan met hun comfort voor ogen.

Paul vond zijn comfort in negatieve getallen.

Negatieve getallen hadden hem altijd gefascineerd. Ze waren de donkere kant van de maan, de antimaterie van het numerieke universum dat hij zijn thuis noemde. Hij reisde nu door dit universum.

'Voelt u zich wel goed?' vroeg de man naast hem. Blijkbaar keek hij niet naar de film met Reese Witherspoon. Hij keek naar Paul. Paul zag er vreemd uit.

'Alleen een beetje misselijk,' antwoordde Paul.

De man leek opzij te schuiven. Op de een of andere manier had hij de fysieke afstand tussen hen vergroot zonder zich feitelijk te bewegen. Paul begreep het – misselijk was het laatste woord dat je op een lange vlucht wilde horen. Behalve *bom,* natuurlijk.

Een van de standaardgrappen van zijn bedrijfstak: *heb je die gehoord van de verzekeringsexpert die een nepbom meenam in een vliegtuig? Hij wilde de kans verkleinen dat er een andere bom aan boord zou zijn.*

Ha-ha.

'Zal ik de stewardess voor u roepen?' vroeg de man behoedzaam.

'Nee. Het gaat wel.' Paul kon de afzonderlijke zweetdruppels op zijn voorhoofd voelen. Zijn maag rommelde als onweer voor een stortvloed.

'Nou, goed dan,' zei de man. Hij leek niet overtuigd.

Paul probeerde zich weer in de film te verdiepen. Reese was advocaat, of zoiets. Ze bleef grappige dingen zeggen en ze lachte veel.

Hij moest overgeven.

Paul stond op en ging op weg naar het toilet van de businessclass. Maar het was bezet, en er stond al iemand voor te wachten. Een moeder, die haar vierjarig zoontje aan de hand hield. De jongen stond te schuifelen en greep zo nu en dan naar het kruis van zijn broek.

'Hij moet nodig,' zei de moeder verontschuldigend.

Paul tuurde door het half open gordijn dat toegang gaf tot de eersteklas. Bij dat toilet stond niemand te wachten. Hij schoof het gordijn opzij en liep naar de voorkant van het vliegtuig.

'Pardon, meneer.'

Een steward was uit het niets opgedoken. Hij was slank, jong, maar zag er heel vastbesloten uit. Op dit moment had hij besloten dat Paul, een passagier uit de businessclass, niet naar het toilet in de eersteklas mocht.

'We zouden graag zien dat u het toilet van uw eigen afdeling gebruikt,' zei hij.

'Dat was ik ook van plan. Maar het is bezet. Dus...'

'Wilt u dan misschien wachten tot het toilet beschikbaar is,' viel de man hem in de rede.

'Ik kan niet wachten. Ik voel me niet lekker.'

De eersteklas passagiers keken allemaal naar hem. Paul voelde hun ogen in zijn rug priemen. In de hiërarchie van de luchtvaart waren zij hindoes en was hij een onaanraakbare. Dit zou hem in zijn vorige leven misschien in verlegenheid hebben gebracht. Maar in dit leven was hij een drugssmokkelaar, op het punt zijn illegale lading in het middenpad te deponeren, dus het kon hem niet schelen. Hij moest naar dat toilet.

De steward, wiens naam Roland was, bekeek hem alsof hij wilde vaststellen of hij de waarheid sprak. Voelde hij zich echt niet goed, of probeerde hij met een truc in de verheven sferen van het eersteklas toilet te geraken?

Paul wachtte niet tot de man een beslissing had genomen. Hij liep door, een verslagen kijkende Roland opzij schuivend. Hij ging het toilet binnen en sloot de deur.

Zijn misselijkheid had nu een bijna onhandelbaar niveau bereikt.

Hij bekeek zich in de spiegel. Zijn gezicht was bleek en vochtig.

Hij sloot zijn ogen.

Hij dacht aan Joanna, opgesloten in die bedompte kamer. Zittend op die smerige matras. Alleen. Hij vroeg zich af of ze voor hem bad, terugkeerde naar het geloof van haar jeugd, toen ze plichtsgetrouw elke zondag was gaan biechten en haar zonden van een tienjarige had laten wegnemen. Hij hoopte het.

Ik zal niet overgeven. Hij zei het niet alleen tegen zichzelf, maar tegen God. Oké, ze noemden elkaar niet direct bij de voornaam, maar hij was bereid een poging te wagen. Hij wilde het verleden het verleden laten en vrienden worden.

Laat me niet overgeven.

Nu opnieuw geformuleerd, als een echt gebed, een smeekbede van iemand die dringend behoefte heeft aan enige goddelijke bijstand.

Hij haalde diep adem. Hij plensde koud water op zijn gezicht. Hij balde zijn handen tot vuisten. Met opzet vermeed hij naar het toilet te kijken, dat een visuele uitnodiging leek om de drugs eruit te gooien. Het werkte.

Hij voelde zijn misselijkheid afnemen. Hij was nog steeds onpasselijk, maar hij zou naar zijn stoel terug kunnen gaan zonder over te geven. Misschien zat er uiteindelijk toch iets in die religieuze opvattingen. Misschien was een uitgeputte God tot medelijden bewogen.

Er klopte iemand op de deur.

'Wat gebeurt er daarbinnen?'

Roland. Het klonk nog steeds een beetje verontwaardigd.

'Ik kom eruit,' zei Paul.

'Mooi.'

Een minuut later deed Paul de deur open en wrong hij zich langs Roland, die sterk naar lavendel rook. Het lukte hem zijn stoel te bereiken, waar zijn buurman hem achterdochtig opnam.

'Alles goed?' vroeg hij.

Paul knikte. Hij draaide zich op zijn zij en sloot zijn ogen. Hij kon niet slapen, maar hij zou doen alsof.

Nog twee uur tot de douane.

Er stond een hond onder aan de roltrap.

Een Duitse herder in een stevig, zwart tuig.

Paul kon niet zien wie de riem van dat tuig vasthield, omdat het plafond boven de roltrap schuin afliep en zijn gezichtsveld beperkte.

Het kan een blinde zijn, dacht hij. Een bedelaar, met zo'n wit bekertje in zijn hand en een bordje waarop staat: IK BEN BLIND. HELP ME ALSTUBLIEFT.

Of het zou zo'n ander soort persoon kunnen zijn die op een internationale luchthaven een hond aan de riem hield. Wachtend op een vlucht uit Colombia.

Hij dacht erover zich om te draaien en tegen de stroom in te lopen. De roltrap stond stampvol – hij zou het niet redden.

De roltrap leek uiterst langzaam te bewegen. Degene die de hond bij zich had werd stukje bij beetje zichtbaar, alsof hij werd geschetst door een straattekenaar in Washington Square Park.

Eerst de schoenen.

Zwarte, stevige, dikke zolen. Het hoefden niet de schoenen van een blinde te zijn, maar het zou kunnen.

Nu de benen.

Dun en kort en bedekt met donkerblauw.

Spijkerstof? Of het polyester weefsel dat zo in zwang was bij bepaalde overheidsinstanties? Het was moeilijk te zeggen. De gesp van de broeksriem kwam nu in zicht, iets groots dat voor meer doeleinden leek te dienen dan alleen om zijn broek op te houden. Het soort gesp dat iets uitdrukte.

Het overhemd kwam tevoorschijn.

Paul bad dat het een T-shirt zou zijn.

Iets wat zei: I LOVE NEW YORK.

Of: MIJN ZOON IS NAAR FLORIDA GEWEEST MAAR HET ENIGE WAT IK KREEG WAS DIT. Een echt gebed – zoals in het toilet van de eersteklas.

Het was wit, en dichtgeknoopt. Er zat een soort badge op.

Een politieagent. Iemand van de douane.

Toen Paul het laatste stadium bereikte van de langzaamste roltrap op aarde, zag hij dat hij gelijk en ongelijk had. Het was weliswaar iemand van de douane, maar het was een vrouw. Haar gebleekte, blonde haar was in een strakke paardenstaart gebonden, blijkbaar om te voorkomen dat het voor haar ijverige, stalen ogen hing.

De sekse deed er niet echt toe. Hij concentreerde zich op de hond.

Een hasjhond – werden ze zo niet genoemd?

De beambte en de hond stonden links van de roltrap. Paul probeerde dichter naar de rechterleuning te schuiven. De hond zat op zijn achterste, zijn trillende, zwarte neus wees recht omhoog.

Paul vroeg zich iets af. Hij geloofde dat deze honden drugs konden ruiken in benzinetanks, in plastic poppen, zelfs in betonblokken. Maar in mensen? Door lagen ingewanden, en vet, en condooms, en huid?

Ernstig zwetende huid. Huid waar het zweet zo dik op stond dat het hem in een wandelende vaatdoek dreigde te veranderen.

Hij stapte van de roltrap af. Hij voelde dat de vrouwelijke douanebeambte recht naar hem keek. Hij kon dit alleen maar voelen, omdat hij probeerde niet naar haar te kijken. In plaats daarvan probeerde hij verveeld te kijken, blasé, nonchalant – om op die manier een kant op te kijken waar hij haar blik niet ontmoette.

Ze moest zich wel afvragen wat er de oorzaak van was dat een passagier uit Colombia peentjes zweette. Hele bossen.

Paul kon de hond werkelijk horen snuiven; het klonk als iemand die zwaar verkouden is. Er vormde zich een pijnlijke knoop in zijn borst.

Er werd gezegd dat er drie waarschuwingen waren voor een hartaanval – overmatig transpireren, pijn in de borst, en sufheid, en op dit moment had hij ze alle drie. Alleen was zijn sufheid meer van de geestelijke soort. Hij was zo bang dat hij niet kon denken.

Toen deed hij iets vreemds.

Hij aaide de hond.

De herder was begonnen nerveuze jankgeluiden te maken, en Paul was ervan overtuigd dat de beambte hem binnen een seconde zou vragen uit de rij te stappen en met haar mee te gaan naar een aparte kamer, waar ze hem zou doorlichten, om hem vervolgens te arresteren wegens drugssmokkel.

Hij zag zijn angst met opgeheven hoofd onder ogen. Zoals zijn vader hem had aangeraden, toen een zeven jaar oude Paul had opgebiecht dat hij doodsbang was voor de achtbanen in Hershey Park. Zijn vader had hem in de *Evil Twister* gezet, die zo hoog was als een wolkenkrabber, en Paul had hem onmiddellijk ondergespuugd.

Misschien zou pure overmoed deze keer werken.

De hond bleef stokstijf zitten en keek griezelig strak naar hem op. Hij legde zijn oren plat – zijn afgerichte neus trilde.

Het was de douanebeambte die letterlijk tegen hem blafte.

'Meneer!'

Alles stopte. Andere passagiers draaiden zich om, teneinde naar hem te kijken – een tiener met rugzak, een familie van vier personen met souvenirs uit Disney Land, een bejaard echtpaar dat probeerde de rest van hun reisgezelschap in te halen. Een andere douanebeambte begon van achter uit de aankomsthal naar hen toe te lopen.

'Menééér!' herhaalde de vrouw.

'Ja?' Paul had het gevoel dat hij uit zijn lichaam was getreden. Alsof hij neerkeek op deze belachelijke, hoewel angstaanjagende confrontatie, die slechts zou kunnen eindigen met Paul Breidbart die in handboeien werd afgevoerd. En in schande.

'Meneer. Wilt u de hond alstublieft niet aaien, meneer.'

'Wat?'

'Ze is geen huisdier, meneer. Ze is een werkhond.'

'Ja, natuurlijk. Sorry.' Hij nam zijn hand, die zichtbaar trilde, weg.

Paul draaide zich om en liep naar het bordje waarop stond: AFHALEN BAGAGE. In stilte telde hij zijn stappen, denkend dat hij, als hij het tot tien haalde, ermee weg kwam.

Hij haalde er elf.
Twaalf.
Dertien.
De hond had de cocaïne niet geroken. Hij was erdoor.

17

Hij nam een taxi.

De chauffeur was afkomstig uit India en sprak slechts gebroken Engels. Toch kostte het hem geen moeite zijn blijdschap duidelijk te maken bij het krijgen van een vrachtje dat zijn dag goed zou maken. De hele rit naar New Jersey zou tegen dubbel tarief gaan.

Hij nam de Grand Central naar de Triboro, terwijl Paul zo ongeveer om de tien minuten op zijn horloge keek. Als een langeafstandsloper in de marathon van New York City – zo veel huizenblokken gepasseerd in zo veel tijd.

Tot nu toe lag hij min of meer op schema.

Je gaat goed, bleef de cheerleader in zijn hoofd hem aanmoedigen.

Je gaat goed.

Hij probeerde zich te concentreren op de eindstreep. FARC's contactpersonen in Jersey City zouden hem weldra op zijn schouders slaan omdat hij zijn taak goed had volbracht, en daarna zouden ze met Colombia bellen. De volgende dag zou hij bij de gate staan wachten tot Joanna en Joelle op Kennedy Airport geland waren, en dan konden ze samen aan hun nieuwe leven beginnen.

Nog maar een uur.

Toen begon de taxi langzamer te rijden, te kruipen, om ten slotte stil te houden.

Ze stonden in een plotseling opgetreden file, bumper aan bumper, en voor hen uit was geen beweging te zien.

Paul moest naar het toilet.

Het gevoel was sterker geworden sinds hij uit het vliegtuig was gestapt. In het begin slechts een iets voller gevoel dan hij de hele dag had gehad – precies wat je kon verwachten met zesendertig condooms in je maag. Maar daarna een toenemende, onmiskenbare aandrang om zich te ontlasten, even heftig als de neiging om over te geven.

Voor de tweede keer binnen enkele uren probeerde Paul zijn lichaam te dwingen te luisteren en op te houden. Een simpele kwestie van de geest die de materie overheerst. Zijn lichaam weigerde echter om er aandacht aan te schenken; het wilde er deze keer niets van weten. Het had zijn eigen agenda, en het eiste dat het werd gehoord.

Na vijf minuten waren ze nog geen centimeter vooruit gekomen.

De taxichauffeur schudde zijn hoofd en surfte door een reeks buitenlands klinkende radiostations. Het hinderde Paul ernstig bij zijn pogingen zich op de achterbank van de taxi erop te concentreren dat hij niet naar het toilet moest.

'Kunt u daarmee ophouden?' zei hij.

'Hè?'

'De radio. Kunt u misschien één zender uitkiezen?'

De chauffeur draaide zich om alsof hem zojuist een verbazingwekkende vraag was gesteld. Hij tuurde naar Paul vanonder zware oogleden die lagen weggezonken in zwarte diepten van wanhoop.

'Wat zegt u?'

'Het is irritant,' zei Paul. Zijn maag begon serieus tegen hem te schreeuwen.

Zoek een toilet. Waar dan ook.

'Míjn radio,' zei de chauffeur.

'Ja, maar...'

'Mijn radio,' herhaalde hij met nadruk. 'Ik luister naar wat ik wil. Oké?'

Oké. Er was een grens tussen taxichauffeur en passagier en Paul had die kennelijk overschreden.

Zijn maag was één eindeloze kramp. Er zat iets in wat er wanhopig uit wilde.

Hou het op.

De taxichauffeur toeterde. Hij bedoelde het duidelijk als een soort protest, niet als iets waarmee hij werkelijk iets kon bereiken. Het was niet zo dat de auto's vlak voor hem er iets aan konden doen – ze zaten even vast als hij. Toch toeterde hij opnieuw – deze keer bleef hij op de claxon leunen, een lange klacht uit frustratie en kwaadheid.

De chauffeur leek het prettig te vinden om op deze manier stoom af te blazen. Hij lachte, alsof hij zichzelf een goede grap had verteld.

Tot er iemand uit de auto, die voor hem stond, stapte – een Lincoln met een kentekenplaat waarop stond BGCHEZE.

De man die naar het raampje aan de kant van de taxichauffeur liep, leek bekneld in zijn eigen kleren, een strakke, bruine trainingsbroek en een simpel T-shirt dat meer weg had van een dwangbuis.

Hij gebaarde met zijn hand – draai het raampje open.

De taxichauffeur was niet in de stemming om aan het verzoek te voldoen. Hij lachte niet meer, en hij mompelde iets in het Indiaas.

'Draai dat kloteraampje open,' zei de man, nu hij met gebaren niet verder kwam.

De taxichauffeur gebaarde nu zelf met zijn hand. Een afwijzend wuiven – ga weg en laat me met rust.

De man reageerde hier niet goed op.

'Wat zit je nou verdomme te zwaaien? Wil je zo graag met die klote-claxon van je tegen andere mensen toeteren? Doe dat raampje open. Ik heb iets voor je, eikel!'

De taxichauffeur was dat niet van plan. Nee. Hij gebaarde nogmaals naar de man en daarna draaide hij zijn hoofd om, zodat hij hem niet meer hoefde te zien.

'Hé, beroerde tulbandkop! Versta je soms geen Engels? Nee, hè? Je begrijpt verdomme geen woord van wat ik zeg. Nou, ik zal het je makkelijk maken. *Draai. Dat. Verdomde. Raampje. Open.*' Bij elk woord bonkte hij op het raampje met een hand die de afmetingen had van Lower Manhattan.

De taxichauffeur had de deuren op slot gedaan. Paul besefte het toen de man aan de kruk begon te rukken en het portier niet openging. Dit leek hem alleen maar kwader te maken.

Hij begon tegen het portier te schoppen.

Paul wist niet of de man had gezien dat er een passagier achterin zat. Maar zelfs al had hij het gezien, Paul dacht niet dat het hem afge-schrikt zou hebben.

'Doe die klotedeur open, slappeling!' schreeuwde hij tegen een nu ernstig geschrokken kijkende taxichauffeur. De chauffeur leek zelfs hulpzoekend om zich heen te kijken – eerst naar links, dan naar rechts, en ten slotte, onvermijdelijk, achterom.

'Misschien houdt hij vanzelf op,' zei Paul, in twee ogen vol pure pa-niek kijkend.

'Hij is stapelgek,' zei de taxichauffeur.

Daarin moest Paul het met hem eens zijn. Er raceten twee gedachten door zijn hoofd. Eén: hij zou het niet kunnen ophouden. Twee: als de wildeman de taxi open zou krijgen, zou hij de chauffeur vermoorden en dan zou Paul niet op tijd in Jersey City zijn. Ook al kón hij het ophouden.

Paul draaide zijn raampje open.

'Zeg eens even, kan het een beetje kalmer,' zei hij tegen de man. Zijn woorden klonken gekweld en vol pijn – zelfs in zijn eigen oren.

Zijn toon leek de man voor het ogenblik te kalmeren. Hij keek naar Paul alsof hij zojuist een interessant kunstvoorwerp had ontdekt dat zijn aandacht waard was.

'Zeg tegen hem dat hij zijn deur opendoet,' zei hij.

'Hoor eens, ik weet zeker dat hij er niets mee bedoelde toen hij toeterde. Hij was gefrustreerd. Al dat verkeer. Zullen we het maar vergeten?'

De man lachte naar hem.

'Ja hoor,' zei hij.

Daarna stak hij zijn hand door Pauls raampje en trok het knopje van het portier omhoog. Hij rukte het portier open – dat alles binnen een paar seconden. Voor Paul kon reageren, sleurde de man hem aan zijn arm uit de taxi.

Paul struikelde, en hij viel bijna.

'Hé, toe nou, hou op,' zei hij.

Ergens tussen *hou* en *op* belandde de vuist van de man op Pauls kin.

Paul viel languit op het wegdek – en dat was nog niet het ergst.

Hij was net uren bezig geweest met vechten om de drugs binnen te houden, tegen zijn eigen lichaam strijdend om deze onwelkome en onnatuurlijke indringing.

In één vernederende seconde verloor hij de strijd.

18

Ze vonden een Exxon-tankstation ergens in de Bronx.

De uit het Midden-Oosten afkomstige man die de pomp bediende, wees naar de achterkant van het gebouwtje, toen Paul naar het toilet vroeg.

Het was Paul gelukt midden op de Triboro Bridge weer in de taxi te stappen, met behulp van een vrouw van middelbare leeftijd, die als bij toverslag tevoorschijn was gekomen uit een witte bestelbus. Hij had het aanbod van de vrouw om er medische hulp bij te roepen, afgeslagen. Hij had tegen de taxichauffeur, die stug op zijn stoel voorin was blijven zitten, gezegd dat hij geen interesse had om naar de politie te gaan. Nee. Alleen maar naar Ganet Street 1346, in Jersey City.

Eerst had hij een toilet nodig.

De taxichauffeur sloot de plastic schuifwand tussen bestuurder en passagier, terwijl Paul de hele weg op één bil bleef zitten.

Toen hij in de benauwde toiletruimte van het tankstation kwam – wat niet veel meer was dan een hokje met een pot, ontdekte hij zo ongeveer wat hij verwacht had.

Alles wat hij in Bogotá had ingeslikt, was er min of meer uitgekomen. De condooms waren nog heel.

Hij gooide ze in de smerige wasbak, en spoelde ze af met warm, roestkleurig water. Hij trok zijn broek uit en smeerde die in met de gelige blubber uit het zeeppompje; daarna spoelde hij het kledingstuk uit onder de kraan. Hij reinigde zichzelf zo goed mogelijk.

Hij had besloten dat hij de condooms niet opnieuw zou inslikken. Hij kon het niet. Hij zou naar het huis in Jersey City gaan en de mensen daar vertellen wat er gebeurd was – dat ze een paar kilometer voor de aflevering eruit gekomen waren.

Zorgvuldig borg hij de drugs op in de weekendtas die hij had meegenomen naar het toilet. Hij ging terug naar de taxi en kroop op de achterbank. De chauffeur had de auto gelucht tijdens zijn afwezigheid. Beide portieren stonden wijdopen, beide raampjes waren omlaag gedraaid.

De chauffeur zei in elk geval niets tegen hem. Paul had voor hem een stomp op zijn kin geïncasseerd.

Zijn dankbaarheid moest groter zijn dan zijn afkeer.

Een half uur later reden ze Jersey City binnen.

Paul bekeek het van de zonnige kant. Ja, er was een zonnige kant. Hij was al zo ver gekomen. Denk aan de percentages.

Hij was nog slechts enkele straten verwijderd van het punt waar hij zijn last moest afleveren. Waar hij zijn deel van de afspraak zou nakomen.

De taxichauffeur reed een wijk in die vol hing met Arabische uithangborden. Ze passeerden een gele moskee compleet met glanzende minaret, een openluchtmarkt met massa's exotisch uitziende vruchten en groenten. Ze kropen langs een aantal vrouwen die van top tot teen in zwarte boerka's gehuld waren, en als schaduwen door de straat zweefden.

Mijn naam is Paul Breidbart. Ik heb iets waar u op hebt gewacht.

Hij stelde zich Joanna's gezicht voor, wanneer ze uit het vliegtuig stapte. Nog steeds hologig en vermoeid, maar opgetogen van dankbaarheid en opluchting. Ze zou Joelle tegen haar borst gedrukt houden. Daarna zouden ze naar huis gaan waar hun beste vrienden, John en Lisa, knalroze ballonnen aan de deurknop van hun flat zouden hebben opgehangen.

Mijn naam is Paul Breidbart. Ik heb iets voor u.

De taxi hield stil. De chauffeur strekte zijn hals om uit het zijraampje te turen.

'Zijn we er?' vroeg Paul.

'Ganet Street 1346?' zei de chauffeur.

'Ja. Is het hier?'

'Dit is Ganet Street,' zei hij.

'Goed,' zei Paul. Ze stonden voor het midden van een huizenblok. Een kruidenierszaak, een drogisterij, en twee bankfilialen stonden aan de ene kant van de straat. De andere kant leek uit woonhuizen te bestaan, dat moest de kant zijn die hij zocht.

Maar er klopte iets niet. De taxichauffeur schudde zijn hoofd en hij zuchtte.

'1346?' vroeg hij nog een keer.
'Ja.'
'Dat is er niet,' zei hij.
'Wat?'
'Het is weg.'
'Ik begrijp het niet.'
'Kijk dan,' zei de chauffeur. 'Het ontbreekt.'

19

Ochtend.

Joanna rook gebakken weegbree. En de vertrouwde, kruidige geur van haar baby. Haar zachte hoofdje rustte onder Joanna's kin terwijl ze de gele voeding naar binnen schrokte die Galina had meegebracht.

Paul was uren geleden vertrokken. Of waren het dagen?

Ze had geprobeerd dapper te zijn. Ze had geprobeerd sterk te zijn voor Paul – hij zou het nodig hebben. Toen hij wegging, toen hij echt de kamer uit was gegaan, leek het of de hoop met hem was verdwenen.

Zo voelt het dus om helemaal alleen te zijn, dacht ze.

Toch was Joelle er. Dus ze was niet alleen.

Galina was kort na Pauls vertrek teruggekomen, en Joanna had haar baby omklemd zoals ze haar portefeuille zou omklemmen wanneer ze een mogelijke overvaller tegenkwam in 83rd Street.

Dit neem je me niet af.

Galina had het niet geprobeerd.

'Wil je haar samen met mij voeden?' vroeg Galina.

'Ja.'

Dat hadden ze gedaan. Naast elkaar, net als de jonge moeders met hun buitenlandse kindermeisjes, die elke ochtend bij elkaar kwamen op de banken van Central Park. Alleen waren hier geen schommels, wiptoestellen of glijbanen.

Er was natuurlijk nog een verschil. Dit kindermeisje had hen ontvoerd.

Joanna nam niet de moeite over dat onderwerp te beginnen. Ze probeerde zich aan dit moment vast te klampen. *Maak geen slapende honden wakker,* placht haar moeder tegen haar te zeggen wanneer ze zich over het een of ander beklaagde. Wat betekende: wees tevreden met wat je hebt. Waarom? Omdat het altijd erger kan worden.

Als je me haar laat vasthouden en voeden en bij haar zijn, zal ik niets zeggen over wat je ons hebt aangedaan.

Het was waar dat dit tegen elke vezel van Joanna's karakter in ging. Ze was gewend te zeggen wat ze op haar hart had. Maar ze kon het risico niet lopen dat Joelle haar een tweede maal zou worden afgenomen.

Galina vroeg Joanna hoe ze had geslapen. Ze prees Joelle omdat die zo goed at. Ze demonstreerde de juiste manier om haar te laten boeren. Ze praatte tegen Joanna alsof ze nog steeds in de hotelkamer in Bogotá waren. En Joanna knikte, gaf antwoord, hield zelfs de conversatie gaande.

'Waar ben je geboren, Galina?' vroeg Joanna, nadat Joelle gevoed was en zachtjes in slaap was gewiegd.

'Frontino,' antwoordde Galina. 'In Antioquia. In het noorden,' voegde ze eraantoe, wetend dat Joanna de ene provincie van Colombia niet van de andere kon onderscheiden. 'Op een orchideeënkwekerij. Lang geleden.'

Joanna knikte. 'Hoe was het daar?'

Galina haalde haar schouders op. 'We waren arm. *Campesinos.* Ik werd naar school gestuurd, bij de paters.'

Toen de godsdienst ter sprake kwam herinnerde Joanna zich de zwarte toog en de witte boord die je vluchtig kon zien door de scheidingswand van de biechtstoel. De geur van mottenballen, wierook en babypoeder.

Joanna was vast van plan het gesprek gaande te houden. Joelle sliep en Galina kon elk ogenblik opstaan en zeggen *geef haar aan mij.* Bovendien viel niet te ontkennen dat het prettig was om met een ander menselijk wezen te spreken.

Er was nog een reden. Praten verhinderde dat ze ging denken.

Achttien uur, hadden ze tegen Paul gezegd.

Galina stak haar hand uit en streelde speels de piekhaartjes op Joelles hoofdje.

Het was moeilijk om een dergelijke vrouw niet aardig te vinden, dacht Joanna. Er moesten twee Galina's zijn; aan deze zou je graag je baby toevertrouwen.

'Wanneer ben je naar Bogotá gekomen?'

'Tijdens de opstand,' zei Galina. 'Nadat *Gaitan* vermoord werd.' Ze legde het Joanna uit. Praatte over hoe het in Colombia was geweest, in de jaren veertig. Jorge Gaitan was een man van het volk – niet lelieblank zoals de rest van de politici. Half indiaans. De hoop van *campesinos* zoals haar vader. Maar hij werd neergeschoten door een dolleman. Het land werd gek, en verviel tot *La Violencia* die nooit echt was opgehouden.

Joanna luisterde, knikte, stelde vragen. Ze nam aan dat ze er niet alleen belang bij had om het gesprek gaande te houden, maar dat ze ook geïnteresseerd was in wat Galina vertelde. Misschien zou het haar een aanwijzing geven.

Je begrijpt het niet, had Galina tegen Paul gezegd toen hij haar had gevraagd waarom ze hen had kunnen ontvoeren. *Het is niet jouw land.* Joanna probeerde het te begrijpen.

Ze zocht naar overeenkomsten uit Hollywood. Colombia was zoiets als *West Side Story* – een film waarbij ze als elfjarig meisje had gehuild toen ze die op de tv had gezien; de Jets tegenover de Sharks, met de stuntelige, incapabele agent Krupke in het midden. Linksen tegen rechtsen, met de regering klem in het midden.

Alleen kwamen ze elkaar op het eind bij de dood niet tegemoet.

Niets dan dood.

Ze hield Joelle nog steviger vast, haar zachtjes, ritmisch heen en weer wiegend.

Mijn baby, mijn eigen kindje...

Het liedje van Dombo dat haar nu door het hoofd schoot. Dombo kon vliegen door zijn enorme oren te bewegen.

Als een olifant kon vliegen...

Ze probeerde aan Paul te denken, in een vliegtuig ergens boven de Atlantische Oceaan. Of was hij er al? Hoeveel tijd was er verstreken sinds Paul was vertrokken?

Ze wendde zich om naar Galina om haar die vraag te stellen, maar Galina zat naar de baby te staren, blijkbaar in gedachten verzonken. Of waren het herinneringen?

'Ik had een dochter,' zei Galina.

Joanna wilde haar vragen hoe ze heette, hoe ze eruitzag, waar ze was. Galina had onmiskenbaar in de verleden tijd gesproken.

'Wat is er met haar gebeurd?' vroeg Joanna.

Galina stond op. Ze stak haar armen naar Joelle uit.

Toen Joanna haar niet overdroeg, zei Galina: 'Ik breng haar terug.'

Joanna had geen keus; ze gaf haar dochter aan de vrouw die haar had gestolen.

Nadat Joanna de volgende ochtend wakker was geworden, drukte ze haar oor tegen de ruwe planken die een van de ramen bedekten. Ze probeerde haar wereld te vergroten met enkele meters, of slechts centimeters.

Ze hoorde geluiden van bouwactiviteiten – onregelmatig hameren en een gesmoord, ritmisch gedreun. Ze dacht dat het een heimachine moest zijn of een stoomschop. Twee honden blaften. Hoog in de lucht passeerde een vliegtuig. Iemand stuiterde met een basketbal.

Toen kwam Galina de kamer binnen. Ze had geen baby bij zich. Deze keer kwam ze met iets anders.

Nieuws.

'Je man,' zei ze, met een vlakke, emotieloze stem. 'Hij heeft de drugs niet afgeleverd.'

20

Er was een verkoold, zwart en nog smeulend gat, op ongeveer een derde van de linkerkant van Ganet Street.

Eindelijk begreep Paul dat dit nummer 1346 geweest moest zijn.

'Het is afgebrand,' verklaarde een bewoner met een wit keppeltje op.

'Wanneer?' vroeg Paul.

'Gisteren.'

Paul voelde iets in zijn maag – zo ongeveer het tegenovergestelde van wat hij eerder had gevoeld. Het kwellende, volle gevoel had plaatsgemaakt voor een even kwellende leegte.

Noem het een zwart gat, waar alle hoop in wordt opgezogen.

'De mensen die er woonden?' vroeg Paul. 'Weet u waar die zijn?'

De man haalde zijn schouders op.

Het bleek dat niemand echt wist waar ze waren. Niemand wist ook wie ze waren.

'Portoricanen,' zei een blanke man die een blikje bier vasthield, half verscholen in een bruine, papieren zak.

'Buitenlanders,' zei een andere man, die uit Oost-Europa bleek te komen en slechts haperend Engels sprak.

De buitenlanders waren blijkbaar erg op zichzelf geweest. Ze hadden er maar een maand of zes gewoond. Ze bemoeiden zich niet met de buren. Het waren er twee, of drie, dat hing ervan af aan wie je het vroeg. Mannen.

'Er is toch niemand omgekomen? Bij de brand?'

Blijkbaar niet. De brandweerlieden hadden althans geen lichamen aangetroffen.

De taxichauffeur werd langzamerhand ongeduldig. Hij had zijn lange rit gemaakt, en hij wilde graag terug.

'Laat de meter lopen,' zei Paul.

'Gaat het?' vroeg de chauffeur. Hij moest Pauls lijkwitte gezicht in de achteruitkijkspiegel hebben gezien.

Ze reden langzaam verder door Ganet Street en vonden een restaurant met achterin een lege telefooncel. Paul had zijn mobiele telefoon thuisgelaten.

Ze hadden hem een nummer gegeven. Voor het geval dat.

Hij zou het uitleggen. *Ik heb jullie drugs hier, alle zesendertig condooms. Ik zoek nu alleen iemand aan wie ik ze kan geven.*

Paul zei tegen de chauffeur dat deze moest blijven wachten.

'Goed. Geef me het geld dat u me verschuldigd bent.' Paul haalde honderdvijfenzestig dollar uit zijn portefeuille, en gaf die door het opengeschoven tussenschot aan de man. De guerrilla's hadden hem zijn contant geld en zijn reischeques vrijwel compleet teruggegeven.

Denk je dat we bandidos zijn?

Nee. Alleen kidnappers en moordenaars.

Toen Paul het restaurant in liep, hoorde hij het onmiskenbare geluid van krijsende banden. Hij draaide zich met een ruk om, en zag nog juist een dun wolkje blauwe uitlaatgassen waar de taxi had moeten zijn.

Hij stak zijn telefoonkaart in het toestel. Nadat hij een minuut had geluisterd naar een reeks doffe klikken, ging de telefoon over, maar er nam niemand op. Eén keer, twee, drie, vier. Paul liet de telefoon ongeveer vijf minuten overgaan. Het waren spannende minuten – elke minuut stond emotioneel gelijk aan een week.

Hij hing op en probeerde het nog een keer.

Nog steeds geen antwoord.

Hij werd bloednerveus.

Hij liep terug naar Ganet Street 1346. Daar zocht hij elk passerend gezicht af naar blijken van herkenning, maar ze schoten langs hem heen als te snel rijdende automobilisten.

Vervolgens posteerde hij zich voor het afgebrande huis, waar dunne, op naalden lijkende sintels nog steeds in de benauwde, vochtige lucht zweefden.

Ze moesten hem toch verwacht hebben, dacht hij. Iemand zou terugkomen om de drugs in zijn bezit te krijgen.

Hij bleef staan, het leek een eeuwigheid. Mensen liepen heen en weer, voor hem, achter hem. Niemand bleef staan om hem aan te spreken. Niemand vroeg hem wat er in de weekendtas zat.

Toen kwam er iemand naar hem toe.

Een jongen, hoewel hij niet erg op een jongen leek.

Toen hij slenterend de straat overstak en in een soort schuifelpas op Paul af liep, dacht Paul dat deze jongen misschien al een hele tijd aan de overkant had gestaan. Hij kwam hem bekend voor.

'Psst,' zei de jongen.

'Ja?' vroeg Paul. Er gloorde een eerste sprankje hoop.

'Ik weet waarom je hier bent, chef.' Hij leek de goede nationaliteit te hebben – in elk geval was hij een Latino.

'O ja?'

'Natuurlijk, Holmes.' De jongen keek naar links en naar rechts, en daarna gebaarde hij dat Paul hem moest volgen. 'Alleen gewacht tot alles veilig was.'

'Ik zag dat het huis was afgebrand. Ik wist niet wat ik moest doen,' fluisterde Paul, een halve stap achter hem. De jongen was de hoek om geslagen en liep nu een zijstraat in met rijtjeshuizen, die allemaal in diverse saaie, bruine kleuren geschilderd waren.

'Uh-huh,' zei de jongen.

'Het leek me het best om te wachten tot je me gevonden had.'

'Goed gedacht, chef.'

Halverwege het blok dook de jongen een steeg tussen twee huizen in. Ze kwamen terecht op een binnenplaats waarvan de grond bestond uit gebarsten, met verf bespoten cement. Twee kale ramen zonder luiken staarden hen van de achterkant van het huis aan.

'Laat maar eens zien wat er voor me in die tas van je zit,' zei de jongen.

Ze hadden hem gevonden. Het zou ten slotte toch nog goed komen.

Nadat Paul de tas had opengemaakt, duurde het slechts twee seconden voor hij besefte dat hij het totaal verkeerd begrepen had.

Dat lag aan de uitdrukking op het gezicht van de jongen. Hij keek in de tas en leek... nou, teleurgesteld.

'Wat is dít, verdomme?' zei hij.

'Dit is...' Paul wilde het uitleggen, maar hij zweeg.

'Geld, Holmes,' zei de jongen. 'Wil je scoren, of niet?'

Nee dus. Het was volkomen logisch dat de straat waar een paar Colombiaanse drugsdealers op hun cocaïne hadden gewacht, een straat moest zijn waar andere drugsdealers wachtten om het te verkopen. Hij was toevallig een van hen tegen het lijf gelopen.

'Nee,' zei Paul, en hij begon de tas dicht te ritsen.

De ristsluiting ging niet helemaal dicht, omdat de jongen Paul bij zijn arm greep.

'Wacht eens even, Holmes.'

Het leek alsof een hond een stuk vlees had ontdekt.

De jongen was over zijn tijdelijke teleurstelling heen. Het begon tot hem door te dringen *wat* hij had gezien.

'Waar is de brand?'

'Ik moet weg. Ik heb je voor iemand anders aangezien, oké?'

'Wat mankeert er aan *mij?*'

'Hoor eens, dit is niet van mij. Ik moet het aan iemand geven.' Paul rukte aan de tas, maar die gaf niet mee.

'Ik ben iemand, chef.'

'Luister eens, dit behoort aan een stel gevaarlijke mensen, begrijp je dat? Ze zullen kwaad worden als ze het niet krijgen.'

Er was hier nog iemand, die gevaarlijk was. De jongen had zijn losse verkopershouding laten varen. Zijn ogen waren steenkoud geworden; zijn greep op de tas werd steviger.

'Ik zal jou eens wat vertellen,' zei de jongen. 'Laat los.'

'Nee,' zei Paul, tot zijn eigen verbazing. De oude Paul zou de kansen hebben overwogen, het risico hebben gecalculeerd. Hij zou de tas hebben losgelaten.

Nu echter niet.

Als hij de tas kwijtraakte, zou daarmee alles verloren zijn.

De jongen stak zijn hand in zijn zak om iets te pakken. Paul zag de doffe glans van metaal.

'Hoor eens, chef, als je de tas loslaat, is het oké. Je wilt toch niet dat ik je pijn doe?'

'Ik kan je de tas niet geven,' zei Paul.

'Je geeft hem ook niet. Ik pak hem van je af.'

Paul liet niet los.

Hij zag de hand van de jongen nauwelijks bewegen. Het leek onmogelijk dat een hand zich naar Pauls linker jukbeen kon bewegen en terug tot naast het lichaam van de jongen, en dat alles in een oogwenk. Van een dichtgeslagen oog. Paul had het gevoel alsof hij was geraakt door een hoge, snelle bal – iets wat twee keer gebeurd was toen hij nog voetbalde, iets wat een barstje had veroorzaakt dat nog steeds te zien was op röntgenfoto's van zijn oogkas.

Het verraste hem dat hij niet viel. Hij deinde heen en weer, wankelde.

Toen deed hij iets nog verrassenders.

Hij sloeg terug.

De greep van de jongen op de tas was niet meer zo stevig – misschien was het moeilijk iemand met de ene hand een klap te geven en tegelijkertijd met de andere hand iets vast te houden. Paul slaagde erin de tas los te rukken. Daarna zwaaide hij ermee, in de richting van het hoofd van de jongen.

Knal.

Hij had hem geraakt.

De jongen viel. Hard. Hard genoeg om met de zijkant van zijn gezicht op het gebarsten cement terecht te komen, en naar Paul op te kijken met iets van ongeloof, zo niet regelrechte angst.

Paul keek terug.

Misschien lag het aan Pauls gezicht – het stond uitdagend. Een gezicht dat zei, *toe dan, probeer het nog eens. Als je durft.* Of misschien, en dat was waarschijnlijker, was het de politieauto die langzaam in zicht kwamen tussen de beide huizen. Wat het ook was, de jongen krabbelde overeind en ging ervandoor.

21

Miles nam op nadat de telefoon drie keer was overgegaan.
'Hallo?'
'Miles?'
'Ja?'
'Met Paul. Paul Breidbart.'
Paul was weer in het restaurant. Hij had het nummer in Colombia opnieuw geprobeerd. Zes keer. Geen antwoord. Hij kon nog maar één persoon bedenken om te bellen.
'Paul?' De advocaat leek een hele tijd nodig te hebben om in gedachten zijn agenda na te gaan en hem te plaatsen. 'Hé, hoe gaat het? Zijn jij en eh... Joanna, terug?'
Paul vroeg zich af of de man een echte agenda nodig had gehad om op de naam van Pauls vrouw te komen. Waarschijnlijk raadde hij ernaar.
'Nee. Ja. Ik ben terug.'
'O ja?'
'Ik zit in moeilijkheden, Miles.'
'Wat is het probleem? Is alles goed met de baby...?'
'Kan ik naar je toe komen?'
'Natuurlijk. Bel morgen maar naar mijn kantoor en maak een afspraak met...'
'Ik moet je nu spreken,' viel Paul hem in de rede.
'Nú? Ik sta op het punt om naar huis te gaan.'
'Het is een noodgeval.'
'Dit kan niet wachten tot morgen?'
'Nee. Het kan niet wachten tot morgen.'
'Nou... goed dan,' zei Miles, na enige aarzeling. 'Het ís toch een noodgeval, Paul?'
'Ja. Het is een noodgeval.'
'Dan zul je naar mijn huis moeten komen. Heb je een pen bij de hand?'

'Ik onthou het wel.'
Miles gaf hem een adres, ergens in Brooklyn.

Paul belde een taxionderneming, waarvan het nummer op een prik-
bord hing in de stinkende hal van het restaurant.
Jersey Joe's Limos.
Opgeprikt tussen *Wendy Whoppers Massages – salon en aan huis,* en
Stanley Franks, psychotherapeut.
Paul kon met beiden wel een afspraak gebruiken.
Wat hij meer nodig had, was een limo.
Jersey Joe's Limos had niet echt limousines. Tien minuten nadat hij
had gebeld, stopte een mosgroene Sable voor het restaurant, en werd
er twee keer getoeterd.
De veel te dikke chauffeur bood aan om Pauls tas in de kofferbak te
leggen. Paul omklemde de hengsels steviger en sloeg het aanbod af.
Hij vroeg zich af hoeveel tijd hij had. Zouden ze hem een beetje speling geven? Als Arias naar dat huis in Jersey City belde, zou niemand
de telefoon opnemen. Er zou geen beltoon zijn, omdat er geen telefoon was. Misschien zouden ze begrijpen dat er iets mis was – dat
zouden ze laten meewegen. Ze zouden nog niets doen.
Ze kwamen de afrit van de Williamsburgh-brug af, en er kwamen een
paar heel eigenaardig uitziende mensen in zicht. Althans, eigenaardig
gekleed. Het was zomer, maar de mannen droegen enorme bonthoe-
den en lange, zwarte jassen. De vrouwen waren nog dikker gekleed.
Hij had het adres dat Miles hem had gegeven niet in verband gebracht
met Williamsburgh, het bastion van de orthodoxe joden. Dat waren
deze mensen blijkbaar.
Bij elk verkeerslicht staarden bezwete, baardige gezichten hem door de
raampjes aan.
Het huis van Miles was een fraaie, bakstenen stadswoning, opgesierd
met potten rode geraniums.
Paul betaalde de chauffeur en sjorde daarna zijn zwarte tas uit de auto,
als de vriendelijke drugshandelaar van de buurt.
Hij liep de stenen treden op en drukte op de bel.
De deur werd geopend door een forse, glimlachende vrouw, die er
aardig uitgezien zou hebben als ze die grote, zwarte pruik niet gedra-
gen had, die als een helm op haar hoofd stond.
'Meneer Breidbart?' vroeg ze.

'Ja.'

De vrouw stelde zich voor als mevrouw Goldstein, en daarna bracht ze hem naar een met hout betimmerde studeerkamer.

'Hij komt zo beneden,' zei ze. 'Neemt u plaats.'

Paul koos een van de leren stoelen tegenover een bureau dat bedolven was onder paperassen.

Toen mevrouw Goldstein de kamer uit was, dacht hij na over de pruik.

Kanker?

Plotseling kwam het beeld bij hem op van zijn moeder, die voor de spiegel van de kaptafel zorgvuldig het haar van iemand anders op haar hoofd plaatste.

Paul keek naar de overvolle boekenplanken die twee wanden van de studeerkamer in beslag namen, waar boeken en foto's om een plek vochten. De meeste foto's waren van Miles. Handen schuddend, poserend met verschillende Zuid-Amerikaanse kinderen. Er was een foto bij van Miles en Maria Consuelo; ze stonden naast elkaar voor het Santa Regina-weeshuis. Verscheidene ingelijste oorkondes prijkten onordelijk aan de muur. Man van het Jaar van de Latin American Parents Association. Vlak onder een paar onderscheidingen van een universiteit en van een ziekenhuis.

Toen een man de kamer binnen kwam en zich omdraaide om de deur te sluiten, vroeg Paul hem bijna wanneer de man van de foto's naar beneden zou komen.

Maar het wás de man van de foto's.

Vermomd.

Miles droeg een zwart vilten keppeltje. Onder het lopen haalde hij een klein, zwart voorwerp dat op een doos leek, van zijn naakte onderarm, door een wirwar van kruislings aangebrachte leren riempjes los te maken. Hij had een pikzwarte jas aan, die helemaal tot zijn knieën reikte, waardoor hij eruitzag als iemand die uit een Matrix-flim was gestapt.

'Dit wordt een tefillin genoemd,' zei Miles, nadat hij Paul een hand had gegeven en achter zijn bureau was gaan zitten. Hij had de zwarte doos, waar de riempjes aan bungelden, tussen de overige rommel op zijn bureau gelegd, als een exotisch zeedier, misschien een inktvis die nu dood was. 'Het is min of meer onmisbaar voor het ochtendgebed.'

'Het is nu middag.'

'Ja. Ik ben aan het inhalen.'

'Ben je een orthodoxe jood?' vroeg Paul.

'Hé – goed geraden.' Miles lachte terwijl hij het zei.

'Deze kleren had je niet aan op je kantoor. Ik wist het niet.'

'Natuurlijk niet, waarom zou je ook?' zei Miles. 'Trouwens, ik ben modern orthodox. En ik ga daar een beetje onorthodox mee om. Niet-religieuze kleren dragen is een noodzakelijke aanpassing, nodig voor mijn carrière – het zou de cliënten kunnen afschrikken. Thuis een keppeltje dragen is noodzakelijk voor mijn geloof – als ik het niet zou doen zou God misschien boos worden. Begrijp je?'

Ja, Paul begreep het.

Hij wilde niets liever dan van het onderwerp judaïsme afstappen, om het over zijn ontvoerde vrouw en dochter te hebben.

'Zo,' zei Miles, 'daar ben je dan. Welkom terug. Wat is het probleem?'

'Het probleem?' Paul herhaalde het, misschien omdat het zo'n hoopvol woord was. Problemen konden immers onder ogen gezien en overwonnen worden?

'Bogotá,' zei Paul kortweg. 'Het was niet veiliger dan Zürich.'

'Wat?'

'Ik zit in grote moeilijkheden,' zei Paul. 'Help me.'

Paul dronk van een kop groene kruidenthee, gastvrij verstrekt door mevrouw Goldstein.

Goed voor de zenuwen, zei Miles.

Met Miles' zenuwen was blijkbaar niets aan de hand – hij had voor de hem aangeboden thee bedankt en hij zat rustig achter het bureau, met zijn handen tegen zijn voorhoofd gedrukt.

Hij had zo ongeveer gereageerd zoals een bezorgde advocaat dat zou moeten doen bij het vernemen van het nieuws dat zijn cliënten ontvoerd waren, dat een van hen zich nog steeds in Colombia bevond, en dat de ander gedwongen was een hoeveelheid drugs door de Amerikaanse douane te smokkelen. Misschien was zijn reactie nog sterker. Zijn gezicht stond betrokken, het toonde bezorgdheid, boosheid en medeleven.

Hij was achter het bureau vandaan gekomen en hij had Paul bij zijn schouders gepakt.

'Mijn god, Paul. Wat vind ik dat erg.'

Paul liet zich troosten, zoog het op als een uitgedroogde spons. Tot nu toe was de enige die medelijden met hem had, hijzelf geweest. Miles vroeg naar details.

'Vertel me wat er gebeurd is – wat er precies gebeurd is.'

Hij vertelde Miles over de middag, toen ze in hun hotel teruggekomen waren en ontdekt hadden dat hun baby verdwenen was. Over de dag daarna, toen Joanna botweg had verklaard dat ze er zeker van was dat de baby die naast hen lag te slapen, niet Joelle was. Over hun bezoek aan Galina, het gehuil dat achter in het huis had geklonken, gevolgd door Pablo's plotselinge brute optreden.

De kamer met de dichtgetimmerde ramen. Arias. De man met de sigaar. Het afgebrande huis. Paul vertelde achter elkaar door tot het moment waarop de taxichauffeur hem in Jersey City had laten staan. Miles luisterde gespannen, intussen aantekeningen makend op een blocnote die als bij toverslag uit de warboel op zijn bureau tevoorschijn was gekomen.

'Pablo?' vroeg Miles hem. 'Die man was jullie chauffeur?'

'Ja.'

'Juist. En hij was ingehuurd door Santa Regina?'

'Ja. Waarom? Denk je dat Santa Regina hier iets mee te maken heeft?'

'Dat bestaat niet. Ik ken Maria Consuelo al jaren. Die vrouw is een heilige.'

Paul keek op zijn horloge. '*Achttien* uur, hebben ze gezegd. Dat is over twee uur.'

'Oké. We moeten hier logisch over nadenken.'

Paul wilde zeggen dat dát gemakkelijker gezegd dan gedaan was. Dat het niet Miles' vrouw en kind waren, die zich in de gevarenzone bevonden. Dat de tijd bijna om was. Hij bleef echter zwijgen.

'Hoor eens, ik weet dat het er tamelijk somber uitziet, maar we hebben nog steeds iets wat zij willen hebben,' zei Miles. 'De drugs.' Hij tuurde naar de zwarte tas op Pauls schoot. 'Daarin, hè?'

Paul knikte.

'Misschien moeten we die tas maar in mijn kluis opbergen. Hier in huis lopen kinderen rond.'

'Goed.'

Miles liep om het bureau heen naar Paul. Hij ritste de tas open en keek erin.

Hij floot zachtjes. 'Ik ben geen expert in verdovende middelen, maar dat lijkt me een behoorlijke hoeveelheid.'

'Twee miljoen dollar.'

Miles floot opnieuw. 'Oké. Ik zou zeggen dat het *heel wat* betekent.'

Hij trok de ritssluiting dicht, pakte vervolgens aarzelend de tas op en hield die op armlengte van zich af, op de manier waarop iemand die zijn hond uitlaat, met de uitwerpselen naar de vuilnisbak loopt. Daarna maakte hij een kastje open dat eruitzag of hij er drank in bewaarde, maar dat was niet zo; achter het deurtje zat een roestvrijstalen kluis. Nadat hij de tas erin had opgeborgen, ging hij weer achter het bureau zitten. 'Als ik het vragen mag, hoe is het je gelukt om dat alles in te slikken?'

Paul wilde zeggen dat het verbazend is hoeveel je kunt inslikken als het leven van je vrouw ervan afhangt. Dan kun je zesendertig condooms inslikken, en je eigen angst.

'Dat weet ik niet. Ik heb het gewoon gedaan.'

'Dat is duidelijk,' zei Miles. 'Goed, waar hadden we het over?'

'De drugs.'

'Juist. De drugs. Ze zullen je vrouw niets doen voordat ze weten waar die zijn. Klinkt dat logisch?'

Paul knikte.

'Natuurlijk. Het betekent twee miljoen dollar voor hen. Bovendien geloof ik dat FARC erom bekendstaat dat ze hun gijzelaars lange tijd vasthouden. Jaren zelfs.'

Miles had dat speciale feit blijkbaar vermeld om Paul te kalmeren. Het effect was tegenovergesteld; Paul werd er misselijk van.

Jaren.

Het moest Miles zijn opgevallen. 'Hoor eens, ik wilde er alleen mee zeggen dat ze weliswaar tegen je gezegd hebben achttien uur, maar dat ik niet geloof dat ze het meenden.'

'Hoe kun je dat weten?'

'Ik weet het niet. Noem het een gegrond vermoeden.'

Miles bedoelde, je hebt meer tijd. Het is net als met die aanmaningsbrieven die je ontvangt – ze proberen je gewoon bang te maken.

Paul was echt misselijk – afgezien van het feit dat hij zich bezweet, vies, en fysiek uitgeput voelde. Hij sloot zijn ogen en streek over zijn bonzende voorhoofd met een hand die nog rook naar de zeep van het tankstation.

'Gaat het?' vroeg Miles, zichtbaar bezorgd. 'Ik bedoel, naar omstandigheden? Hoor eens, je moet met me meedenken. We komen eruit, we zullen een manier vinden – maar daar heb ik jou bij nodig, begrijp je me?' Hij keek op zijn volgekrabbelde blocnote. 'Laten we onze opties eens op een rij zetten.'

Paul was zich er niet van bewust dat ze opties hadden.

'Eén – we gaan naar de autoriteiten.' Miles scheen even over deze mogelijkheid na te denken; daarna schudde hij zijn hoofd. 'Nee. Je eerste ingeving was waarschijnlijk juist. Ik bedoel, naar welke autoriteiten zouden we kunnen gaan? De politie van New York? Het ministerie van Buitenlandse Zaken? De Colombiaanse regering? Die kunnen hun eigen mensen niet eens vrij krijgen. Laat staan een buitenlander. Bovendien, als FARC erachter komt dat we mensen laten zoeken naar Joanna en de baby, wordt ze een risicofactor voor hen. Dan zouden ze haar echt iets kunnen aandoen. En dan is er nog iets – je hebt drugs de Verenigde Staten binnengesmokkeld – *veel* drugs. Onder dwang, natuurlijk, van de allerergste soort, maar we hebben het toch over drugssmokkel, een misdrijf. Oké, we gaan dus niet naar de autoriteiten. Mee eens?'

Paul zei: 'Ja.' Hij voelde zich enorm gesterkt door Miles' gebruik van het woord *we*. Daardoor voelde hij zich iets minder alleen in het heelal.

Miles stak een tweede vinger op. 'Twee. We zouden niets kunnen doen. We zouden rustig kunnen blijven wachten tot zíj contact met je opnemen.' Opnieuw schudde hij zijn hoofd. 'Niet zo slim. Hoe weten we dat zij weten *hoe* ze met je in contact kunnen komen? De kans is groot dat ze niet weten hoe. Goed, dat strepen we door. We kunnen niet werkeloos blijven toezien. Nu...' Hij stak een derde vinger op. 'Drie. We kunnen zelf contact met hen opnemen. We kunnen ze vertellen dat we hun drugs nog steeds hebben. Het enige wat we zoeken is iemand aan wie we die kunnen overhandigen. *Wij geven jullie de drugs, jullie laten Joanna en de baby gaan.* Geen Joanna met baby – geen drugs. Drugs vertegenwoordigen geld. Veel geld. Ze zullen voor het geld kiezen.'

Ja, dacht Paul, dat klonk als een uitvoerbaar plan.

Volkomen logisch, simpel, hoopvol zelfs. Behalve...

'Hoe dacht je met hen in contact te kunnen komen? Op dat nummer geven ze geen antwoord. Ik heb het geprobeerd.'

'De chauffeur,' zei Miles. 'Pablo. Ik zal met Santa Regina bellen. Maria moet zijn nummer ergens hebben.' Miles trok een bureaula open en haalde er een boekje met telefoonnummers uit. 'Eens even kijken...' Hij ging met zijn ogen een pagina langs en bekeek daarna de volgende. 'Consuelo... Consuelo... daar heb ik het...'

Hij pakte de telefoon en toetste een nummer in.

Sommige mensen praten aan de telefoon alsof de persoon met wie ze spreken bij hen in de kamer is. Miles was zo iemand. Nadat hij hallo had gezegd tegen Maria, grinnikte hij, lachte, schudde zijn hoofd, alsof ze vlak voor hem zat.

Goed, zei Miles, *en met jou?*

Ja, ze worden groot. En hoe gaat het met die van jou?

Dat is geweldig – ik zou graag een foto willen zien...

Op deze manier gingen ze een minuut of twee door, grapjes, beleefde vragen, gewoon even bijpraten.

'Maria,' zei Miles, 'ik vroeg me af of je me het nummer zou kunnen geven van een chauffeur– Pablo... zijn achternaam weet ik niet. Ja, dat klopt. Ik denk erover hem voor een ander echtpaar in te huren. Ja? O, geweldig.'

Miles stak zijn duim op naar Paul. Hij wachtte, draaide een potlood tussen twee vingers rond.

'Aha...' hij krabbelde snel iets op. 'Bedankt, Maria. Natuurlijk. We spreken elkaar binnenkort weer.' Hij legde de hoorn neer.

'Oké,' zei hij, naar Paul opkijkend. 'We hebben het nummer. Nu...' Hij keek op de blocnote en toetste opnieuw cijfers in.

Deze keer geen begroetingen, geen uitgewisselde grapjes, geen praatjes over koetjes en kalfjes. Omdat er helemaal niet gepraat werd. Miles wachtte, draaide het potlood rond, keek op zijn horloge, tuurde de kamer in. Daarna haalde hij zijn schouders op, legde de hoorn neer, en probeerde het nogmaals.

Zelfde resultaat.

'Oké,' zei Miles, 'er is niemand thuis.' Hij legde de telefoon neer. 'Ik zal het later nog een keer proberen.'

Paul knikte. De vraag was, hoeveel *later* hadden ze nog?

'Hoor eens,' zei Miles, 'ik heb eens nagedacht. Misschien is het beter dat je niet naar huis gaat. Nog niet. Ze wilden niet dat iemand wist dat je terug was, dat klopt toch?'

'Ja.' Hij was wat opgevrolijkt, meegesleept door Miles' optimisme, maar nu ze met niemand contact konden krijgen zakte zijn goede stemming weer.

'Laten we het dan zo houden, vind je niet? Tenminste voorlopig. Je kunt hier logeren. Tot we hen hebben kunnen bereiken. Ben je het daarmee eens?'

Paul knikte nogmaals, hij was bereid als een kind te gehoorzamen. Als Miles het beter vond dat hij hier bleef, zou hij blijven. Jawel. Hij was leeg, doodmoe, en hij snakte naar een bed.

Miles legde het een en ander uit aan zijn vrouw – Paul hoorde hem in de aangrenzende kamer fluisteren. Daarna nam hij Paul mee naar boven, langs de kamer van zijn zoontjes, waar twee jongens met afstandsbediening in hun handen opkeken van hun Nintendo.

Aan het eind van de overloop was een kleine logeerkamer. Miles knipte het licht aan.

'Maak het je gemakkelijk. Als je wilt douchen, de badkamer is aan het andere eind van de overloop. En er liggen kussens in de kast.'

Paul zei: 'Dank je.' Hij moest dringend douchen, denkend aan wat er midden op de Triboro-brug was gebeurd. Maar hij had er de energie niet voor.

Miles wilde weggaan, deed een paar stappen en draaide zich toen om. 'Ik blijf het nummer proberen. Als we hem vandaag niet te pakken krijgen, dan morgen. We zullen hen redden, hoor je me? Joanna en de baby, allebei. We zullen alles doen wat we kunnen.'

Paul kon niet hopen op een beter avondgebed.

Hij trok zijn schoenen en sokken uit, en ging op het bed liggen, zonder de moeite te nemen een kussen te pakken. Hij viel in slaap.

Midden in de nacht werd hij wakker. Op zijn horloge zag hij dat het kwart over drie was.

Even was er een moment dat hij niet wist waar hij was, en evenmin wat er met hem gebeurd was. Een moment waarop het nog mogelijk was dat Joanna naast hem in bed lag, en Joelle in de kamer ernaast vredig op haar speen lag te sabbelen.

Toen drong de werkelijkheid tot hem door. Hij wist waar hij was. Hij wist ook waarom. Omdat er achttien uur waren verstreken, en dat zijn vrouw misschien niet meer leefde. Hij sloot zijn ogen en hij begroef zijn hoofd in de matras, in een poging weer in slaap te vallen.

Het ging niet.

Plotseling was hij klaarwakker, doordrongen van de energie van iemand die ernstig in paniek is geraakt. Hij liet zich van zijn ene zij op zijn andere rollen. Hij haalde een kussen uit de kast, ging weer liggen en sloot opnieuw zijn ogen. Zonder resultaat. Zijn gedachten bleven doorrazen.

Hallo, Arias, goed je te zien. Hoe gaat het met je?
Buenos noches, Pablo.
Galina, ook fijn om jou weer te zien.

Hij zag Joanna ook voor zich, opgesloten in die kamer. Zijn vrouw, zijn krijgshaftige prinses.

Na een uur gaf hij het op.

Het was doodstil, het uur van de nacht waarin het leek of hij de enige persoon op de hele wereld was.

Doe niet zo mal. Het donker kan je geen kwaad doen, had zijn vader altijd tegen hem gezegd wanneer Paul onder de dekens lag te rillen.

Moeilijk te geloven dat het waar was. Paul was er tenslotte van overtuigd geweest dat ook andere dingen hem geen kwaad konden doen, en hij was tot de ontdekking gekomen dat het wél zo was. Kanker, bijvoorbeeld. Er was hem verteld dat het niet veel te betekenen had, ook al had de ziekte zijn moeder gereduceerd tot het skelet dat hij op haar bed had zien liggen voor ze eraan overleed, net drie dagen na zijn elfde verjaardag. Zijn vader was afstandelijk, en niet vaak thuis. Zijn moeder hield het gezin bijeen. Hij had zijn toevlucht genomen tot ernstig, langdurig bidden. Toen ze toch stierf, toen de priester van de familie zijn hand pakte en zijn moeder, nee, niet zijn moeder – haar *lichaam,* in een laken gehuld de trap af werd gedragen, had hij stilletjes zijn geloof in een hogere macht vaarwel gezegd. Hij had zich gewijd aan de kille logica van getallen. Hij had zorgvuldig een universum van structuur en orde gecreëerd, waarin waarschijnlijkheden en percentages je vrienden waren. Waarin je via statistische methoden de kansen kon berekenen van nare dingen die er met je konden gebeuren, om daar troost bij te vinden.

Het was niet toevallig dat hij een carrière had gekozen met als enig doel het beheersbaar houden van risico's.

In verzekeringstermen: *de kans op ongewenste gebeurtenissen terugdringen.*

Zijn kundigheid in het berekenen van risico's leek dezer dagen veel te wensen over te laten.

Hij stapte uit bed en bleef op zijn blote voeten staan. De houten vloer voelde koel en oud aan. Er was geen televisie in de kamer, en geen radio.

Hij had dringend behoefte aan afleiding, iets om zijn gedachten te verzetten. Iets te lezen.

Op zijn tenen sloop hij de trap af, maar die protesteerde niettemin met gekraak en gekreun. Omdat hij er geen idee van had waar in de gang de lichtknop zat, schuifelde hij op de tast van de trapleuning naar de muur.

Ten slotte kwam hij terecht in Miles' werkkamer, waar hij, na even te hebben gezocht, de schakelaar van het licht vond, vlak achter de deur. *Klik.*

Hij slofte naar de boekenplanken. Lichte lectuur, die had hij nodig. Het zat hem echter niet mee. Op de planken stonden de boeken die je kon verwachten in de werkkamer van een advocaat. Wetboeken in overvloed; dik, in leren banden en absoluut niet uitnodigend. Er waren een paar andere boeken, maar geen daarvan leek aantrekkelijk. Een joodse bijbel in een gebarsten, bladderende band. De *Kabbala* – wat dat dan ook mocht zijn. Een biografie van David Ben Gurion. Een heel dun werkje, getiteld *Het Verhaal van Ruth.*

Het won, bij gebrek aan beter.

Hij kon wel een goed verhaal gebruiken. Waar het dan ook over ging. Maar toen hij het van de plank trok, niet zonder moeite omdat het ingeklemd zat tussen *New York State Statutes* en *Principals of Trial Law,* viel er een stapel papieren uit.

Paul bukte zich om ze op te rapen.

Brieven, oude, zo te zien. Van vergeeld tot vaalwit.

Lieve pa, pappa, paps, vader... begon de eerste brief.

Een van de jongens die boven videospelletjes had gespeeld. Een brief uit een zomerkamp, misschien?

Hij voelde zich een voyeur, een ongenode indringer in de familiegeschiedenis van de Goldsteins. Het deed hem denken aan zijn eigen gezin – of liever, het gemis éraan.

Plotseling overviel hem een overweldigende droefheid. Vermengd met iets wat hij duidelijk herkende als jaloezie. Miles was een gelukkig man. Hij had een vrouw die niet in Colombia zat, onder gewapende bewaking. Twee kinderen, die hem plichtsgetrouw een brief schreven vanuit het vakantiekamp, die het leuk vonden om alle uitdrukkingen voor vader te gebruiken.

Met één ervan zou Paul al gelukkig zijn geweest.

Lieve pa, pappa, paps, vader. Weet je nog dat je met me naar de dierentuin ging en dat je me daar achtergelaten had?

Miles had zijn jongens naar een vakantiekamp gestuurd en een van hen uitte zijn ontevredenheid. Hij herinnerde zijn vader aan een andere keer, toen hij ergens mee naartoe genomen was, en daar was achtergelaten. Even zoekgeraakt tussen de massa aapjeskijkers, terwijl Miles was doorgelopen om een suikerspin te kopen. Paul verzon zijn eigen versie van de familiegeschiedenis van de Goldsteins – wat iemand zonder gezin al niet doet om de tijd te doden.

Hij had zo nog kunnen blijven fantaseren, als hij niet opeens een geluid bij de deur had gehoord. Daar stond een van Miles' zoons, in een blauwe pyjama, in zijn half geopende ogen wrijvend tegen het felle licht. Hij leek een jaar of veertien, dacht Paul – die slungelige leeftijd tussen kindertijd en tienertijd. De benen van de jongen waren te lang voor zijn lichaam; vaag dons was op zijn bovenlip te zien, als een veeg lipstick.

'Ik hoorde iemand op de trap,' zei de jongen.

Als Paul zich daarvóór al een voyeur had gevoeld, voelde hij zich nu gegeneerd. Op heterdaad betrapt, terwijl hij persoonlijke correspondentie las tussen vader en zoon. Alsof het volkomen normaal was, alsof hij er het recht toe had.

'Ik pakte het boek en toen vielen ze eruit,' zei Paul tam.

De jongen haalde zijn schouders op.

Paul stopte ze weer in het boek, en zette dat terug op de plank.

'Nou,' zei hij, 'ga dan maar weer slapen.'

De jongen knikte en hij draaide zich om. Paul knipte het licht uit en volgde hem. Samen liepen ze de trap op.

'Ben je naar een zomerkamp geweest?' vroeg Paul.

'Hè?' De jongen sliep nog half.

'Naar een zomerkamp? Toen je jonger was?' zei Paul.

'Ja,' antwoordde de jongen slaperig. 'Kamp Beth-Shemel, in de Catskills. Het was waardeloos.'

'Ja,' zei Paul. 'Ik hield ook niet van die kampen.' Paul was ernaartoe gestuurd om er de vakantie door te brengen, de zomer waarin zijn moeder stierf.

Boven aan de trap zei Paul welterusten en daarna ging hij terug naar zijn kamer, waar het nog twee uur duurde voor hij in slaap viel.

Paul werd midden op de ochtend wakker. Miles was er niet.

'Hij is uren geleden naar kantoor gegaan,' zei mevrouw Goldstein tegen hem. 'Hij zei dat u het zich gemakkelijk moest maken. Dus,' en ze lachte verlegen, 'maak het u *alstublieft* gemakkelijk. Hij zal u later bellen.'

Hij had mevrouw Goldstein gevonden in de keuken, nadat hij zijn schoenen en sokken weer had aangetrokken en zich naar beneden had gewaagd. Een van Miles' zoons zat aan tafel een stripboek te lezen – *De Wraak van Spiderman*. Dit was Miles' andere zoon – hij leek een jaar of twee jonger dan zijn broer.

'Hallo, ik ben Paul,' zei hij tegen de jongen.

De jongen mompelde 'hoi' zonder op te kijken.

Mevrouw Goldstein zuchtte. 'Zeg hoe je heet. Als iemand zich aan je voorstelt, hoor jij je ook voor te stellen.'

De jongen keek op en rolde met zijn ogen. 'David,' zei hij, om vervolgens onmiddellijk weer in het verhaal te duiken van een jongen die zich aan je voorstelde door je te vangen en je ondersteboven in zijn kleverige web te hangen.

Mevrouw Goldstein had nog steeds haar pruik op, maar deze keer zag Paul er opzij een plukje echt haar onderuit steken. Het leek dik en donker, en opeens begreep Paul dat het geen kanker was, maar haar geloof dat haar voorschreef haar hoofd te bedekken.

'Hebt u trek in koffie, meneer Breidbart?'

'Zegt u toch Paul, alstublieft.'

'Wilt u alstublieft koffie, of moet ik u alstublieft Paul noemen?'

'Op beide vragen luidt het antwoord ja.'

'Goed. Maar dan moet jij me Rachel noemen.' Ze sprak het uit met een harde g, zoals Duitsers dat doen.

'Ja, Rachel. Graag.'

'Ga zitten. Hij bijt niet.'

Paul ging naast de jongen zitten, die niet bijzonder verbaasd leek dat er een onbekende gast naast hem aan de ontbijttafel plaatsnam.

Het leek vandaag niet meer zo vochtig. Botergeel zonlicht stroomde naar binnen tussen de geraniums in de plantenbak door. Als zijn vrouw en dochter ook naar huis gekomen waren, zouden ze vandaag met hun drieën naar Central Park zijn gegaan, waar ze op Sheep's Meadow een picknickkleed zouden hebben uitgespreid. Daar zouden ze genoten hebben van de weelde van hun nieuwe gezinnetje.

Later, nadat Paul gedoucht had, nadat hij een van Miles' keurig gestreken overhemden had aangetrokken dat Rachel hem vriendelijk had verstrekt, nadat hij twee kranten had gelezen – een ervan een joodse krant die hij plichtmatig doorbladerde zonder er ook maar een woord van te begrijpen, nadat hij zo ongeveer álles had gedaan om niet uit zijn vel te springen – belde Miles.

'Oké,' zei hij. 'Hou je vast. Ik heb contact gehad.'

'Wat?'

'Gisteravond heb ik nog een paar keer gebeld. Niemand. Vanochtend tien keer – nog steeds niemand. Ten slotte heb ik hem vanmiddag gesproken. Onze vriend Pablo.'

'En?' Paul voelde een vaag sprankje hoop.

'Hij was achterdochtig, natuurlijk. En dat is nog zacht uitgedrukt. Eerst ontkende hij dat hij wist wie je was. Zelfs toen ik hem vertelde wie ik was, dat ik alles wist wat daar gebeurd was. Na een poosje zei hij, goed dan, misschien kende hij je vaag, maar hij had er geen idee van waar ik het over had. Hij had je hier en daar naartoe gereden, dat was alles. Ik zei dat hij zich geen zorgen hoefde te maken – dat er niemand naar de politie zou gaan. Toen leek zijn geheugen terug te komen. Ik vertelde hem van het afgebrande huis. Ik verzekerde hem dat we de drugs nog steeds hebben. Ik denk dat het wel goed komt. Hij zal me terugbellen. Hij zal ons vertellen hoe we de tas moeten afleveren, waar en wanneer.'

'En Joanna? En mijn dochter... zijn ze...?'

'Alles is goed met hen.'

Paul voelde dat de zware knoop in zijn maag zich langzaam los wikkelde.

'Ik heb Pablo gevraagd of hij dat absoluut zeker wist,' vervolgde Miles. 'Ik heb het hem heel duidelijk uitgelegd, om misverstanden te voorkomen. Geen Joanna en Joelle – geen drugs. Ik geloof dat hij het begrepen heeft. Het is net als in de rechtszaal. Je moet hen laten denken dat jij de troeven in handen hebt, ook al is het niet zo. Wie weet? Misschien hebben we ze. Wij hebben hun drugs, zo is het toch?'

'Oké.'

'*Oké?* Wat dacht je van *dat is geweldig, Miles? Dat is fantastisch? Ik ben dolblij met dit nieuws?*'

'Ik ben dolblij met dit nieuws.'

'Je klinkt niet dolblij.'

'Ik ben ongerust.'

'Ja, je bent ongerust. Natuurlijk ben je ongerust. Wie zou dat niet zijn als hij in jouw schoenen stond? Maar je moet vertrouwen hebben. Ik zal je het mijne lenen, als je wilt. Gratis. Ik heb het je toch gezegd. We krijgen het voor elkaar. Hij belt terug, wij leveren de coke af, en dan zijn we uit de zorgen.'

'Het gaat om iets anders.'

'Waarom dan?'

'Als we hun de drugs geven?'

'Ja?'

'Maar ze laten hen evengoed niet vrij?'

Het was natuurlijk de voor de hand liggende vraag. Dezelfde vraag die Joanna hem daarginds in die kamer had gesteld. De vraag waar hij niet al te goed, of te vaak, over had willen nadenken. Wat gemakkelijk genoeg was geweest terwijl hij bezig was de Amerikaanse douane en in drugs dealende jongens te ontlopen.

Niet nu. Niet nu hij eindelijk op het punt stond drugs ter waarde van twee miljoen dollar in de juiste handen te geven.

Miles haalde zijn schouders op. 'Ik weet niet wat ik daarop moet antwoorden. Ik denk dat we hen moeten vertrouwen, dat is de prijs van het feit dat we doen wat zij willen. Sorry, maar zo ligt het nu eenmaal.'

22

Ze hadden haar ergens anders naartoe gebracht, zonder voorafgaande waarschuwing.

Midden in de nacht? Midden op de dag? Ze wist het niet. Ze wist alleen dat ze in een bodemloze slaap was gevallen en zich gelukkig voelde, midden in een prettige droom. Heel prettig. Ze was thuis, met Paul, op wat een luie zomermiddag leek. Een zondag misschien, wanneer ze om een uur of tien traag uit bed zouden komen om een *Sunday Times* en twee ijskoffie te gaan halen.

De droom had dat zondagse gevoel.

Toen knalde de deur open – ze nam het waar als een donderslag buiten hun flat in 84th Street. Er zou een zware regenbui op volgen.

Wat er in werkelijkheid volgde was, dat iemand haar van de matras trok en haar uit haar droom losrukte. Het ging gepaard met de zurige lucht van nerveus zwetende mannen. En het geluid van op ruwe toon gegeven bevelen – uitgesproken in een quasi-Engels dat ze moesten hebben opgestoken uit kung fu-video's.

'Vlug, vlug,' zei een van de mannen – jongens eigenlijk nog, tegen haar. '*Vamos.*'

Toen werd de bivakmuts over haar hoofd getrokken, maar achterstevoren, zodat de ooggaten ergens achter op haar hoofd zaten, en het enige wat ze kon zien duisternis was.

Ze vroeg zich af of dit het was. Het einde. Haar eerste stappen op de weg naar een ondiep graf op een verlaten plek. Een kandidaat voor een van die gruwelijke krantenfoto's. Ze proefde haar eigen angst – een zure prikkeling achter op haar tong.

Ze had de laatste tijd veel over haar dood nagedacht. Vanaf het moment dat Galina haar kortweg had verteld dat Paul de drugs niet had afgeleverd. De woorden hadden de kracht en de plechtigheid gehad van een doodvonnis dat door een rechter werd toegewezen.

Dat was het niet.

Dat was het niet alleen. Het was het gedrag van haar bewakers. De jongen die Joanna dagelijks het ontbijt bracht, gedroeg zich niet langer als een roomservicekelner die op een fooi hoopte. Geen lachend *goedemorgen* meer. Vandaag had hij de maïskoekjes zo ongeveer voor haar neergesmeten. Iemand had hem de boodschap gegeven; ze was geen melkkoe meer, maar een offerlam.

De andere bewakers ook. Ruw, zuur, geïrriteerd. Ze spraken tegen haar met nauwelijks verholen woede en slecht verborgen minachting. Ze kon de dreiging in de lucht ruiken.

Nu dit weer. Ze werd de deur uit gesleurd, een gang door, dan plotseling een paar treden af – een, twee, drie – ze struikelde en viel bijna. Ze hadden haar handen stevig vastgebonden met touw – de ruwe vezels drongen in haar polsen.

'Ik kan niets zien...' zei ze. Ze haatte de paniek in haar stem – de hulpeloosheid van een slachtoffer.

Ze was een veteraan bij haar HR-afdeling. Ze was gewend aan slachtoffers die voor haar bureau verschenen, meisjes van het soort doe-me-alsjeblieft-niets – het waren bijna altijd meisjes, die snikkend over een of andere mishandeling vertelden. Dan knikte, glimlachte en troostte ze, maar ergens wilde ze altijd zeggen *waarom ben je niet voor jezelf opgekomen? Waarom niet?*

Nu was ze net als zij, terugvallend op niets dan smeekbeden. Haar polsen gloeiden nu al en ze was nog in het huis. Ze rook de geur van verbrand vet, boter, ananas. Ze moesten door de keuken lopen. Nee, niet lopen – strompelen, struikelen, zwaaiend met haar armen.

Niemand had op haar woorden gereageerd. Of misschien ook wel. Toen ze zei *ik kan niets zien,* had degene die haar voortsleepte een harde ruk aan het touw gegeven. Ze had haar schouder tegen de muur gestoten.

Dat dat was hun antwoord. Hou je mond.

Ze wist dat ze buiten was, omdat ze plotseling de scherpe dennenlucht rook, de zoete geur van hibiscus en de bekende, zij het weeïge stank van benzine. De lucht voelde anders aan – dat ook. Die had de samenstelling van de nacht, al vervuld van ochtenddauw. Het voelde heerlijk aan om weer buiten te zijn. Om de koele lucht in te ademen en een zacht briesje langs haar hals te voelen. Maar ze werd meegenomen – weg van wat ze kende, naar wat ze niet kende.

Weg van Joelle.

Er werd een autoportier geopend.

Maar het was geen portier. Ze werd in een kofferbak geduwd. Geen zachte handen om haar val te breken. Haar wang kwam met een klap op de bodem van de kofferbak terecht. Ze schreeuwde het uit vanwege de plotselinge pijn in haar kaak.

'*Silencio,*' zei een van de mannen.

De klep van de kofferbak viel dicht. De paniek die nu toesloeg was erger dan de pijn in haar polsen. Zo veel lucht kreeg je niet in een kofferbak. Vroeg of laat zou die op raken. Wat er nog bijkwam, ze ademde te snel, haar borst ging heftig op en neer, alsof ze zojuist was teruggekomen van een stevig rondje joggen.

Rustig nu, zei ze tegen zichzelf. *Hou daarmee op.*

De auto startte met een luid geraas – ze hoorde twee portieren openen en sluiten. Daarna zette de auto zich in beweging. Eerst rustig, als een schip dat van een kade wegdrijft. Ze sloegen rechtsaf, daarna beschreven ze een langzame cirkel naar links, voor ze het tempo snel opvoerden.

Ze leken min of meer rechtuit te rijden.

Een snelweg?

Waar ging die heen? Waar kwam die vandaan?

Ze zou tenminste niet gestikt zijn wanneer ze op hun bestemming aankwamen; zodra de auto sneller begon te rijden stroomde er koude lucht langs haar gezicht. Ze hadden een opening in de bodem van de kofferbak gemaakt, zodat ze kon ademhalen.

Dat gaf haar een beetje moed. Als ze moeite deden haar gedurende de rit in leven te houden, zouden ze haar bij aankomst misschien niet vermoorden. Misschien.

Blijf sterk.

Ze bleven minstens een uur rijden, mogelijk twee. Het ergst was haar verkrampte houding; haar gebonden armen lagen vast onder haar lichaam, zodat ze er al snel geen gevoel meer in had. Met haar schouders was het een ander verhaal: telkens wanneer ze over een hobbel reden voelde ze een scherpe pijnscheut, van haar schouders tot midden in haar borst. De auto was even hard aan nieuwe schokbrekers toe als de weg aan een nieuwe laag. Een paar keer leek het erop of ze in een gat vielen.

De mannen hadden de autoradio aangezet. Het klonk alsof ze naar een of andere wedstrijd luisterden – voetbal misschien.

Wat het ook was, de mannen waren er blijkbaar door geboeid. Ze lachten, mompelden, vloekten. Er waren er drie, dacht ze – drie afzonderlijke stemmen. Als in een droom.

Zolang ze werd omringd door duisternis kon ze die droom bevolken met mensen van haar keuze.

Joelle.

Vijf jaar had ze erover gedacht hoe het zou zijn om een kind te hebben, ze was erdoor bezeten geraakt, en toch, toen het eindelijk gebeurde, toen ze eindelijk het Santa Regina-weeshuis was binnengelopen waar ze een klein meisje in haar armen gedrukt kreeg, was ze deemoedig geworden door de kracht van de liefde voor een baby. Een navelstreng werd doorgeknipt. Deze band, dacht ze, was er een voor het leven.

Ik breng haar terug, had Galina beloofd.

Wat was de belofte van een kidnapper waard? Zeker nu Joanna naar een andere plek werd gebracht. Ze voelde de tranen over haar wangen lopen, ze werden opgezogen door de bivakmuts. De wol smaakte als stof.

Hou op.

Na een poosje moest ze ingedommeld zijn.

Opeens merkte ze dat de auto stilstond. Geen lucht meer die naar binnen stroomde. Geen pijnlijke hobbels op de weg. De autoradio was uitgezet.

Ze hoorde een haan kraaien, luid en duidelijk.

De kofferbak ging open. Grijs licht drong door de wollen vezels. Ze werd er aan haar benen uitgetrokken. Haar kin klapte tegen de rand van de kofferbak. Ze voelde dat haar gezicht vochtig werd en ze rook haar eigen bloed.

Ze werd rechtop gezet. De man die haar overeind zette, nam zijn kans waar en streek met zijn handen over haar borsten. *Bueno,* zei hij zangerig, en hij lachte.

Opeens verkilde ze. Ze had zich in haar donkerste uren alle mogelijke manieren voorgesteld waarop dit zou kunnen aflopen, de talloze vernederingen en schendingen, maar aan deze had ze niet gedacht.

Waarom eigenlijk niet?

Het waren mannen, of jongens die mannen wilden zijn. Een misdrijf uit boosheid, uit woede – zeggen ze dat niet over verkrachting? En zouden ze niet ontzettend kwaad zijn nu Paul er niet in was geslaagd hun drugs af te leveren?

Ze vroeg zich af hoe ze zou reageren op het moment dat het gebeurde. Zou ze gillen? Zich verzetten? Zou ze zich ervoor afsluiten – zoals een jong meisje op kantoor het haar had beschreven, toen een onderdirecteur de titel *persoonlijk assistente* wel heel letterlijk had geïnterpreteerd. *Het leek alsof mijn hersens zich verstopten,* had ze tussen twee snikken door gezegd.

Nee, dacht Joanna. Zij zou zich er niet voor afsluiten. Zij zou stompen en krabben en klauwen. Zij zou vechtend ten onder gaan.

De man die haar betast had, bracht haar ergens naartoe. Door de wollen stof heen kon ze vage vormen onderscheiden. Ze werd een huis binnengebracht.

Een deur door, een grote opstap waar niemand haar voor waarschuwde, zodat ze struikelde en haar knie iets van harde steen raakte. Ze jammerde, de pijn was plotseling en heftig. Ze werd weer overeind gerukt en meegesleept door wat een gang moest zijn. Vaag voelde ze aan weerszijden twee muren.

Het rook naar een *boerderij,* dacht ze.

Schapen, koeien, kippen.Ongeverfde houten balken. Versgebakken brood.

Opeens bleven ze staan en werd de bivakmuts van haar hoofd getrokken. Ze was in een kleine kamer, die veel leek op die waaruit ze kortgeleden was vertrokken. Ook hier waren de ramen met planken dichtgetimmerd. Op de grond lag een vuile matras – een identiek exemplaar van die waarop ze acht nachten had geslapen. Er was echter een belangrijk verschil.

Mensen.

Twee. Twee andere vrouwen.

Nadat de bewakers vertrokken waren, kwamen ze naar haar toe en raakten ze haar aan alsof ze zich ervan wilden overtuigen dat ze echt was.

'*Hola,*' zei een van hen, een vrouw van een jaar of veertig, vijfenveertig.

'Ik ben Amerikaanse,' zei Joanna. 'Spreek je Engels?'

'Niet echt. Maar jij ook niet,' zei de andere vrouw. En ze lachte.

Ze heetten Maruja en Beatriz.

Maruja was journaliste, althans dat was ze geweest tot ze uit haar auto was gesleurd, vlak bij de drukke Plaza de Bolivar. Beatriz was rege-ringsambtenaar, ze had gepleit voor harder optreden tegen de guerril-la's. Daar had ze voor moeten boeten door op klaarlichte dag van de straat te worden geplukt, waarbij haar bodyguard voor haar ogen was doodgeschoten.

Een somber kijkende man die de bewakers *el doctor* noemden, leek de leiding te hebben. Enkele minuten nadat Joanna de kamer in was ge-bracht, stelde hij zich aan haar voor. Hij vertelde hun dat ze niet met elkaar mochten spreken. Niet praten. Hij zwaaide met zijn vinger naar hen, als een vermoeide moeder-overste van een nonnenschool voor meisjes.

De andere bewakers waren soepeler, zei Maruja. Althans, ze werden vaker afgeleid. 's Avonds keken ze meestal naar voetbalwedstrijden en soaps op een kleine televisie die in de gang stond, en dan letten ze niet erg op hen.

Joanna was eerst Paul kwijtgeraakt, en daarna Joelle. Nu bevond ze zich tussen mensen die hetzelfde doormaakten als zij. Ze hadden echt-genoten en kinderen en ouders. Zij begrepen het.

Het drietal fluisterde en gebruikte gebarentaal. Maruja en Beatriz ver-telden hun respectieve verhalen. Ze lieten foto's zien van hun mannen en hun kinderen. Ook van hun huizen, het ene stond in de moderne wijk La Calera, in Bogotá, het andere lag genesteld in de heuvels bo-ven de stad.

Toen ze Joanna vroegen of ze kinderen had, zei ze ja. Een. Maar geen foto, alleen het beeld dat ze in haar hoofd meedroeg. Ze vertelde hun wat er met haar en Paul gebeurd was. Maruja en Beatriz zuchtten, en schudden meelevend hun hoofd.

Ze sliepen gedrieën op de ene matras, hoofd naast voeten naast hoofd. Maruja, in de echte wereld een verstokt rookster, snurkte; Beatriz porde haar met haar elleboog tussen haar ribben om haar te laten op-houden. Zusterlijke genegenheid kende blijkbaar grenzen.

Ze moesten ergens in de bergen zijn, dacht Joanna. Het werd die nacht ijzig koud – ze ademden wolkjes uit en kropen dicht tegen el-kaar aan om warm te blijven. De volgende ochtend zag Joanna bevro-ren druppels aan de houten planken hangen waarmee de ramen waren afgedekt.

De tweede dag begon het op een eindeloos pyjamafeest te lijken. Ze vlochten elkaars haar. Een van de bewakers had Maruja een flesje goedkope nagellak bezorgd – *Purple Passion*. Om beurten lakten ze elkaar nagels, ook die van hun tenen.

De man die Joanna's borsten betast had, hield zich op een afstand. Joanna's angst om verkracht te worden, vervaagde, weggedrukt door andere angsten. De dood, natuurlijk. En een ander soort knagende angst: zou ze hier ooit weg komen?

Maruja en Beatriz hadden de grauwe tint van veroordeelden en stervenden. Joanna vroeg zich af hoe lang het zou duren voor haar huid dezelfde kleur zou krijgen?

Af en toe mochten ze samen met de bewakers tv kijken, vertrouwde Beatriz haar toe. Maruja en Beatriz keken uit naar de journaaluitzendingen. Soms verschenen hun mannen erin, met hoopvolle berichten.

We zijn aan het onderhandelen. We blijven in gesprek. Houd moed.

Joanna wist dat er voor haar niet zulk geruststellend nieuws zou zijn. Paul was verdwenen en in rook opgegaan, even snel en totaal als haar vorige leven.

Op haar derde ochtend werd er op de deur geklopt. Dat was al ongebruikelijk, omdat de bewakers binnen liepen als ze er zin in hadden. De drie vrouwen konden slapen, fluisteren, zelfs deels ontkleed zijn en zich wassen bij een emmer lauw water; een hoerenwasje – was dat niet de uitdrukking?

Deze ochtend zaten ze geheel gekleed midden in de kamer, de tijd doorbrengend met het maken van een lijst van hun lievelingssteden. Beatriz had Rome, Rio en Las Vegas gekozen. Maruja San Francisco, Buenos Aires en Acapulco. Nu was het Joanna's beurt. De enige stad die ze kon bedenken, was New York. De stad waar ze woonde, en waar ze dolgraag naar terug wilde.

De deur ging open en Galina kwam binnen.

Joanna's wanhoop had tot gevolg dat het zien van haar ontvoerster haar een golf bezorgde van, wat eigenlijk... blijdschap, opluchting, simpele vertrouwdheid?

Misschien kwam het doordat Galina er anders uitzag dan de laatste keer dat Joanna haar had gezien, toen ze haar ernstig had meegedeeld dat Paul niet had gedaan wat er van hem verwacht werd. Ze leek nu meer op de andere Galina – de vrouw met wie je op een bankje in een zonnig park zou willen zitten.

Ze wenkte Joanna naar zich toe – ze had haar iets te vertellen.

132

'We hebben iets van je man gehoord,' fluisterde ze, en ze gaf Joanna's hand een kneepje. 'Het komt goed.'

En Joanna's hart, haar geest – wat het ook is wat mensen af en toe in de wolken laat zijn, sprong op. Niet alleen vanwege het nieuws. Nee. Galina was niet alleen naar de bergen gekomen. Een van de bewakers, een verlegen jongen die hoogstens dertien leek, kwam achter haar de kamer in.

Met Joelle in zijn armen.

23

Ze waren over de Williamsburgh-brug gereden en vervolgens door de Lincolntunnel, op weg naar een plaats ergens buiten Jersey City. Het was vijf uur. Ze bevonden zich op een grotendeels verlaten weg, geflankeerd door velden wuivende kattenstaarten. *Zo hoog als het oog van een olifant.* De woorden kwamen van een song uit Joanna's lievelingsmusical, *Oklahoma.* Ze waren vorig jaar naar de nieuwe uitvoering ervan geweest toen ze de laatste keer hun trouwdag vierden, vertelde Paul aan Miles.

Het woord *laatste* bleef hem in zijn keel steken.

Het was drie dagen en achttien uur geleden sinds hij bij zijn vrouw en kind was weggegaan.

Het moeras dreunde door het gestadige gegons van insecten. Toch waren de Major League-doelpunten duidelijk te horen. Miles luisterde met gespannen aandacht.

'Honkbal,' zei Miles, 'is de moeilijkste sport om te voorspellen. Keihard.'

'Je bedoelt, om op te wedden?'

'Ja, om op te wedden. Je moet het aantal runs opgeven, twee, drie, dat hangt van de pitcher af. Het slechtste team van de wereld wint zestig keer per jaar. Reken maar uit. Het is niet te voorspellen.

'Wed jij op sportuitslagen?'

'Ja, zeker. Kleine inzetten. Twintig, dertig dollar – net genoeg om het interessant te houden. Het is mijn kleine verzet tegen het leven dat me is voorgeschreven. Orthodoxie heeft overal regeltjes voor. Je wordt er gek van.'

Paul veronderstelde dat naar kantoor gaan zonder keppeltje nog zo'n klein, opstandig gebaar van Miles was, tegen de voorschriften. 'Heb je er wel eens aan gedacht om níét orthodox te zijn?'

'Natuurlijk. Maar wat zou ik dan zijn? Dat is net zoiets als een zwarte man vragen of hij er ooit over heeft gedacht om niet zwart te zijn. Je kunt erover nadenken wat je wilt, maar je verandert jezelf nu eenmaal niet.'

'En? Zijn er ook regels voor wedden op honkbalwedstrijden?'

'Ja – je moet bij de Padres vandaan blijven.' Miles zette de radio wat harder voor de uitslagen van de National League.

Paul dacht er even over op te merken dat hij en zijn collega's meer lunchuren dan hij zich wilde herinneren, eraan hadden besteed om de risicofactoren voor specifieke pitches geworpen naar specifieke batsmen in specifieke stadions, uit het hoofd te leren. Een stel echte Bill James-figuren. Hij kon Miles bijvoorbeeld vertellen dat een down-en-in fastball naar Barry Bonds in 3-Com Park een kans van een op drie had om te slagen. Om de andere keer dat Barry de bal kreeg, lanceerde hij die in de stratosfeer.

Hij deed het echter niet.

Paul begreep dat Miles over sport praatte, zodat ze niet over iets anders hoefden te praten. Waar ze naartoe gingen. Een ontmoeting met drugsdealers in een moeras buiten Jersey City. Als ze erover praatten, zouden ze gedwongen zijn toe te geven dat ze hopeloos uit hun element waren.

'Dank je,' zei Paul.

'Waarvoor?'

'Omdat je dit met me wilt doen, geloof ik.'

Miles bleef een minuut lang zwijgen. 'Ik heb je naar Bogotá gestuurd. Ik heb je gezegd dat het daar veilig was. Dat maakt me in zekere zin verantwoordelijk, nietwaar?'

'Geweldig. Kan ik je inhuren om een aanklacht tegen jezelf in te dienen?'

'Sorry. Ik behandel geen aanklachten.'

'Hoe lang ben je al advocaat?' vroeg Paul.

'Hoe láng?' herhaalde Miles, alsof die eigenaardige vraag hem nooit eerder was gesteld. 'Te lang. Niet lang genoeg. Dat hangt van de dag af.'

'Waarom wilde je advocaat worden?'

'Dat wilde ik niet. Ik wilde een Sandy Koufax worden. God werkte niet mee. Mijn snelle worpen waren niet goed genoeg. Als je geen Sandy kunt worden, word je dokter, of advocaat. De functie van indiaans opperhoofd was niet beschikbaar – dat zou trouwens wel moeten, we zijn immers een *stam*? Ik koos voor advocaat. Misschien niet het soort advocaat dat ze verwachtten.'

'Ze?'

'Nou, je weet wel, alle wijze mannen van de stam. Iedereen gaat voor onroerend goed, belasting, of bedrijven. Ik koos voor juridische bijstand. Jeugdzaken.'

'Hoe was dat?'

'Waanzinnig. Ik had zo'n honderdvijftig zaken. Ik kreeg ongeveer tien minuten voor ieder kind en een snelle blik op zijn dossier, voor ik hallo kon zeggen tegen de rechter. Dat was het. En ik kon ook geen lange pleidooien houden.'

'Waarom niet?'

'Je kon de openbaar aanklagers niet dreigen met een langdurig juryproces, omdat er bij jeugdzaken geen jury's zijn, en kinderen weinig informatie hebben waarmee je kunt onderhandelen. Niemand wil een schikking treffen. Het beste wat ik kon doen was, hen in een ziekenhuis in de Bronx te laten opnemen, omdat het veiliger was dan de jeugdgevangenis.'

'Ziekenhuis?'

'Ja, een inrichting voor geesteszieken. Daar konden ze hun tijd uitzitten en medicijnen slikken, in plaats van ten prooi te vallen aan groepsverkrachtingen. Geloof me – het was een hemel, vergeleken bij de gemiddelde jeugdgevangenis. Voor hen was het de veiligste plaats op aarde. Hoe het ook zij, toen ik in de rechtszaal Julio begon te verwisselen met Juan, en Maria met Maggie, merkte ik dat ik problemen kreeg. Ik zei tegen mijn baas dat de werkdruk te groot werd – dat ik bijna fouten ging maken. Hij zei, blijf dromen. Ik vertrok.'

'En toen ben je van jeugdige delinquenten overgestapt op Colombiaanse baby's.'

'Ja. Ik vond dat ik er in een eerder ontwikkelingsstadium bij betrokken moest raken. Het betaalt beter. En jij?'

'Ik?'

'Ja. Ik kan moeilijk geloven dat je altijd verzekeringsexpert wilde worden. Hoe is het gegaan, ben je erin gerold?'

Nee, niet erin gerold, dacht Paul. *Mijn moeder stierf,* wilde hij zeggen. *Mijn moeder stierf en ik werd bang.* Hij zou Miles willen uitleggen dat hij, net als Einstein, alleen maar probeerde orde en kansen te scheppen in een koud heelal.

'Ja, zoiets,' was het enige wat hij zei.

Aan de rechterkant van de auto doemde een zandweg op, niet zozeer een weg als wel een spoor in de modder. Een spoor dat nergens heen leek te leiden.

Miles ging langzamer rijden, en zette de auto daarna stil.

'Ze zeiden, een zandweg ongeveer vijf kilometer af rijden,' zei hij, terwijl hij probeerde langs het bijna verborgen pad in de verte te kijken. 'Nou, vooruit dan maar...' Hij draaide de auto de zandweg op, over een lage hobbel.

Opeens schuurden kattenstaarten tegen de zijkanten van de Buick, zodat ze het gevoel kregen dat ze door een autowasserette reden. Paul, die als kind al een hekel had gehad aan achtbanen, had ook nooit veel opgehad met autowasserettes. In zijn verbeelding hadden die stugge borstels, verstikkende sponzen en gloeiendhete waterstralen iets boosaardigs.

Nu voelde hij zich weer even kwetsbaar. De auto betekende veiligheid. Daarbuiten, in het moeras, wie zou het zeggen?

Hij tuurde door de voorruit, die al snel een slagveld was geworden van verpletterde insecten. Miles zette de ruitenwissers aan in een poging ze weg te vegen, maar het leek wel of ze tegen een moesson streden.

Toen de weg ophield, kwamen ze op een totaal verlaten, open plek. Miles zette de auto stil.

'Ik denk dat dit het is,' zei hij. Hij tikte op het stuurwiel, een keer, twee keer, en gluurde nerveus van de ene kant naar de andere. Miles voelde zich misschien wel deels verantwoordelijk voor de hachelijke situatie waarin Paul verkeerde, maar het leek er nu op dat hij er spijt van had dat hij met hem mee was gegaan. 'Wat is de gang van zaken bij drugsdeals? Een halfuur wachttijd?' Hij keek op zijn horloge. 'We zijn vijf minuten te vroeg.'

Paul zei: 'Weet je zeker dat dit de plek is?'

'Nee.'

'Geweldig. Dat wilde ik even weten.'

Er gingen tien minuten voorbij. Miles leverde commentaar op het weer, daarna had hij niets meer te vertellen. Paul begreep het. De conversatie gaande houden terwijl je doodsbang was, was te veel moeite. Paul wreef zich in de handen en probeerde zijn droge speeksel door te slikken.

Paul hoorde de auto het eerst.

'Er komt iemand aan,' zei hij.

Een minuut later kwam een blauwe Mercedes tussen de kattenstaarten vandaan, en kwam even later een meter of zeven bij hen vandaan slingerend tot stilstand.

Beide auto's bleven tegenover elkaar staan.

'Oké,' zei Miles, nadat er ruim een minuut was verstreken. 'Ik denk dat we moeten uitstappen.'

Miles drukte op het knopje om de kofferbak te openen, daarna deed hij zijn portier open en stapte behoedzaam uit de auto. Paul volgde.

Ze kwamen aan de achterkant van de auto bij elkaar.

'Wil jij hem pakken?' vroeg Miles. 'Of zal ik het doen?' De zwarte tas stak onder een oud dekkleed uit.

'Ik,' zei Paul. 'Tenslotte ben ik degene die het moest afleveren.'

Hij haalde zijn tas uit de kofferbak. Er stapte niemand uit de andere auto. Die stond op dezelfde plek, met draaiende motor, en binnen was geen beweging te zien.

'Ken je die van de advocaat en de verzekeringsexpert?' vroeg Miles.

'Nee.'

'Ik ook niet.'

Naast elkaar liepen ze naar de Mercedes. Het deed Paul denken aan een western – aan zo ongeveer elke western die er gemaakt was, waarin de twee wetsdienaren in de laatste scène van de film schouder aan schouder op de boeven af lopen. Als ervaren expert moest hij weten dat legioenen helden uit westerns de statistieken hadden tegengesproken – ongeveer de helft van hen kreeg een kogel in zijn hoofd.

Het linker voorportier van de Mercedes ging open. Twee mannen stapten uit. Het hadden autoverkopers kunnen zijn. Geen spiegelende zonnebrillen, dikke, gouden kettingen, of opvallende tatoeages. Ze waren gekleed in katoenen broeken met een keurige vouw, en golf-polo's.

De man die achter het stuur gezeten had, knikte tegen hen. 'Jullie lijken een beetje zenuwachtig.'

Oké, dacht Paul, tien punten voor zijn opmerkingsgave.

'Wie van jullie is Paul?' vroeg de man. Hij sprak met een accent – Colombiaans, veronderstelde Paul. Zijn stem was hoog, bijna meisjes-achtig.

Paul stak bijna zijn hand op.

'Ik. Ik ben Paul.' Ze waren op een afstand van zowat twee meter bij elkaar vandaan blijven staan. De zwarte tas leek met de seconde zwaar-der te worden.

De man knikte, daarna sloeg hij met zijn hand naar zijn hals. 'Verdomde muggen, straks krijg ik nog malaria.' Toen hij zijn hand weghaalde, zat er een helderrode bloedvlek op zijn hals.

Hij keek Miles aan. 'En wie ben *jij,* vriend?'

'Zijn advocaat,' zei Miles.

'Zijn advocaat?' Lachend wendde hij zich tot zijn metgezel. 'Verrek, ik heb geen advocaat.' Daarna keek hij hen weer aan. 'Moeten we soms papieren tekenen, of zo?'

Miles zei: 'Geen papieren. Als het maar zeker is dat ze hem zijn vrouw en zijn dochtertje teruggeven.'

'Hoor eens, ik weet niet waar je het over hebt. *Dat is niet mijn zaak,'* zei hij, het accent er dikker opleggend voor het komische effect. Niemand lachte. 'Ik ben hier om het witte spul te zien, oké?'

'Oké,' zei Miles.

Paul zei niets. Maar goed ook. Hij was te bang om iets te zeggen.

'Nou, chef?' zei de bestuurder. 'Ben je hier om me de tas te geven, of om me ten dans te vragen?' De andere man lachte.

Paul hield hem de tas op armlengte voor.

'Maak open,' zei de man. 'Ik moet eerst zien wat erin zit.'

Paul zette de tas op de zanderige grond en trok de rits open. Toen hij zich bukte, voelde hij zich duizelig worden; hij viel bijna voorover. In het moeras begon iets te zoemen, een oer-gezoem, het grootste insect in de poel. De man deed een stap naar voren en keek in de tas.

'Hè? Dat lijken verdomme wel condooms.' Hij had een lui linkeroog, zodat hij naar twee verschillende kanten tegelijk leek te kijken.

Paul begon het uit te leggen. 'Ze zijn gevuld met...'

'Shit. Ik *weet* waar ze mee gevuld zijn. Ik maakte maar een geintje.' Hij lachte. 'Laten we er een uit halen om het zeker te weten, oké?'

Toen Paul aarzelde, zei de man: 'Doe jij het maar. Ik wil je niet beledigen, maar ze hebben in jouw kont gezeten.' Hij wendde zich tot zijn maat. '*Culero,* hè?'

Het gezoem van de insecten werd luider – het gonsde in Pauls oren. Paul stak zijn hand in de tas en haalde er een condoom uit, netjes dichtgeknoopt door een van die vrouwen, ginds in Colombia. Hij legde het op zijn nu ernstig zwetende handpalm.

De bestuurder van de Mercedes haalde iets uit zijn zak.

Klik. Een smal, glanzend mes ving een lichtstraal. Paul verstrakte en Miles ging een stap achteruit.

'Rustig maar, *muchachos.*' Hij pakte Pauls hand, bijna teder, en wees met de punt van het mes recht naar beneden. Paul vroeg zich af of de man merkte dat zijn hand trilde.

Hij merkte het.

'Maak je geen zorgen,' zei hij tegen Paul. 'Het is maar een paar keer misgegaan.'

Hij drukte het mes tegen Pauls handpalm. Toen Pauls gezicht nerveus vertrok, lachte hij en deed het nog een keer. De andere man zei iets in het Spaans – met een dunne, bijna fluisterende stem.

De man prikte met de punt van het mes in het condoom en maakte er een kleine opening in. Hij bukte zich om iets van het witte poeder op zijn vinger te scheppen, toen er iets gebeurde.

Het was dat gegons.

Het was nog luider geworden, irritant luid, alsof het trillingen in de grond veroorzaakte. Je wilde roepen hou op, met een krant slaan naar wat het ook was, het onder je schoen vermorzelen.

Het zou echter weinig uitgehaald hebben om je schoen te gebruiken. De twee auto's kwamen vrijwel tegelijkertijd uit de kattenstaarten ploegen.

Jeeps, met brede, zwaar geprofileerde banden en opgevoerde motoren. Ze braakten zwarte rook uit en kwamen snel dichterbij.

De man keek op en sloeg zich weer in de hals. Net als de vorige keer zat er een veeg bloed op zijn hand.

'Ze hebben op me geschoten,' zei hij.

Hij greep de tas en rende weg. Zo ook de andere man. Ze verdwenen tussen de kattenstaarten.

Paul bleef als aan de grond genageld staan. Pas toen er iets langs zijn oor suisde wat zich nog geen halve meter bij zijn schoen vandaan in de grond boorde, kwam hij in beweging. Miles pakte hem bij zijn rechterarm en schreeuwde: 'Lopen!'

Hij rende achter Miles aan naar de rietstengels.

Achter zich hoorde hij het geluid van ronkende motoren die werden uitgezet, dichtslaande portieren, geschreeuw en gegil en strijdkreten. Hij dacht weer aan westerns: de groep bandieten die op zaterdagavond te paard naar de stad reden, en om stoom af te blazen met hun revolvers in de lucht schoten. *Jeep Riders in the Sky.*

Alleen schoten deze mannen met halfautomatische wapens, en schoten ze in hun richting.

Paul holde dwars door de kattenstaarten, dorre, dunne stengels striemden zijn gezicht en zijn armen. Hij volgde het silhouet van Miles' verdwijnende lichaam. De grond werkte niet mee als je voor je leven moest rennen – ze was nat, dik en plakkerig. Na tien seconden waren zijn sokken tot op zijn huid doorweekt.

Achter hem schreeuwden de mannen nog steeds. Ze schoten ook nog steeds – de pluimen van de kattenstaarten verdwenen als weggeblazen paardenbloempluisjes.

Er was nog iets, iets wat onbehaaglijk en verkillend duidelijk werd.

De schutters *kwamen hen achterna.*

De kattenstaarten, merkte Paul dankbaar op, waren zo hoog als het oog van een olifant. Heerlijk, geweldig hoog. Hoog genoeg, dacht hij, om hen volkomen op te slokken. Hij kon nauwelijks een paar stukjes blauwe hemel boven zich zien. De drugsdealers hadden een ontoegankelijke plek uitgezocht die voor bijna iedereen verborgen bleef.

Ze hadden een kans.

Hij herinnerde zich iets. Bij het kinderspelletje van steen, papier, schaar – won papier, de teerste substantie op aarde, het altijd van steen. Waarom?

Omdat papier steen kan *verbergen.* Maar op de een of andere manier stelde de gedachte hem niet gerust.

Hijgend bleef hij achter Miles aan hollen, als een trouwe hond op eendenjacht. Hij probeerde er niet aan te denken dat zij de eenden waren. Zijn voeten wierpen klodders modder op, zijn bloed hamerde in zijn oren.

De mannen achter hen wonnen terrein.

Paul wist niet precies wie het eerst op het idee kwam, Miles of hijzelf. Het leek alsof ze beiden op bijna hetzelfde moment ophielden met rennen. Ze keken elkaar aan en namen vrijwel tegelijkertijd dezelfde beslissing. Ze lieten zich plat op de grond vallen.

Als zij de mannen die hen achterna zaten, konden horen, hoorden de mannen hen ook.

Blijf liggen en verroer je niet.

Hun achtervolgers zouden geluk moeten hebben.

Bereken de getallen. Paul beschouwde het als een verzekeringsprobleem dat hij op zijn bureau had gekregen. De massa van twee lichamen, gedeeld door de oppervlakte van dit moeras, gedeeld door zes of zeven mensen die naar Miles en hem op zoek waren. Hoe lagen de kansen dat ze gevonden zouden worden? Als je de kattenstaarten verving door hooi, waren zij de spreekwoordelijke spelden.

Ze drukten zich plat tegen de grond.

Al snel werd duidelijk dat de twee mannen die hen het moeras in hadden gejaagd, andere ideeën hadden.

Ze holden nog steeds. Ergens links van hem – het geluid van twee briesjes die door de stengels fluisterden.

Maar achter hen leek het een soort tornado.

Lopen, dacht Paul. *Lopen, lopen.*

Ze hadden de drugs. Het lot van Joanna lag in hun handen. Ze moesten erin slagen uit het moeras te komen.

Het geluid van afzonderlijke voetstappen leek samen te smelten tot een dof gebulder. Toen gilde iemand, en plotseling hield alle geluid op. Zelfs de insecten schenen het hoofd te buigen in een moment stilte.

Na ongeveer een minuut begon het weer, als een gekraste grammofoonplaat die zich herhaalde.

Wat was er gebeurd?

Paul kreeg het antwoord bijna onmiddellijk.

'Hé!' riep iemand. '*Hé!* We hebben je danspartner hier. Hij lijkt een beetje eenzaam.'

Ze hadden een van de mannen te pakken. Eén maar. De ander was daar nog ergens. Waarschijnlijk hield hij zich stil, net als zij, speelde hij voor speld.

Het geluid van de zoekende, gewapende mannen was onregelmatig, als een haperend kortegolfsignaal. Eén keer zag Paul een rode gymschoen, bijna drie meter bij hem vandaan. Dat is het dan. Hij sloot zijn ogen en wachtte op de kogel in zijn rug. Toen hij zijn ogen opendeed en gluurde, was de schoen weg.

Hij wijdde zich weer aan het probleem dat hij op zijn bureau had gekregen. Er moesten risicofactoren worden geformuleerd, geordend en onderverdeeld voor een andere gevaarlijke activiteit.

Vliegreizen.

Autorijden.

Bouwwerkzaamheden.

In Een Moeras Liggen, Achtervolgd Door Moordlustige Schutters.

'Hoor eens,' schreeuwde een van de gewapende mannen. 'Ik zal een dealtje met je maken, *bollo.* Als je je nu overgeeft, zullen we je niet vermoorden. Wat zeg je daarvan?'

Bollo. Mietje. Een van de Spaanse woorden die kinderen uit de zesde klas elkaar grinnikend leerden, tussen de lessen door.

Oké, dacht Paul, waarom concentreerden ze zich alleen op de drugskoerier tussen de rietstengels? Was het mogelijk dat ze hem en Miles niet hadden gezien op de open plek?

Miles beantwoordde de vraag voor hem. 'Hij moet de tas bij zich hebben,' fluisterde hij. 'Ze willen de *drugs.*'

De man met de hoge stem en het luie oog. Hij had Pauls tas weggegrist toen de schoten klonken.

De achtervolger riep naar de loensende man dat die zich moest overgeven, hij schold hem uit voor *bollo, abadesa, culo* – allemaal onzedelijke woorden, volgens Paul. Hij herhaalde zijn voorstel. Als de man nu maar wilde opstaan en vervolgens naar hen toe lopen met de tas in zijn hand, zou hij levend het moeras uit komen – erewoord.

Nog steeds geen antwoord.

Paul veronderstelde dat de man met het luie oog er geen woord van geloofde. Ze hadden hem al in zijn nek geschoten – als hij niet zou sterven aan malaria, zou hij daar misschien aan doodgaan.

'Oké,' schreeuwde de man. 'Oké, goed dan. We zullen je wat muziek laten horen terwijl je erover nadenkt. Veel luisterplezier.'

Iemand liep terug naar de jeeps en zette de cd-speler aan. Of misschien was het de autoradio. De klanken van een Zuid-Amerikaanse samba werden klaaglijk hoorbaar tussen de kattenstaarten. Krijsende trompetten en een stevig ritme. *Muziek, dat is aardig van hen.* Maar er leek iets mis te zijn met deze muziek. Ze klonk schril, en vals.

Het duurde zowat een minuut voor Paul begreep waarom.

Het was het gegil van de man.

Eerst dacht Paul dat het aan de lucht lag, een afwijking in de geluidsgolven, veroorzaakt door de dichte kattenstaarten en de grote hitte. Dat was echter niet het geval.

Ze martelden hun gevangene op de maat van de muziek.

Om het geluid te overstemmen. Of misschien omdat het leuker was. Of omdat ze van samba's hielden.

Een, twee, drie... gegil.

Ze hielden het het hele nummer vol... het langste nummer op aarde. *American Pie* duurde negentienenhalve minuut. Deze melodie duurde langer.

Ten slotte hield het op. 'Wat denk je ervan?' schreeuwde de man.

143

'*Celia Cruz, mi mami.* Dat was nog eens gillen, vind je niet?'
Paul keek Miles aan.
'*Wie zijn het?*'
Toen de jeeps uit de struiken waren opgedoken en de mannen eruit waren gesprongen met getrokken pistolen, en begonnen te schieten, had hij gedacht: *politie. Geheim agenten. De narcoticabrigade.*
Nu niet meer.
Miles gaf geen antwoord. Misschien omdat hij zijn handen tegen zijn oren gedrukt hield. Zijn ogen waren gesloten, alsof hij ook niets wilde zien. Er liep een lange, bloedige schram dwars over zijn voorhoofd. Hij had Paul een dienst bewezen, hij had zich meer moeite getroost dan redelijkerwijs van hem verwacht kon worden, en nu was het heel goed mogelijk dat het zijn dood zou betekenen.
'*Julio.*' Een andere stem, ijl, fluisterend, en *smekend. 'Julioooo...*'
Er was iets meelijwekkends aan deze stem.
'*Ze hebben mijn vingers gebroken, Julio. Ze hebben mijn hele hand gebroken. Kom tevoorschijn! Hoor je me! Ik kan niet... alsjeblieft... ze willen de drugs, man, daar gaat het om. In godsnaam, kom tevoorschijn!*'
Het voorstel van de martelende man was aan dovemansoren gericht. Ze waren van tactiek veranderd. Nu was het de beurt aan de martelaar.
'*Luister naar me... ze hebben mijn vingers gebroken, al mijn vingers, Julio... alle tien... geef hun het spul... ze vermoorden me... alsjeblieft, Julio... je hoort me toch...*'
Geen reactie.
Ze zetten opnieuw muziek op.
Weer een samba, nu was het geluid zachter gezet, zodat de kreten van de man luider klonken, in je gezicht, boven het dreunende ritme en de blèrende blaasinstrumenten uit.
Soms riep hij zelfs woorden.
Ayudi a mi, madre.
Moeder, help me alsjeblieft.
De muziek hield weer op.
Paul hoorde snikken, een verschrikkelijk, klaaglijk geluid.
'*Julioooo... mijn oor. Ze hebben mijn oor eraf gesneden. Het doet pijn... o, het doet zo'n pijn, Julio... o, wat een pijn... kom tevoorschijn... laat je alsjeblieft zien... alsjeblieft... je móét... ze hebben mijn oor eraf gesneden, Julio... hoor je me...*'
Julio had het waarschijnlijk gehoord; hij zou doof, stom of *dood* ge-

weest moeten zijn om het niet te horen. Hij liet zich echter niet zien. Paul drukte zijn hoofd tegen de grond. Die stonk naar rottende groenten. Als hij een struisvogel was geweest zou hij zijn hoofd in de grond gestopt hebben, en het daar hebben gelaten.

Het was afschuwelijk om te moeten aanhoren hoe een man gemarteld werd. Zelfs een man die je niet kende. Hij kende hem goed genoeg om hem voor zich te zien. Een broek met een keurige vouw, en een gele polo die bloedrood gekleurd was. Er was een zwart gat waar een van de oren van de man had gezeten.

'Nee... nee, alsjeblieft niet... niet doen... nee, niet mijn ballen... alsjeblieft niet mijn ballen, nee... Julio, laat ze mijn ballen er niet afsnijden... Alsjeblieieieft Julio, nee... laat ze dat niet doen... nee...'

Een bloedstollende gil.

Zo hard, dat een van de kwelgeesten tegen de man zei dat hij *verdomme zijn kop dicht moest houden*. De man wiens testikels hij er zojuist had afgesneden.

De man zweeg.

Een tijdlang heerste er voornamelijk stilte. Alleen de insecten, en een heel licht zomerbriesje dat door de kattenstaarten ritselde.

Mag ik wat water?

De man weer.

Ik wil graag wat water. Alsjeblieft. Water...

Zacht en beleefd, alsof hij in een hotel tegen een ober praatte.

Alsof ze hem beleefd antwoord zouden geven.

Natuurlijk, met of zonder prik?

Uiteindelijk hield hij op met praten. Er kwamen althans geen woorden meer. Geen herkenbare, menselijke taal. Hij viel terug op een onverstaanbaar gejammer, diep uit zijn keel.

Zijn tong, dacht Paul.

Ze moeten zijn tong eruit gesneden hebben.

Paul kon het niet meer aanhoren.

Hij moest ophouden met luisteren.

Het percentage van dodelijke ongevallen als gevolg van blikseminslag is 1 op 71.601 in een gemiddeld leven.

De kans gestoken te worden door een niet-giftig insect is 1 op 397.000.

De kans om thuis in een badkuip te verdrinken is 1 op 10.499.

De kans om...

'*Maricon*, kijk nu eens wat je ons hebt laten doen. Verrek, je vriend bloedde als een verdomde *cerado*. Over mijn schoenen, verdomme. We hebben je een kans gegeven, klootzak.'

Hun gevangene was dood.

Iemand liep terug naar de jeeps. Paul hoorde dat portieren werden geopend, en vervolgens dichtgeslagen.

'Wat zijn ze van plan...?' fluisterde Paul tegen Miles. Maar Miles hield nog steeds zijn handen tegen zijn oren; zijn huid had de kleur van magere melk.

Ze waren weer in beweging gekomen, een of twee mannen, die langzaam tussen de rietstengels door liepen.

Paul rook het als eerste.

Als Joanna hier geweest was, zou ze het al minuten eerder geroken hebben, wist hij. Ze zou haar hoofd opgetild hebben en gezegd hebben: *wat vreemd, ruik je dat?*

De geur zweefde naar hen toe door de kattenstaarten. Toen Paul zijn hoofd weer ophief en probeerde te begrijpen wat het was, hoorde hij spetterende geluiden.

'Ze trekken een spoor,' fluisterde Miles, de eerste keer sinds een halfuur dat hij zijn mond opendeed. Uiteindelijk had hij zijn handen van zijn oren weggehaald, hij was nu *een en al* oor, maar wat hij hoorde beviel hem blijkbaar niet.

Een spoor? Wat bedoelde Miles? *Wat voor spoor?*

'De wind waait die kant op,' zei Miles. Eerst een raadselachtige opmerking over sporen, nu een weerbericht.

'Ze gaan hem uitroken,' zei Miles, met een griezelige, afwezige stem. 'Ze gaan ervoor zorgen dat hij recht op hen af loopt.'

Die lucht.

Kerosine.

Oké. Eindelijk begreep Paul het. Hij snapte het. Al had hij het liever niet begrepen, al was hij liever stom en idioot gebleven. Ze trokken een spoor van *kerosine.* Ze trokken dat spoor achter hen, achter de wind, die van hen af waaide. Paul zag het voor zich – een ondoordringbare muur van vlammen. Hij zag nog iets anders voor zich – dat huis in Jersey City. Wat een huis in Jersey City geweest was. De plaats waar hij de twee mannen uit de blauwe Mercedes had zullen ontmoeten. Maar hij had hen niet ontmoet, omdat iemand het huis in brand had gestoken – het had gereduceerd tot een donkere, voorwereldlijke krater.

Wie?

Dezelfde kerels die nu een kring om hen heen trokken met een blik kerosine in hun handen. Dat was de logische conclusie, waar op ervaring gebaseerd bewijs toe leidde.

Paul had twee keer geprobeerd de drugs af te leveren, en twee keer was hem dat belet door dezelfde bende brandstichters.

Paul keek Miles weer aan om hem iets te vragen, maar hij vergat de vraag toen hij zag dat Miles op ellebogen en knieën achteruit kroop. Hij zag er... raar uit. Als een blanke, die probeert zwart te dansen. Alsof hij de *worm* deed. Hij deed het twee maal zo snel; met de snelheid van paniek.

Paul begreep waarom.

De kans om te overlijden als gevolg van rookverstikking of brand is 1 op 13.561.

De eerste vlam was ongeveer vijftig meter achter en rechts van hen de lucht in gevlogen. Het zag er bijbels uit – als een dichte vuurzuil. De rij kattenstaarten zou ontbranden als briketten, gedrenkt in aansteker-benzine, en daarna voortgestuwd worden door de wind. Als ze voor het vuur wegliepen, zouden ze een ander soort vuur tegemoet lopen, vuur dat geproduceerd werd door halfautomatische wapens. Miles, die erom bekendstond dat hij geregeld op honkbalwedstrijden gokte, nam nu de gok dat hij de andere kant op kon gaan – dat hij eropaf kon gaan. Dat hij het kon uittrappen voor het hele spoor in brand vloog. Dat hij een wedstrijd met het vuur kon houden, en dat hij die zou winnen.

Tegen de tijd dat Paul hem had ingehaald, had Miles zich omgedraaid. Ze tijgerden door het onkruid, nog geen meter bij elkaar vandaan, hun neus een paar centimeter boven de doordringende stank die uit het moeras opsteeg, een stank die ver te verkiezen was boven het alternatief.

Verbrand vlees. Tegen wil en dank rook Paul het, een weeïge, zoetige stank.

De mannen hadden een misrekening gemaakt, ze hadden geprobeerd iemand te laten wegrennen die hoogstwaarschijnlijk allang niet meer kon rennen. *De kogel in zijn nek,* dacht Paul. De man met het luie oog was ook dood.

Ze bleven kruipen.

Denk aan die half visachtige schepsels uit het Pleistoceen, die uit het water aan land kropen, op weg naar een betere toekomst. Als ze had-

den geweten wat hen wachtte, dacht Paul, hadden ze zich waarschijnlijk omgedraaid en waren ze teruggegaan.

Hij voelde zich nu slechts half menselijk. Bedekt met slijm en modder, bloedend als gevolg van de messcherpe stengels en de driftig bij-
tende insecten. Ademhalen was vrijwel onmogelijk – kronkelende
sliertjes verstikkende, zwarte rook zwierven al over de grond.

Blindelings kroop hij verder. Het water stroomde uit zijn ogen, deels
van de rook en deels omdat hij met afschuwelijke zekerheid wist dat
hij gefaald had.

Links van hen kon hij de hitte voelen. Hoe ver nog? Twintig meter?
Zo dichtbij dat de warmte voelbaar was als een golf, zo'n golf die je in
de branding meesleurt en je niet wil loslaten. Er verschenen blaren op
zijn onderarmen.

Sneller. Sneller. Sneller.

Hoe groot was nu de kans dat ze het er levend zouden afbrengen? De
verzekeringsexpert in hem zei: Nul. Nada.

Geef het op.

Hij kon het niet. De zucht tot zelfbehoud was sterker dan het medelijden met zichzelf. Als hij wilde dat zijn vrouw en kind Colombia
zouden verlaten, moest hij uit het moeras weg komen.

Het was een gemakkelijke race om op te wedden. Gokkers zouden
in de rij staan om hun geld in te zetten op de brand. Als Miles niet
een van de belanghebbenden was geweest, zou hij er dertig dollar
aan gewaagd hebben. De brand had er een stevige spurt in, terwijl
zij aarzelend voortkropen met krakende ellebogen en bonkende
knieën, een misselijkmakende beweging, voortkomend uit fysieke
wanhoop.

Paul zag de eerste verspreide vlammen tussen de stengels flitsen. De
kattenstaarten knetterden, braken, vielen letterlijk uit elkaar voor zijn
half verblinde ogen. Hij had het gevoel dat alle lucht werd weggezo-
gen. Boven het oorverdovende geraas van de vlammen uit riepen de
mannen naar elkaar, als studenten bij een vreugdevuur.

Miles zakte in elkaar.

Hij bleef op zijn buik liggen, hijgend, wanhopig proberend wat lucht
binnen te krijgen.

'*Vooruit, Miles. Een klein eindje nog.*' Het kostte Paul enorm veel
moeite om de woorden uit zijn mond te krijgen. Ze kwamen vervormd over zijn lippen, alsof hij een vreemde taal sprak. Alsof zijn

tong eruit gesneden was. De woorden hadden geen enkel effect. Miles bleef liggen, ongeïnteresseerd en zonder zich te bewegen.

Het vuur beschreef een halve cirkel in hun richting. Het had hen bijna bereikt.

'Ik... kan niet meer...' fluisterde Miles tussen twee moeizame ademhalingen door. 'Ik...'

Paul greep hem bij de boord van zijn overhemd – heet en stomend, als wasgoed dat net uit de droogtrommel komt.

Hij trok.

Het had geen zin. Het was zuiver symbolisch, omdat hij niet de kracht had om Miles bij het vuur weg te trekken, zoals hij ook niet de kracht had om op te staan en de mensen aan te vliegen die de brand hadden gesticht.

Toch bleef hij trekken.

Plotseling leek Miles het beetje energie dat hem nog restte te verzamelen. Hij bewoog. Bijna een halve meter. Daarna nog een halve meter. En nadat hij een hoeveelheid zwart slijm had opgehoest, nog een halve meter.

Het was te laat.

Ze waren bij de deur van de oven. Die gaapte voor hen open. Ze zouden er niet uit komen.

Al wandel ik door de schaduwen van het dal des doods, mijn... Mijn steun en mijn... Mijn steun... Waar waren de woorden wanneer je die echt nodig had? Hij was gereduceerd tot een wezen dat op bebloede handen en knieën voortkroop. Hij deed wat iedere atheïst doet wanneer hij in de val zit. Hij prevelde de magische woorden die hij als kind had losgelaten.

Miles lag naast hem. Het vuur bescheen hem als het licht van een flitslamp.

Pauls huid begon te schroeien, letterlijk van zijn lichaam weg te branden. Hij gaf nog een laatste ruk, daarna bedekte hij zijn gezicht, hopend dat het geen pijn zou doen.

Dat was alles.

24

Ze hadden haar niets verteld. Maar ze wist het toch.

Galina kon dan gezegd hebben dat het allemaal goed zou komen, maar dat was niet zo.

Het was eentonig, dodend en eindeloos.

Tenminste, elk moment dat ze Joelle niet in haar armen hield. Die momenten daarentegen waren pijnlijk levendig.

Die momenten beleefde ze slechts twee keer per dag – 's morgens en 's avonds, bij de voeding. Galina bracht haar dan naar een andere kamer van de boerderij – ze wist vrij zeker dat het een boerderij was omdat ze hanen en kippen hoorde, het geloei van koeien en het geblaat van schapen. Ze kon de dieren ook ruiken, gemengd met de onmiskenbare stank van pas gekeerde mest. Ze was op het platteland geboren, in Minnesota, en haar reukvermogen was gescherpt door deze alledaagse geuren.

Toen ze Galina gevraagd had wat er gebeurd was, of Paul de drugs had afgeleverd zoals van hem verwacht werd, had ze haar schouders opgehaald en geen antwoord gegeven.

Een antwoord was ook niet nodig. Of hij het gedaan had of niet, Joanna wist dat ze voorlopig haar koffers nog niet hoefde te pakken.

Het was de routine die haar redde, deze voedingen 's morgens en 's avonds, waar ze naar uitkeek met verrukte verwachting. Het was echter ook de routine die haar stukje bij beetje vermoordde. De eentonigheid, de apathie, het gevoel van meedogenloos en voortdurend bewaakt te zijn.

Haar emoties, aangewakkerd door Galina's gefluisterde verzekering, kon ze nergens kwijt.

Ze werd ook mager – ze ontdekte bepaalde botten in haar armen en haar ribbenkast waarvan ze niet had geweten dat ze er waren.

Op een nacht hoorde ze het geluid van driftige klappen, ergens in het huis. Gevolgd door gekreun – van een man.

Ze voelde dat Beatriz en Maruja wakker waren en naast haar op de matras lagen te luisteren.

'Wie is dat?' fluisterde ze.

'Rolando,' fluisterde Maruja terug.

'*Rolando.*' Joanna herhaalde de naam. 'Wie is dat? Ook een gevangene?'

'Ook een journalist die nu zelf onderwerp van een verhaal is geworden,' zei Maruja.

'Net als jij?'

'Nee. Niet als ik. Belangrijker. Zijn zoon...' Haar stem stierf weg, alsof ze weer in slaap gedommeld was.

'Zijn *zoon.* Wat is er met zijn zoon?'

'Niets. Ga maar weer slapen.'

'Maruja. Wat...?'

'Hij had een zoon, dat is alles. Sst...'

'Wat is er met hem gebeurd? Je moet het me vertellen.'

'Hij werd ziek.'

'Ziek?'

'Kanker. Leukemie. Ik weet het niet precies. Hij wilde zijn vader nog een keer zien. Voor hij stierf.'

'Ja?'

'Het heeft in de kranten gestaan,' fluisterde ze. 'Het was op de televisie. Een soort nationale soap. Ze lieten Rolando kijken. Naar de talkshows. Hij zag dat zijn zoon op de televisie tegen hem sprak, dat hij hen smeekte zijn vader vrij te laten.'

Joanna probeerde zich voor te stellen hoe het voor een vader moest zijn om zijn stervende zoon op de tv te zien, maar ze gaf het op omdat het eenvoudigweg te pijnlijk was.

'Mensen zetten zich ervoor in – hoe zeg je dat... *los famosos.* Politici, acteurs, *futbolistas.* Ze meldden zich vrijwillig om Rolando's plaats in te nemen. Neem ons, zeiden ze, dan kan Rolando bij zijn zoon zijn. Hij had nog maar een paar maanden te leven.'

'Wat is er gebeurd?'

Maruja schudde haar hoofd. Joanna's ogen waren aan het donker gewend geraakt en ze kon de vage omtrek van Maruja's puntige kin zien.

'Er is niets gebeurd.'

'Maar de jongen...'

'Hij is gestorven.'

'O.'

'Rolando heeft zijn begrafenis gezien op de televisie.'

Joanna was zich er niet van bewust dat ze was begonnen te huilen tot ze de natte matras tegen haar wang voelde. Ze had nooit veel gehuild. Misschien omdat ze het grootste deel van haar werkdag gebruikte om andere mensen zover te krijgen dat ze het niet deden, omdat ze inwendig een afkeer had van hun openlijk vertoon van zwakte. Nu dacht ze echter dat het zowel afschuwelijk als heerlijk was om te huilen. Daardoor voelde ze zich menselijk. Ze wist dat ze nog altijd geraakt kon worden door de tragedie van anderen, ook nu ze midden in haar eigen ellende zat.

'Rolando?' vroeg Joanna. 'Hoe lang is hij al hier?'

'Vijf jaar.'

'*Vijf jaar?*'

Het leek onmogelijk. Net zoiets als horen over iemand die tientallen jaren in coma is gebleven, kunstmatig in leven gehouden. Was dit niet zoiets – een kunstmatig leven, een soort limbo?

'Toen zijn zoon stierf werd Rolando heel kwaad op hen. Hij luistert niet. Hij is brutaal,' zei Maruja, alsof ze een kind verklikte. Joanna vroeg zich af of Rolando's opstandigheid het leven ook moeilijk maakte voor Beatriz en Maruja. Waarschijnlijk wel. 'Een keer is hij weggelopen,' fluisterde Maruja. 'Ze hebben hem gepakt, natuurlijk.'

Weggelopen. Alleen het woord al bezorgde Joanna hartkloppingen – wat een geheimzinnig en exotisch idee.

Weglopen. Was zoiets mogelijk?

Ze hoorde nog meer klappen, geschreeuw, het klonk alsof iemand tegen een muur geslagen werd. Joanna deed haar ogen dicht in een poging niet te denken aan wat er in die kamer gebeurde. *Rolando was aan het bed vastgebonden,* zei Maruja.

In plaats daarvan stelde ze zich voor hoe het zou zijn om weg te lopen – hoe het zou voelen. Ze dacht aan de wind in haar rug, de geur van aarde en bloemen, het duizelingwekkende gevoel dat elke voetstap meer afstand bracht tussen haar en hen. Het was zo'n heerlijke droom dat ze bijna vergat wie ze zou moeten achterlaten.

Joelle.

Ze hadden haar baby.

De fantasie verdween – plof. Ze hield er een lege pijn in haar borst aan over, het gat dat blijft wanneer de hoop naar onbekende bestemming vertrekt.

Ten slotte hielden de klappen op, en werd er een deur dichtgeslagen. Het kostte haar moeite weer in slaap te komen. Maruja en Beatriz waren alweer ingedut, maar zij bleef koppig wakker. Nog een paar uur, dan brak de ochtend aan en dan zou Galina haar naar Joelle brengen, dan zouden ze haar samen voeden en verschonen.

Het was het waard om je aan vast te klampen. Zelfs hier, waar ze met drie vrouwen in één bed sliepen en in de kamer ernaast een man was vastgebonden als een stuk vee.

Ze doezelde weg, maar werd na wat een paar minuten later leek, alweer gewekt door de gekke haan die op alle uren van de dag en de nacht leek te kraaien.

Joelle hoestte.

Toen Galina haar in Joanna's armen legde, trilde haar lichaampje bij elke kleine hoestbui.

'Ze is gewoon verkouden,' zei Galina.

Maar toen Joanna haar probeerde te voeden, duwde Joelle de rubberen speen weg. Joanna wachtte een paar minuten en probeerde het nog eens. Joelle wilde nog steeds niet eten.

Ze bleef hoesten, met toenemende, hevige regelmaat. Bij elke hoestbui sperde ze haar diepzwarte oogjes wijd open, alsof ze erdoor werd verrast en beledigd. Joanna drukte haar wang tegen Joelles voorhoofd – iets wat ze getrouwde vriendinnen bij hun kinderen had zien doen. 'Ze *gloeit,* Galina.'

Galina voelde aan Joelles borst, daarna aan haar voorhoofd.

'Ze heeft koorts,' gaf Galina toe.

Joanna kreeg een steek in haar maag. *Dus zo voelt het,* dacht ze. Bang zijn, niet om jezelf, maar om je kind.

'Wat kunnen we doen?'

Ze bevonden zich in de kleine kamer waar Galina haar altijd naartoe bracht voor de voedingen. Vier witte muren met de vage afdruk van een kruisbeeld dat ooit boven de deur moest hebben gehangen. Ze lieten haar er nu zonder blinddoek naartoe lopen, iets wat haar de eerste keer zowel gerustgesteld als beangstigd had. Het had een verbazingwekkende verklaring geleken: *je blijft hier een hele tijd.* Het was niet meer nodig om verstoppertje met haar te spelen.

Toen Galina opnieuw aan Joelles voorhoofd voelde, trok ze haar hand terug alsof ze zich gebrand had.

'Wacht,' zei ze, en ze liep de kamer uit.

Ze kwam terug, zwaaiend met iets. Een toverstaf?

Nee. De thermometer die ze in Bogotá voor hen had gekocht. Als versuft liet Joanna Galina voorzichtig Joelles luier afdoen – haar dijbenen waren geschaafd en rood. Galina legde de baby op haar buik op Joanna's schoot, en zei dat ze haar stil moest houden.

Voorzichtig schoof ze de thermometer naar binnen.

Toen Joanna het kwik zag oplopen, zei ze: 'O.' Een onwillekeurige reactie op pure angst. Galina haalde de thermometer eruit en hield die tegen het licht, hij gaf bijna 40 graden aan.

'Ze is ziek,' zei Joanna. Dit was niet zo'n lichte koortsaanval die baby's af en toe krijgen. Dit was ernstig.

Galina zei: 'Ik haal een natte doek. We zullen haar huid afdeppen.'

'Aspirine?' vroeg Joanna. 'Hebben jullie hier kinderaspirientjes?'

Galina keek haar aan alsof ze om een dvd-speler en een gezichtsmassage had gevraagd. Ze waren kennelijk ergens op het platteland – op een plaats waar de bewakers zo ontspannen waren dat ze 's avonds tv keken, en niet te veel moeite namen om Maruja, Beatriz en Joanna te verbieden met elkaar te praten. Een plaats die even ververwijderd was van een goedgevulde apotheek als van de patrouilles van de drugsbestrijding die naar hen op zoek waren.

Haar dochter had hoge koorts. Het leek erop dat ze volkomen op zichzelf was aangewezen.

'Alsjeblieft.' Joanna hoorde zelf de smekende klank in haar stem, maar deze keer werd ze er niet door verrast en voelde ze geen afkeer. Ze zou op handen en voeten smeken voor haar baby. Ze zou aanbieden haar rechter- of haar linkerarm voor haar te geven, desnoods haar leven.

'Een natte doek helpt wel,' zei Galina, maar het klonk niet al te overtuigend. De zorgelijke rimpels in haar gezicht kregen iets van echte vrees. Joanna vond dat beangstigender dan het zien van de opgelopen thermometer.

Galina ging op zoek naar een doek.

Wat vreemd, dacht Joanna. Dat Galina zo moeiteloos scheen te kunnen veranderen van ontvoerster naar verpleegster, eerst het een, dan het ander.

Ze kwam terug met een tinnen schaal, gevuld met klotsend water. Ergens had ze een kleine handdoek gevonden, die ze kletsnat maakte, intussen af en toe bezorgde blikken werpend op de nog steeds krijsende Joelle. Ze wrong de handdoek uit en begon de baby voorzichtig af te vegen. Joelle werkte niet mee, ze lag op Joanna's schoot te draaien en te kronkelen alsof de aanraking van de handdoek haar fysiek pijn deed.

Ze schreeuwde, het waren angstige, hartbrekende uitbarstingen. Haar lichaampje huiverde, als van een poesje dat uit het nest is geduwd.

Joanna greep Galina's hand. 'Het helpt niet. Het maakt het alleen maar erger.' De natte handdoek hing slap neer, er vielen waterdruppels uit op de ruwe, houten vloer. *Tik, tik, tik.* 'In godsnaam, kijk dan naar haar.'

'Het zal de koorts omlaag brengen,' zei Galina. 'Laat me nu maar.' Ze probeerde echter niet haar arm los te rukken. Wat zouden de bewakers denken als ze zagen dat Joanna haar hand om Galina's magere pols geklemd hield? Zouden ze met haar doen wat ze in de kamer ernaast met Rolando hadden gedaan?

Joanna liet los.

Toen Galina klaar was, voelde ze weer aan Joelles hoofdje. 'Een beetje koeler, toch?'

Maar toen Joanna voelde, leek het of ze haar hand in het vuur stak.

Galina gaf de baby een schone luier, pakte haar van Joanna's schoot en wikkelde haar weer in een ruwe, wollen deken. Joelle lag nog steeds te jammeren – haar rode gezichtje verkrampt als een gebalde vuist, maar Joanna wiegde haar tegen haar borst, heen en weer schuifelend in de kleine ruimte die hun was toegemeten. Ze zong een liedje voor haar, het was niet meer dan gefluister.

Slaap kindje, slaap,
Daarbuiten loopt een schaap.
Een schaap...

Dat zong haar moeder vroeger altijd voor haar. Ze zette een plaat op met een duet van James Taylor en Carly Simon, en ze danste door de flat met Joanna in haar armen. Het had Joanna altijd het gevoel gegeven dat ze veilig en geliefd was.

Bij Joelle werkte het niet. Ze krijste niet meer, maar alleen omdat ze te moe was geworden om te huilen. Wanneer ze haar mondje opendeed, leek ze niet voldoende energie over te hebben om geluid te produceren.

Galina zei: 'Ik moet haar nu meenemen.'

'Nee.'

'Als ik het niet doe worden ze kwaad.'

Joanna was te bang om het te merken, maar naderhand dacht ze steeds weer na over Galina's woorden.

Als ik het niet doe worden ze kwaad.

De eerste keer dat ze voorzichtig toegaf dat er in de wij-tegen-hen situatie van de huishouding – Maruja, Beatriz en Joanna tegen hun bewakers – nog een andere 'ze' konden zijn.

Galina en zijzelf.

Galina zou Joelle bij haar hebben gelaten, maar dat kon ze niet doen, omdat *ze* dan kwaad zouden worden.

In een wereld zonder tastbare hoop, klampte je je vast aan mondelinge strohalmen.

Ze gaf Joelle aan Galina. Daarna werd ze teruggebracht naar haar gevangenis, alias haar kamer, waar Maruja en Beatriz de uitdrukking op haar gezicht zagen en haar vroegen wat er mis was.

Het was tijd voor de avondvoeding en Galina verscheen doodsbleek in de deuropening. Maar dat was niet waar Joanna het ergst van schrok. Ze had Joelle niet bij zich – *dat* liet haar hevig schrikken.

'Wat is er gebeurd? Waar is ze?' vroeg Joanna.

'In haar bedje. Ze heeft zich eindelijk in slaap gehuild. Ik wilde haar niet wakker maken.'

Ze nam Joanna toch mee naar de andere kamer, langs twee halfbloedbewakers die zaten te kaarten; een van hen was een meisje met een kastanjebruine huid en lang, zwart haar dat tot laag op haar rug hing.

Toen ze in de kamer waren zei Galina: 'Ze heeft longontsteking.'

'*Longontsteking?*' Het woord echode als een klap. 'Hoe weet je dat? Jij bent geen dokter. Waarom zeg je dat?'

'Haar borst. Ik hoor het.'

'Kan het geen virus zijn? Griep?'

'Nee. Haar longen – er zit *fluida* in.'

Angst nam bezit van Joanna en weigerde los te laten.

'Je moet haar naar een ziekenhuis brengen, Galina. Dat *moet*. Nu.'

Galina staarde haar aan met een uitdrukking op haar gezicht die Joanna onder andere omstandigheden misschien teder zou hebben genoemd.

Het was de vriendelijkheid die betoond werd aan een geesteszieke.

'Er zijn geen ziekenhuizen,' zei Galina. 'Hier niet.'

Die nacht kon Joanna haar dochter horen krijsen.

Het maakte de bewakers kwaad. Het werkte op hun zenuwen. Midden in de nacht trok een van hen haar van het bed, waar ze Beatriz' hand had vastgehouden om niet naar de deur te rennen en tegen hen te schreeuwen.

'*Vamos*,' zei hij, en hij duwde haar naar de openstaande deur.

Beatriz kwam overeind om te protesteren.

'*Para eso...*'

De bewaker, die Puento heette en gewoonlijk rustig en vriendelijk was, duwde Beatriz tegen de muur.

Een huilende baby kan het geduld van jonge ouders zwaar op de proef stellen, stond in het tijdschrift *Moeder & Baby.*

Waar bracht Puento haar naartoe?

Nadat hij de deur achter hen op slot had gedaan, kwam een andere bewaker aanlopen, die Joelle op armslengte van zich af hield. Later zou Maruja haar vertellen dat de FARC-guerrilla's buitengewoon bang waren om ziek te worden, omdat er geen dokters of medicijnen in de buurt waren om hen te genezen.

De nerveuze jongen liet Joelle letterlijk in haar armen vallen – daarna gebaarde hij dat ze naar de kamer moest gaan waar ze de baby altijd voedde. Hij loodste Joanna naar binnen, waarbij hij haar met de kolf van zijn geweer een duwtje in de rug gaf. Daarna gooide hij de deur achter hen dicht.

Joelle dreef van het zweet.

Elke ademhaling was een gesmoord, schor gegorgel. Toen Joanna haar oor tegen Joelles borst drukte, klonk het alsof er iemand stierf aan emfyseem.

Waar was Galina?

Joanna bonsde op de deur – één, twee, drie keer. Ten slotte deed Puento hem open, met een gezicht alsof hij ook ergens op wilde slaan. Joanna zei hem dat hij onmiddellijk Galina moest halen, *nu, meteen.* Geen reactie. Hij bleef haar volkomen uitdrukkingsloos aanstaren.

Ze vroeg om een *handdoek*, zenuwachtig imiteerde ze alsof ze er een uitwrong. Ze kon niet zeggen of Puento haar begreep, en als hij het deed, of het hem iets kon schelen.

Hij smeet de deur voor haar gezicht dicht. Een paar minuten later kwam hij terug met een oude, vieze lap, die hij zo ongeveer naar haar toe gooide.

Ze was vergeten om *agua* te vragen, maar de lap leek ook zonder water vochtig genoeg. Joanna begon met het nu vertrouwde ritueel van het verschonen van haar baby, waarbij ze probeerde geen acht te slaan op Joelles blauwgetinte huid en de manier waarop ze trilde, als een kolibrie. Ze depte haar af, zoals Galina het zou hebben gedaan.

'Het komt goed,' fluisterde ze tegen haar dochtertje. 'We gaan naar huis, en dan zien we pappa. Je zult het fijn vinden in New York. Er is een draaimolen, en 's winters kunnen we gaan schaatsen. Er is een dierentuin met ijsberen en aapjes en pinguïns. Je vindt de pinguïns vast erg leuk. Ze lopen zo grappig.'

Allemaal dingen die ze gedaan *zouden* hebben.

Ze hield haar baby de hele nacht in haar armen. Joelle huilde en kreunde en gorgelde bijna voortdurend. Dit waren de goede momenten. De slechte waren wanneer Joelle in slaap viel, en haar ademhaling leek te stoppen.

Eén keer, toen Joelle duidelijk en demonstratief blijk van leven gaf en haar longen zo ongeveer uit haar lijfje schreeuwde, deed Puento de deur open en keek naar binnen, met een bijna moordlustige uitdrukking op zijn gezicht. Hij hief zijn alomtegenwoordige kalasjnikov op – Paul zei dat ze zo heetten, in Rusland gefabriceerde geweren, oud en onbetrouwbaar. Hij richtte het wapen direct op Joelles hoofdje.

'Ik zal haar laten ophouden. Ze is ziek. Ik krijg haar wel stil. Ik beloof het.'

Hij liet het geweer zakken en daarna sloot hij de deur achter zich.

Joanna moest ingedommeld zijn.

Ze werd wakker toen iemand haar bij de schouder schudde. Het was Galina.

Het eerste wat Joanna opviel was dat er niet meer werd gehuild, er heerste een absolute, schokkende stilte. Het tweede dat ze merkte was, dat er geen Joelle in haar armen lag. Ze was weg. Eén hartverscheurend moment dacht ze dat haar dochtertje de nacht niet was doorgekomen. Dat Galina haar kwam vertellen dat Joelles lichaampje was weggehaald, om ergens in een veld te worden begraven.

Ze wilde haar naam uitschreeuwen, maar toen zag ze haar.

Ze lag vredig in Galina's armen.

Ze haalde beter adem, niet normaal, nee – maar béter.

'Ik heb haar medicijnen gegeven,' zei Galina. 'Druppels. *Antibioticos.* Ze haalt het wel, denk ik.'

Galina had bijna tweehonderd kilometer gereisd, hoorde Joanna later. Ze had een dokter gebeld die ze kende – ze had een *farmacia* zo ver gekregen dat die de zaak opende en haar de druppels gaf.
Ze haalt het wel, denk ik.
Joanna's nieuwe mantra.

Joelle voelde merkbaar koeler aan, haar hoestbuien waren afgenomen en ook trilde ze vrijwel niet meer.
Galina bleef toekijken terwijl Joanna haar dochtertje de fles gaf. Ze leek er op een eigenaardige manier door geboeid, bijna gehypnotiseerd. Misschien was het gebrek aan slaap, dacht Joanna.
Nee, dit was anders, alsof ze werd meegesleept door herinneringen.
Joanna herinnerde het zich.
Ik had een dochter.
'Galina?'
Het leek een minuut te duren voor Galina zich uit haar mijmeringen losrukte en haar antwoord gaf.
'Ja?'
'Je dochter. Wat is er met haar gebeurd?'
Galina draaide haar hoofd om, ze hield het een beetje scheef alsof ze probeerde iets te horen van wat er in de kamer naast hen gebeurde. Of misschien iets wat veel verder weg lag.
'Ze is vermoord,' zei Galina.
'*Vermoord?*' Dat had Joanna niet verwacht. Dood, ja, maar *vermoord?*
'Wat vind ik dat erg voor je – verschrikkelijk. Hoe? Wat is er gebeurd?'
Galina zuchtte. Ze wendde haar ogen af, keek naar de schaduw van het kruisbeeld die nog steeds op de muur te zien was. Met een lichtelijk bevende hand sloeg ze een kruis.
'Riojas,' fluisterde ze. 'Heb je wel eens van Manuel Riojas gehoord?'

25

Galina staarde naar moeder en kind.
Ze dacht:
Heilige Maria, Moeder van God.
Heel even leek het op die foto op mijn kast. Bijna tot zwart-wit verbleekt,
na al die jaren, maar plotseling tot leven gekomen. Ja.
Dat was ik. Met haar.
Ik hield haar weer in mijn armen. Ze was weer zo jong.
Nog maar een niña. Mijn niña.
Is ze ooit zo klein geweest?
Zo klein?
Je weet het toch nog wel?

Claudia.
Clau-di-a.
Haar naam was als een lied. Riep je die tegen etenstijd in de straten
van Chapinero, of na schooltijd aan de trap van hun *apartmento,* dan
wat het moeilijk het zangerige ritme uit je stem te bannen – ook wanneer je behoorlijk kwaad was. Zelfs wanneer je *deed* of je kwaad was,
omdat Claudia haar huiswerk nog niet had gemaakt, of omdat ze te
laat was voor het eten.
Je kon onmogelijk *echt* kwaad op haar zijn. Zo'n kind was ze nu eenmaal. Een godsgeschenk. Uiteindelijk maakte ze altijd haar huiswerk,
en ze deed het altijd zo goed dat ze hoge cijfers haalde.
Ze kon ook te laat komen voor het eten, maar wanneer ze thuiskwam,
buiten adem en gepast berouwvol, overviel ze hen met een duizeling-
wekkend verhaal over wat er die dag gebeurd was.
Zet de radio zacht en eet, zei Galina dan.
Maar eerlijk gezegd luisterde ze liever naar de radio dan dat ze haar
broodmagere dochter zag eten.
Claudia was een van die vreemd oplettende kinderen. Ze was zich al

vroeg bewust van wat er in de wereld, en met de meeste van haar bewoners, gebeurde. Altijd bereid om haar speelgoed te delen, ook nadat haar vervelende buurmeisje een been van haar lievelingspop, Manolo de stierenvechter, had afgerukt.

Ze was zo'n kind dat uitentreuren vroeg: *waarom?*

Waarom dit, waarom dat, waarom *zij?*

Galina had altijd geloofd dat je in een land als Colombia het woord 'waarom' beter niet kon uitspreken.

Misschien was het daarom voorbeschikt dat Claudia, toen ze naar de La Nacional-universiteit ging – uiteraard met eervolle cijfers – in contact kwam met een bepaalde groep. Dat ze, toen ze antwoorden begon te krijgen op de aanhoudende, verontwaardigde vragen als: waarom bezit één procent van de Colombianen negentig procent van de rijkdom, waarom is elk plan om armoede en honger te verlichten, jammerlijk mislukt, waarom zeggen dezelfde mensen die dezelfde machtsposities bekleden dezelfde dingen, waarom, waarom, *waarom* – zich aansloot bij diegenen die er iets aan zouden kunnen doen.

Of die althans erover *praatten* om er iets aan te doen.

In het begin waren het simpele, politieke bijeenkomsten. Onschadelijke praatgroepen.

Maak je geen zorgen, mama, had ze tegen Galina en haar vader gezegd. *We drinken koffie en maken ruzie over wie de rekening moet betalen. Daarna praten we erover hoe we de wereld kunnen veranderen.*

Galina maakte zich wel degelijk zorgen.

Ze had zelf een redelijk ontwikkeld sociaal geweten; het had haar weinig opgeleverd. Ze kon zich nog steeds de protestmarsen herinneren voor Gaitan – de halfbloed-leider die vastbesloten was om van Colombia een democratie te maken – zich met warmte het gevoel herinneren dat als een voorjaarsbriesje in hartje winter door de straten had gezweefd. *Ik ben geen man, ik ben een volk.* Ze kon zich zijn verminkte lichaam op de voorpagina van haar vaders krant herinneren. Daarna was een soort fatalisme ingetreden – zoals het harder worden van je beenderen nam het toe naarmate ze ouder werd. Jongeren waren ingeënt tegen *die* speciale ziekte; het vergde jaren van slijtage voor hun idealisme aan scherven viel als porseleinen snuisterijen.

Claudia begon steeds meer tijd buitenshuis door te brengen. Meer avonden waarop ze laat thuiskwam, en de schuld gaf aan een of ander vriendje.

Galina wist wel beter.

Claudia was verliefd, ja. Maar niet op een jongen. Die nerveuze opwinding en die stralende ogen duidden op liefde voor een zaak. Ze was smoorverliefd op een overtuiging.

Toen Galina haar waarschuwde dat ze zich niet moest inlaten met *la politica,* was Claudia's reactie onveranderlijk een ijzig stilzwijgen of, erger nog, een vermoeid hoofdschudden, alsof Galina dergelijke zaken niet kon begrijpen. Wat verkeerd was, en waar iets aan *gedaan* moest worden. Alsof ze imbeciel was, blind en doof voor de wereld.

Het tegendeel was waar. Het was juist haar kennis van de wereld – van de wetenschap hoe dingen werkten in Colombia – of niet, omdat er eerlijk gezegd niets werkte in hun land. Juist die pijnlijk verkregen wetenschap maakte dat ze zich zo veel zorgen maakte om haar dochter.

Wanneer was Claudia voor het eerst met hen in contact gekomen?

Misschien toen ze Galina vertelde dat ze met een paar vriendinnen met vakantie ging. Naar *Cartagena,* zei ze. Toen ze tien dagen later terugkwam, was er echter geen spoortje bruin te zien. Ze leek zo mogelijk nog bleker. *Het was afschuwelijk weer,* verklaarde ze. Galina kwam ernstig in de verleiding om in de krant te kijken of het waar was. Ze deed het niet.

Cartagena lag in het noorden. Ze wist echter, dat FARC daar ook was. Die uitstapjes kwamen steeds vaker voor.

Naar een seminar van de universiteit, zei ze dan.

Om een vriendin op te zoeken.

Een kampeerweekend.

De ene leugen na de andere.

Wat moest Galina doen? Claudia was volwassen. Claudia was verliefd. Galina had geen andere keuze dan wachten, hopen dat het zou overgaan, zoals alle eerste liefdes. Ze kreeg een pak leugens aangereikt, en ze gebruikte het als een pakje zakdoekjes om haar tranen te drogen.

Claudia begon zich slordiger te kleden. Dat doen alle jongelui in zekere mate, maar bij Claudia was het geen modegril. Meer een solidariteitsverklaring. Het begon ermee dat ze dagen achter elkaar geen make-up gebruikte, dat ze zelfs niet in een spiegel keek.

Ze besefte niet dat het haar alleen maar mooier maakte.

Had Galina al gezegd hoe mooi Claudia was? Hoe volmaakt exquis? Bijna *katachtig.* Lenig. Gracieus. En dan haar ogen. Ovaal, donker, amberkleurig. Haar huid had de tint van wat Galina's *madre* café-au-lait placht te noemen. Ze moest haar uiterlijk van iemand anders dan Galina hebben geërfd. Misschien van haar grootmoeder van vaderskant, de *chanteuse*, een vrij bekende *ventello*-zangeres die volgens de verhalen harten had gebroken van Bogotá tot Cali.

Op een dag ging Claudia weg en kwam ze niet terug.

Weer een vakantie, een uitstapje naar de kust, met vrienden. Maar toen Galina, zenuwachtig en in paniek, twee dagen nadat Claudia had zullen terugkeren en niet was komen opdagen, met die vrienden belde, deden die of ze van niets wisten.

Wat voor vakantie?

Vreemd. Ze was niet verbaasd. Het betekende een bevestiging van haar vermoedens. En simpele, meedogenloze angst. Ze zat naast de telefoon, proberend die te dwingen om over te gaan. Proberend niet de hoorn op te pakken en *le policia* te bellen. Ze *wist* waar Galina was; *le policia* erbij halen zou erger zijn dan niets doen.

Ten slotte belde Claudia dan toch.

Galina tierde, schreeuwde. Zoals je dat tegen een kind doet. Waarom had Claudia niet gebeld, hoe *kon* ze dat doen?

Claudia was niet meer het meisje dat te laat kwam voor het eten. Ze verontschuldigde zich absoluut niet.

Ik ben bij hen, omdat niet bij hen zijn betekent bij de anderen zijn, zei ze.

Ze sprak zelfverzekerd. Logisch. Hartstochtelijk zelfs. Het is mogelijk dat er bij Galina iets bovenkwam van dat sinds lang begraven gevoel, van toen ze vroeger samen met haar vader had gejuicht voor Gaitan, zodat ze zelfs begrip voor haar dochter kon opbrengen.

Ten slotte had ze gezegd wat alle moeders zeggen. Wat ze mogen zeggen. Zelfs tegen opstandige dochters die de bergen in zijn getrokken.

Het zal je dood worden, Claudia. Ze zullen me bellen om je lichaam te komen halen. Alsjeblieft. Kom weer naar huis.

Claudia wees haar smeekbeden echter af, zoals ze als kind had geweigerd om rubberlaarzen aan te trekken wanneer het regende.

Dan kan ik de plassen niet voelen, mama.

Claudia was in de eerste plaats een meisje dat de plassen wilde voelen. Haar vader was diepongelukkig. Hij dreigde naar *le policia* te gaan, haar naar huis te slepen. *Jij had het moeten weten,* zei hij beschuldigend tegen Galina, *jij had moeten weten wat ze uithaalde.* Galina wist dat hij het zei uit frustratie en gekwetste liefde; hij wist dat het gevaarlijk was om naar *le policia* te gaan, en dat het zinloos was om Claudia achterna te gaan, omdat hij niet zou weten waar hij haar moest zoeken.

En dus zaten ze gevangen in hun eigen cocon van verdriet. Wachtend op een lente die al dan niet zou komen.

Af en toe gaven vrienden boodschappen door. Het is beter als ze jullie niet belt, legde een bepaalde jongeman uit, een medereiziger van de universiteit, die een sikje van tien centimeter had gekweekt, en die een zwarte baret droeg à la Che. Het gaat goed met haar, vertelde hij hun. Ze is heel toegewijd.

Galina snakte ernaar haar dochter weer te zien. Ze wilde haar aanraken; toen Claudia nog een kind was nestelde ze zich altijd als een vogeltje in de plooien van haar jurk. *Ik ben een kangoeroe,* fluisterde Galina dan – *en jij zit in mijn buidel.*

Nu was haar buidel leeg. Op een dag kregen ze weer een boodschap door van de jongeman.

Kom vanavond om acht uur naar die-en-die bar.

Toen Galina had gevraagd waarom, zei hij: *zorg nu maar dat jullie er zijn.*

Ze vroeg het niet nog eens.

Ze kleedden zich alsof ze naar de kerk gingen. Was dit tenslotte niet waarom ze hadden gebeden? Ze waren er te vroeg. De bar was onbehaaglijk donker, smerig, de klanten bestonden voornamelijk uit prostituees en travestieten.

Ze wachtten een uur. Langer. Als het moest zou Galina dagen gewacht hebben.

Toen voelde ze een tikje op haar schouder, nee, meer dan een tikje, een warme hand die als een vlinder op haar schouder neerdaalde. Ze herkende die aanraking. Dat doen moeders. Haar bloed stroomde erdoor.

Hoe zag Claudia eruit? Haveloos, mager, ziek?

Als dat het geval was, misschien zouden ze haar dan kunnen overhalen, zoals je iemand overhaalt om bij de rand van een rots vandaan te stappen. Of misschien hadden ze haar eenvoudigweg kunnen optillen om haar naar huis te dragen.

Claudia zag er niet haveloos uit. Of mager. Zeker niet ziek.

Ze zag er gelukkig uit.

Wat is je grootste wens voor je kinderen?

De wens waarmee je elk avondgebed afsluit?
De wens die je voor je heen fluistert wanneer ze je vragen de kaarsjes uit te blazen voor weer een verjaardag die je liever niet zou vieren?
Ik wens, fluister je, *dat mijn kind gelukkig wordt.*
Meer niet.
Claudia zag er stralend en onmiskenbaar gelukkig uit.
Was stralend te sterk uitgedrukt?
Als ze eerder in de ban van een eerste liefde was geweest, zat ze nu duidelijk midden in een hartstochtelijke affaire. Eén blik op haar, en Galina wist dat ze zonder haar zouden vertrekken.
Claudia kuste Galina, daarna haar vader.
Ze hielden alle drie elkaars handen vast, net als toen Claudia vier jaar was en ze hen had overgehaald voor nog een spelletje Hond-en-Kat.
Claudia was altijd de kat. En de kat werd altijd gevangen.
Galina vroeg hoe het met haar ging.
Maar ze wist het antwoord al.
'Goed, mama,' zei Claudia.
'Waarom heb je ons niet *verteld...*' vroeg Galina, en daarna deed ze wat ze zich vast had voorgenomen niet te doen. Huilen, instorten.
'Ssst...' fluisterde Claudia, een dochter die plotseling in een moeder veranderde. 'Hou op, mama. Het gaat goed met me. Geweldig. Ik kón het je niet vertellen. Dat weet je toch.'
Nee. Het enige wat Galina wist was, dat Claudia haar hart was. En dat van nu af aan het leven zou bestaan uit haastige ontmoetingen in travestietenbars, en heimelijke boodschappen van vrienden.
Claudia vertelde weinig bijzonderheden. Waar ze was? Bij wie ze was? Ze vroeg voornamelijk hoe het thuis ging. Hoe was het met haar kat, Tulo? En haar kleine broertje, Sanyo?
Al die tijd dat ze bij elkaar waren weigerde Galina haar hand los te laten. Instinctief moest ze gedacht hebben dat Claudia, als ze weigerde haar los te laten, gedwongen zou zijn bij hen te blijven. Dat ze, zolang ze elkaar bleven aanraken, niet van elkaar gescheiden konden worden.
Ze had natuurlijk ongelijk. De uren vlogen om, in tegenstelling tot al die dagen waarop ze gewacht had tot ze iets van haar dochter hoorde, met het gevoel dat de tijd stilstond.
Claudia kondigde aan dat ze weg moest.
Er restte Galina nog een laatste, enorme smeekbede. Die had ze gerepeteerd terwijl Claudia vroeg hoe het thuis was, en met familieleden

en vrienden, en Galina zich aan haar hand vastklampte als aan een reddingsboei.

'Ik wil dat je naar me luistert, Claudia. Dat je blijft zitten en alles aanhoort wat ik te zeggen heb. Ja?'

Ze knikte.

'Ik begrijp hoe je je voelt,' begon ze.

Ze begreep het. Het deed er niet toe.

'Jij denkt dat ik te oud ben. Dat ik met geen mogelijkheid kan voelen wat jij voelt. Maar ik voel het wel. Er was een tijd, toen ik heel jong was, dat ik net als jij was. Maar ik weet wat ik weet. FARC, het USDF – het maakt niet uit. Beide partijen zijn schuldig. Beide partijen zijn onschuldig. Als het eropaan komt zijn ze aan elkaar gelijk. Even onschuldig. Even moordlustig. En iedereen gaat dood. Iedereen. Ik vraag je dit als je enige, echte moeder op de hele wereld. Alsjeblieft, ga niet naar hen terug.'

Ze had evengoed Chinees kunnen spreken.

Of helemaal niets kunnen zeggen.

Claudia verstond haar niet, en zelfs al verstond ze haar wel, ze begreep er geen woord van.

Ze streelde Galina's hand, glimlachte, zoals je doet tegen mensen die al seniel geworden zijn. Ze stond op en ze omhelsde haar vader, terwijl Galina als verstijfd op haar stoel bleef zitten. Daarna bukte Claudia zich en legde haar hoofd in het kuiltje van Galina's hals.

'Ik hou van je, mama,' zei ze.

Dat was alles.

Op weg naar huis zaten ze verdoofd en zwijgend naast elkaar. Ze hadden zich gekleed alsof ze naar de kerk gingen, maar ze keerden terug van een begrafenis.

Daarna kwamen er nog maar een paar boodschappen van haar.

Van tijd tot tijd belde de jongen van de universiteit, met nieuws. Telkens wanneer Galina de krant opensloeg, hield ze haar adem in...

De deur ging krakend open.

Galina hield op met praten.

Tomas, een van de bewakers, knikte tegen haar en gebaarde dat ze moest opstaan.

Joelle was nu buiten gevaar. Joanna zou haar moeten afgeven, en terugkeren naar haar kamer.

'Wat is er verder met haar gebeurd?' vroeg Joanna Galina, terwijl ze Joelle in haar armen legde. 'Je hebt het verhaal niet afgemaakt.'

Galina schudde slechts haar hoofd, en ze drukte Joelle tegen haar borst. Daarna liep ze naar de deur.

26

Hij wist niet dat hij leefde en bewoog, tot hij besefte dat dát was wat hij deed. Hij schopte. Hij bewoog zijn benen op en neer in een poging het vuur uit te trappen dat langs zijn huid omhoog kroop.

Hij moest bewusteloos zijn geraakt door de rook. Hij herinnerde zich de muur van vlammen die op hen af kwam als een godsoordeel. Misschien was het geen godsoordeel, omdat hij zich scheen te herinneren dat hij tot God had *gebeden,* net voordat alles zwart werd, en nu was hij hier en hij *leefde.*

Dus misschien hadden God en hij het goed gemaakt. Misschien had God gezegd, nu is het genoeg met die getallen en vergelijkingen en risicofactoren, laten we voor de verandering eens blind vertrouwen proberen, oké?

Hij stond niet echt in brand. Niet letterlijk. Zijn broek, of wat er nog van over was, smeulde wel. En de huid die door de gescheurde restanten zichtbaar was, had een lichtroze kleur, het veelzeggende bewijs van eerstegraads brandwonden.

Op de een of andere manier waren ze voorbij het kerosinespoor gekomen.

Links van hem zag hij niets dan een verkoolde, rokende massa. De wind had de vlammen één kant op geblazen. Wat betekende dat Miles gelijk had. Ze waren op het vuur afgegaan, en ze hadden gewonnen.

Althans, hij had gewonnen. Miles zag hij nergens.

Hoe zou het met hén zijn?

Aarzelend tilde Paul zijn hoofd op en gluurde om zich heen. Het zag er vulkanisch uit. Beeld één uit een van die films op *Discovery,* waar welig begroeide eilanden worden gereduceerd tot een kokende brij van rook en vuur. Hier en daar schoot nog een enkele, verdwaalde vlam omhoog.

Verder was het even leeg als op de maan.

Ze waren weg.

Dit verheugende besef riep echter een ander, angstwekkend besef op. Als zij weg waren, waren de *drugs* ook weg. Die waren opgeslokt door de zwarte verbrandingsresten. Zijn enige kans om Joanna te redden, was vervlogen. *Wanneer God een deur sluit, opent hij een raam,* placht zijn sinds lang overleden moeder te zeggen. Maar als hij meeging met zijn hervonden geloof, was het heel goed mogelijk dat het omgekeerde ook waar was. Dat God, wanneer hij een raam opende, een deur sloot. Paul leefde; Joanna en Joelle waren dood.

Nu, of heel snel.

Hij liet zich op de nog rokende grond terugvallen, alsof hij was neergeschoten.

Iemand zei *hallo.*

Een schepsel met een volkomen zwart gezicht, op de ogen na, die zo wit waren als die van een negerzanger; zijn hele gestalte omhuld door opstijgende rookflarden.

Een *engel?* Die naar de aarde was gekomen om Paul te vertellen: sorry, je hebt het mis, je hebt de brand uiteindelijk toch niet overleefd. Denkend aan het lot dat Joanna en Joelle waarschijnlijk had getroffen, zou het nieuws dan zo onwelkom zijn?

Het was geen engel.

Het was Miles.

Ze vonden Miles' auto ongeveer waar ze die hadden achtergelaten. Beide portieren stonden open en de voorruit was kapotgeslagen.

Miles was niet van streek omdat ze zijn auto hadden vernield, maar dat ze die *gezien* hadden, wisten hoe die eruitzag, dat ze zijn nummer hadden genoteerd of misschien de gegevens van zijn rijbewijs, dat in het handschoenenkastje lag. Nu de euforie vanwege het feit dat hij het had overleefd, wegebde, scheen hij te begrijpen dat het wel eens niet voor lang zou kunnen zijn. Hij klapte dicht.

Hij was niet de enige.

Op weg naar de auto had Paul Miles zijn excuses aangeboden – *sorry dat ik je bijna vermoord heb.* Miles had gezegd dat hij het moest vergeten, opnieuw benadrukkend dat hij degene was die Paul en Joanna naar Colombia had gestuurd. Deze keer had het echter niet erg overtuigend geklonken.

Daarna deden ze er het zwijgen toe.

De spinnenwebbarsten in de voorruit zorgden ervoor dat ze op de gok moesten rijden. Er reden auto's voor hen, of niet, verkeerslichten stonden op groen, of op rood, wegwijzers waren onleesbaar. Toen ze het moeras uit waren, kwamen hen op de snelweg vier brandweer-auto's met gillende sirenes tegemoet.

Paul probeerde te navigeren met zijn hoofd uit het raampje.

Ergens tussen Jersey City en de Lincolntunnel, zei Paul: 'Wie waren het?'

Miles gaf niet onmiddellijk antwoord.

'Zij moeten het huis in Jersey City in brand hebben gestoken,' voegde Paul eraan toe. 'Ze moeten het wel zijn.'

Miles knikte. 'Dat klinkt logisch.'

'Dus?'

Miles leek diep in gedachten verzonken. Of dat was het, óf hij was nog te gedeprimeerd om te praten. Ze reden de witte, fluorescerende Lincolntunnel in – altijd een soort sci-fi-ervaring.

Na een poosje zei Miles: 'Ik weet niet wie het zijn. Ik kan er wel naar raden. De andere partij.'

'Welke andere partij? De Colombiaanse regering?'

'De Colombiaanse regering zal hier geen mensen doodschieten.'

'Goed. Over wie hebben we het dan?'

'De andere partij in de oorlog. Manuel Riojas.' Hij leek niet al te gelukkig met die mogelijkheid.

'*Riojas*? Ik dacht dat die in de gevangenis zat. Ze hebben hem uitgeleverd. Aan Florida.'

'Natuurlijk. *Hij* zit in de gevangenis. Zij niet.'

'*Zij*? Wie zijn *zij*?'

'Zijn mensen. Zijn bende. Zijn volgelingen. Weet je hoe veel Colombianen er in New York wonen?'

Miles probeerde zijn handen schoon te maken door ze aan de armleuning af te vegen, maar het enige resultaat was, dat die zwart werd.

'Hebben die de drugscontacten van FARC gevolgd?' vroeg Paul. Hij probeerde het onder het spreken te beredeneren. 'Bedoel je dat? Dat zij dat huis in New Jersey hebben gevonden en het in brand hebben gestoken? Dat ze hen daarna achterna zijn gekomen?'

'Misschien. Waarom niet? Ze staan aan verschillende kanten, maar ze betalen op dezelfde manier voor wat ze nodig hebben. Drugs betekent geld. Geld betekent wapens.'

Oké, dacht Paul. Hij vroeg zich af of geld soms ook gewoon geld betekent.

'Beschouw het als twee vliegen in één klap. Ze kunnen een paar FARC's vermoorden en tegelijkertijd een hoeveelheid drugs in de wacht slepen. Dat is mijn theorie.'

Als Paul afging op wat hij over Manuel Riojas had gelezen, werd je daar niet vrolijk van.

'Wat nu?'

'Ik kan je belazeren en zeggen dat ik een geweldig idee heb. Geloof je me dan?'

Miles stond erop dat ze bij zijn kantoor in het centrum langs zouden gaan.

'Het zou wel eens lastig kunnen worden om aan mijn vrouw uit te leggen waarom we eruitzien alsof we net uit Bagdad zijn teruggekeerd. Er is daar een douche. En er zijn kleren.'

Miles' kantoor was gevestigd in een bakstenen huis in East Side. Drie maanden geleden waren Paul en Joanna er binnengelopen, en was hun verteld dat ze twee maanden later een dochter zouden hebben.

Miles zette de wagen in een garage voor één auto, onder het gebouw. Die stond vol dozen die tot de rand toe gevuld waren met modderkleurige, kartonnen enveloppen. Oude dossiers, misschien. Er waren nog een paar relikwieën uit het pre-computertijdperk; twee schrijfmachines en een stencilapparaat – een machine die Paul zich nog herinnerde uit de kamer van het hoofd van de lagere school.

Toen ze uit de auto stapten rook hij die bekende garagegeur: schimmel, stof en motorolie. Joanna, bedacht hij met een steek van pijn, zou nog wel een paar andere dingen hebben geroken.

Ze gingen het huis binnen door een zijdeur, die uitkwam in een gang met grijze, betonnen muren, bedekt met een laagje condens. Eén enkele, kale gloeilamp zorgde voor het beetje licht dat er was.

Ze namen de trap naar de benedenverdieping, die een wachtkamer vol oude tijdschriften bevatte. Paul herinnerde zich dat hij door een exemplaar van *TIME* had gebladerd: *Onvruchtbaarheid – de Nieuwe Gesel.*

'De badkamer is boven,' zei Miles. 'Wil jij eerst?'

'Nee, laat maar,' zei Paul. 'Ik heb niets om aan te trekken.'

'Ik kan je een spijkerbroek lenen.'

Toen hij de douche aanzette, werd het water om zijn voeten zwart. De huid op zijn armen en benen voelde rauwgeschaafd, en hij vroeg zich af of hij er een dokter naar moest laten kijken.

Nadat hij gedoucht had bekeek hij zich in de badkamerspiegel. Zijn gezicht leek in orde – een beetje rozer dan gewoonlijk, beslist vertwijfeld. Daar kon geen dokter iets aan verhelpen.

Miles had een spijkerbroek en een wit overhemd op een stoel bij de badkamerdeur gelegd. Ze waren zeker twee maten te klein. Hij slofte naar de gang, waar Miles geduldig op zijn beurt wachtte.

Zonder iets te zeggen liep hij Paul voorbij, op weg naar de badkamer. Toen Miles eruit kwam, had zijn huid weer min of meer een normale kleur.

'Ga mee naar mijn kantoor,' zei hij, zonder al te veel enthousiasme.

Op de plek zijn waar hij zakendeed, waar hij zijn contacten raadpleegde en baby's tevoorschijn toverde, leek Miles' stemming niet te verbeteren. Hij ging achter zijn bureau zitten, maar hij leek er niet op zijn plaats – alsof hij vergeten was wat hij deed om aan de kost te komen.

Paul hoefde maar naar de wand achter het bureau te kijken om zichzelf eraan te herinneren.

Hij die één kind redt, redt de wereld.

Oké, Miles. Er was nog een kind dat nu dringend gered moest worden. *En haar moeder.*

Hij keek de kamer rond, terwijl Miles zwijgend en diep in gedachten bleef zitten. Tussen een oorkonde van een eredoctoraat van de Baruch-universiteit en een eervolle vermelding van de raad van een bestuur van een ziekenhuis in de Bronx, hing een poster die hij nog niet eerder had gezien. Er stond op *The All Nazi Baseball Team,* een afbeelding van een speelveld waarop bij iedere speler de naam vermeld was. *Josef Goebbels* was de pitcher. '*Altijd drie worpen,'* luidde de vermelding van de scout. *Herman Goering* stond achter de plaat – '*goede verdediger'. Josef Mengele* stond rechts opgesteld – '*dodelijke arm'* en *Albert Speer* in derde positie – '*verrassend sterk'.* Ballenmeisjes waren *Eva Braun* en *Leni Reifenstahl.* De aanvoerder? *Hitler,* natuurlijk. '*Geweldige motivator.'* Niet geweldig genoeg; de poster herinnerde iedereen eraan dat het team het Wereldkampioenschap in 1945 had verloren.

Ha, ha.

Paul vroeg zich af of er behalve Miles nog andere joden waren die dit buitengewoon grappig vonden.

'Ik neem aan dat je niet genoeg geld hebt om het hun te vergoeden?'

zei Miles ten slotte. Hij keek neer op zijn handen, zijn nagels waren ondanks het douchen nog zwart.

'*Twee miljoen?*' zei Paul. Het had evengoed twee miljard kunnen zijn.

'Oké.' Miles haalde zijn schouders op. 'Het was maar een vraag.'

Paul had zoiets als een beslissing genomen. Het was geen gemakkelijke, maar duidelijk de *enige*. Het deed er niet toe dat hij drugs het land had binnengesmokkeld. Niet meer. De drugs waren weg, de kast was leeg. Het lot van zijn gezin hing aan een zijden draadje.

'Ik ga naar de autoriteiten,' zei hij.

'De *autoriteiten?*' herhaalde Miles, alsof het een vreemd, buitenlands concept was. 'Goed. Over welke autoriteiten hebben we het?'

'De politie, de regering, wie er ook maar een kans heeft om iets te doen. Het ministerie van Buitenlandse zaken, de Colombianen. Elke autoriteit die er bestaat – het maakt niet uit. Ik zal hun alles vertellen – me overleveren aan de genade van het gerecht. Is dat niet de uitdrukking?'

'De genade van het gerecht? O, ja, dat is een uitdrukking. Absoluut. Zolang je maar beseft dat het niet méér is dan dat. Ik denk niet dat genade door de detectiepoortjes komt. Misschien wil je je nog bedenken.'

'Bedenken? Wat stel jij dan voor dat ik moet doen? Tegen Pablo zeggen dat ik voor twee miljoen dollar aan drugs ben krijtgeraakt, maar dat ik toch mijn vrouw en dochter terug wil? Ik moet toch iets doen. Het is het enige wat me overblijft.'

'Misschien niet,' zei Miles.

'Waar heb je het over?'

Miles stond op. Hij wreef over zijn kin en begon achter zijn bureau heen en weer te lopen. Langzaam kreeg hij voor Pauls dankbare ogen dat Goldstein-enthousiasme terug.

'Plan B,' zei Miles.

27

Zijn naam was Moshe Skolnick.

Hij was een Russische zakenman, zei Miles.

'Wat voor zaken?' vroeg Paul.

'Ik zou het niet weten,' antwoordde Miles. 'Maar hij is er heel goed in.'

Wat zijn zaken ook waren, Moshe deed ze vaak met Colombianen. 'Hij heeft daar contacten,' zei Miles. 'Hij vliegt minstens drie keer per jaar naar Bogotá.'

Plan B, naar Moshe gaan, genoot de voorkeur boven plan C, naar de autoriteiten gaan, zei Miles, omdat Paul iemand nodig had die de juiste mensen kende. Of, beter gezegd, de verkeerde mensen.

'Iemand die voor beide partijen geloofwaardig is.'

Paul had ermee ingestemd het nog één keer te proberen. Als Paul werd voortgedreven door pure, onvervalste paniek, dan leek Miles te worden voortgedreven door pure koppigheid, alsof opgeven een persoonlijke belediging zou betekenen. Miles had hun een baby beloofd, en hij had die belofte maar half waar gemaakt. Hij leek vastbesloten het karwei af te maken.

Ze reden naar Little Odessa.

'Waar ken je hem van?' vroeg Paul.

'Zo gaat het in mijn beroep. Je komt allerlei mensen tegen die je normaal gesproken niet zou ontmoeten.'

'Was hij een cliënt van je?'

'Meer een cliënt van een cliënt.'

'Geen vriend?'

'Je zou hem niet echt te vriend willen hebben. Je wilt hem ook niet als je vijand. Hij is me nog iets verschuldigd.'

Eerst zette Miles Paul af bij diens appartement.

Hij had zijn eigen kleren nodig; de broek van Miles voelde alsof zijn bloedsomloop erdoor werd afgesneden. Hij had behoefte aan zijn eigen omgeving en zijn eigen leven. Zich schuilhouden deed er niet veel meer toe. Ze hadden afgesproken dat hij, als hij toevallig zijn vrienden tegenkwam, John of Lisa, Joanna's afwezigheid zou verklaren door te zeggen dat er problemen waren met haar visum, en dat hij was teruggekomen om het hier te regelen. Met een beetje geluk zou hij hen mislopen.

Hij nam de trap, voor alle zekerheid. Zonder een bekende tegen te komen bereikte hij zijn flat.

Nadat hij de deur had dichtgetrokken, zachtjes, omdat hij niet wilde dat iemand het zou horen, zag hij een kinderbedje in de zitkamer staan. Het had roze, houten spijlen en het lakentje was versierd met kant en teddyberen. Er was een enorme, rode strik aan vastgeniet, die op een grote kasbloem leek. Het bedje was opvallend leeg.

Hij liep ernaartoe en pakte het kaartje dat met plakband aan het hoofdeinde was bevestigd.

Gefeliciteerd met ons nieuwe kleinkind! We dachten dat jullie dit wel konden gebruiken wanneer jullie thuiskwamen. Matt en Barbara.

Joanna's ouders, met hun eerste aanbetaling voor het grootouderschap.

Hij voelde een steek van pijn, ergens onder zijn hart. Als hartzeer een verkeerde benaming was, als emoties ergens in je hersens verbleven, niet lager, waarom deed het *daar* dan fysiek pijn?

Ze hadden nu thuis moeten zijn. Alle drie.

Er zouden vrienden op bezoek zijn gekomen, sjouwend met taarten, flessen champagne, roze babykleertjes. Joanna's ouders zouden zich voor minstens een week in de logeerkamer hebben geïnstalleerd. De flat zou gegonsd hebben van het leven.

De huidige leegte leek hem ergens van te beschuldigen. Hij wist ook waarvan.

Het enige wat hij hoefde te doen was, op de klok kijken die op de televisie in de zitkamer stond, de datum opvallend zichtbaar in rode cijfers, als bloed.

Over een kwartier zou Miles terugkomen om hem op te pikken. Hij trok een katoenen broek en een T-shirt aan, stak zijn mobiele telefoon in zijn zak, en liep naar de deur.

Op zijn antwoordapparaat knipperde een groen lampje.

Vooruit dan maar.

Hij drukte de knop in.

Hallo, meneer Breidbart, ik bel namens Home Equity Plus. We hebben een speciale aanbieding die alleen deze maand geldig is...

Hoi, met Ralph. Als je terug bent, wil je me dan bellen? Ik kon je documenten over McKenzie niet vinden. O ja, en nog gefeliciteerd met de baby. Sigaren komen nog.

Hallo! Met mam, lieverd. We hebben jullie brief gekregen, maar we weten niet wanneer jullie terugkomen. Bij het hotel zeiden ze dat jullie naar een ander hotel waren gegaan. Bel ons alsjeblieft! Veel liefs! Hoe vinden jullie het bedje?

Hallo, meneer en mevrouw Breidbart. Met Maria. Ik bel om te vragen hoe het gaat.

Maria Consuelo, die zoals ze beloofd had, belde.

Dit gesprek werd gevolgd door nog twee telefoontjes van Maria. Daarna een *spectaculaire eenmalige aanbieding* van een firma in vloerbedekking. Gevolgd door een per computer ingesproken wervende boodschap van een congreslid dat herkozen wilde worden. Daarna weer een telefoontje van Maria.

Deze vierde keer klonk ze duidelijk geïrriteerd. Ze had hen vier maal gebeld, *vier,* en ze had nog steeds niets gehoord. Ze zou het prettig vinden als ze zo goed wilden zijn om terug te bellen en haar lieten weten hoe alles ging.

Hallo, Maria. Eerlijk gezegd gaat het niet zo goed. De baby die je ons hebt gegeven is ontvoerd door je verpleegster en je chauffeur. Ik heb drugs het land in gesmokkeld om te proberen hen vrij te krijgen, maar we werden aangevallen en we zijn bijna levend verbrand. Dus alles bij elkaar genomen kon het beter. Bedankt dat je ernaar gevraagd hebt.

Little Odessa deed zijn naam eer aan. Het leek een ander land. De avond was rauw en mistig geworden en er stond een krachtige wind, die van de oceaan kwam. Je kon in de verte witte schuimvlokken zien, en kleine zandstormpjes die over het strand dansten.

De helft van de opschriften op de winkels was in het Russisch. Aan de strandboulevard stond een groot aantal nachtclubs, de meeste droegen namen van Russische steden.

De *Kiev.* De *St. Petersburg. Moskou Centraal.*

Paul kreeg last van slaapgebrek. Hij was ingedommeld toen ze over de Williamsburgh-brug reden – alleen de combinatie van knarsend metaal en versleten schokbrekers bracht hem weer tot leven, maakte hem bonkend wakker en meteen zag hij alles weer zwart-wit. De paar momenten van slaap waren pijnlijk heerlijk geweest – toen hij zijn ogen eenmaal geopend had was de angst snel teruggekomen.

Moshe werkte in een langgerekt pakhuis.

Miles parkeerde aan de achterkant. Twee mannen stonden tegen de enige andere auto geleund – een donkerrode Buick, sigaretten rokend en Russisch kletsend.

Nadat ze waren uitgestapt zwaaide Miles naar hen, maar ze reageerden niet.

'Vriendelijke jongens,' zei Miles. 'Ze zijn gek op me.'

Aan de rand van het parkeerterrein stond een laaddeur half open. Ze doken eronderdoor. Binnen was een enorme ruimte, ter grootte van een gemiddelde opslagplaats van een meubelzaak, die vol stond met diverse goederen.

Er waren rijen wasautomaten, droogtrommels, koelkasten, tv's, stereo-installaties, computers en meubels. Er waren fietsen, basketballen, golfclubs, kleding en autobanden. Er waren videospelletjes, boeken, tuinmeubels en gasbarbecues.

Een groepje mannen liep rond in de afdeling witgoed. Een van hen draaide zich om, en wuifde naar hen.

'Dat is Moshe,' zei Miles.

Paul dacht dat hij nogal chic gekleed was voor een pakhuis. Hij had een pak aan dat eruitzag of het duizend dollar had gekost, compleet met een blauwe, zijden stropdas en keurig gepoetste schoenen met puntige neuzen. Hij had een baardje en zware wenkbrauwen, die hem een uiterlijk van voortdurende vrolijkheid schenen te geven.

Hij kwam naar hen toe lopen en omarmde Miles stevig, waarna hij hem op beide wangen kuste.

'Hé, Miles, mijn lievelingsadvocaat.' Hij had een rokersstem, schor en diep, met een zwaar, Russisch accent.

Nadat Moshe Miles had neergezet – in zijn enthousiasme had hij hem een paar centimeter van de grond getild – keek hij lachend naar Paul. '*Paul?*'

Paul knikte. 'Hallo,' zei hij. 'Prettig kennis te maken.'

Moshe schudde zijn hoofd. 'Niet zo prettig, geloof ik. Miles heeft me verteld over je... situatie. Een ramp. Mijn deelneming. Je vrouw en kind, hè? Die guerrilla –' hij liet er iets op volgen wat een Russische vloek moest zijn. 'Je weet wat we in Rusland doen met guerrilla's, hè?

177

Weet je nog, dat theater in Moskou – die Tsjetsjeense schoften? Boem – boem – die hebben we met gas naar de hel gestuurd.'

Voorzover Paul zich herinnerde hadden de Russische autoriteiten tevens ongeveer tweehonderd onschuldige gijzelaars vergast. Het leek hem echter beter daarover maar niets tegen Moshe te zeggen.

In plaats daarvan vroeg hij Moshe of deze hem zou kunnen helpen.

Moshe sloeg een grote arm om Paul heen. 'Hoor eens, ik ken die rotzakken. Een paar ervan. We zullen zien wat we kunnen doen, oké? Soms kan er onderhandeld worden. Ze zijn zo ongeveer even marxistisch als wij dat waren – iedereen is een zakenman, oké? Hoor eens, ze zullen hen niet doden. Dat is onwaarschijnlijk. Ik zal een paar telefoontjes plegen.'

'Dank je. Heel graag.'

'Bedank me nog maar niet. Ik heb nog niets gedaan.' Hij lachte. 'We zullen zien.'

Hij keek door de half open laaddeur en schudde zijn hoofd.

'Hé, Miles, verdomd slimme advocaat van me. Hoe vaak heb ik je al gezegd dat je daar niet moet parkeren. Je blokkeert de deur.'

Miles zei: 'O, sorry. Ik zal hem verplaatsen.'

'Geef je sleutels aan een van mijn jongens. Hij verplaatst hem voor je, oké? Wij gaan naar het kantoor, daar kunnen we praten.'

'De vorige keer toen ze hem verplaatsten heeft een van je jongens een deuk in mijn bumper gereden. Ik doe het zelf wel,' zei Miles.

Er liep een man langs, kreunend onder het gewicht van een enorme kist op zijn linkerschouder. Het zag ernaar uit dat er onmiddellijk gevaar bestond dat de kist aan splinters zou vallen. De man had een tatoeage op zijn arm, CCCP, de letters van de oude sovjet-sportfederatie.

'Ga jij maar vast,' zei Miles tegen Paul. 'Ik ben zo terug.'

'Parkeer hem op *Rostow,* mesjoggene,' zei Moshe. 'Als je hem op *Ocean* neerzet krijg je een bekeuring.'

Miles knikte, en liep gebukt onder de deur door naar buiten.

'Paul.' Moshe wenkte dat hij hem moest volgen. Ze gingen een zijdeur door en kwamen in een gang, waarvan de muren waren betimmerd met goedkoop imitatiehout. Moshes kantoor lag aan het eind van de gang – EL PRESIDENTE, stond op het matglas. Paul veronderstelde dat het een grap was.

'We wachten op Miles, goed?' Het kantoor had een wachtkamer met twee banken. Hij wees naar een ervan. 'Ga zitten.'

Paul nam plaats terwijl Moshe het kantoor in glipte.

Tring.

Tring.

Hij was in slaap gevallen. Blijkbaar was hij wakker geworden van zijn mobiel.

Hoe lang was hij onder zeil geweest?

Zijn telefoon was gestopt met rinkelen – hij herinnerde zich het geluid als een echo. Hij viste het toestel uit zijn broekzak, klapte het open, en keek naar het nummer. Een netnummer dat hij niet herkende.

Waar bleef Miles?

De binnendeur ging open en daar stond Moshe, glimlachend. Hij keek op zijn horloge – een glimmende caleidoscoop van goud met diamanten.

'Wel verdomme,' zei hij. 'We moeten aan de slag.' Hij liep zijn kantoor weer in.

Op dat moment ging Pauls telefoon weer.

'Meneer Breidbart?'

Het was Maria Consuelo.

'Ja, hallo.'

'Ik probeer u al drie dagen te bereiken!'

'Ja, Maria. We waren...'

'Ik bel de nieuwe ouders altijd nog even op. Dat heb ik u en mevrouw Breidbart toch verteld?'

'Ja, dat heb je gezegd. We... we logeerden bij familie.'

'Ik begon ongerust te worden. We moeten zeker weten dat onze nieuwe gezinnen aan elkaar gewend raken. Hoe gaat het? Is alles goed met de baby?'

'Ja, ze maakt het prima.'

Moshe was net zichtbaar door de half openstaande deur van zijn kamer. Hij wees op zijn horloge.

'Een ogenblikje...' zei Paul tegen hem. Maar Moshe verstond hem niet; hij hield zijn hoofd scheef en zijn hand achter zijn oor als een komiek die op de lach van het publiek wacht.

'Wat zegt u?' zei Maria.

'Dat was niet tegen jou. Ik praatte tegen iemand anders. Met de baby gaat het goed. Ik moet nu echt weg. Ik zal je zeker...'

'Kan ik mevrouw Breidbart spreken, alstublieft?'

Even kon Paul er niet toe komen haar te antwoorden. 'Nee,' zei hij toen. 'Ze is er niet.'

'O? Is ze wel in orde?'

'Ja, ze is in orde. Ze is alleen niet bij me. Op dit moment niet.'

'Kan ze me terugbellen? Ik wil haar graag spreken.'

'Ja. Ze zal je bellen.'

'Mooi. U weet zeker dat alles goed is?'

'Ja, alles is goed. Het kon niet beter.'

'Goed dan.'

Paul wilde het gesprek beëindigen, maar plotseling kon hij zich er niet van weerhouden zelf een vraag te stellen.

'Maria?'

'Ja?'

'Gewoon, uit nieuwsgierigheid. Hoe lang werkt Pablo al voor je? Hoe goed ken je hem?'

'*Pablo?*'

'Ja. De chauffeur die je ons heb gegeven. Werk je al lang met hem?'

'Heb ik u een chauffeur gegeven? Nee.'

'Nee? Hoe bedoel je, nee? Ik heb het over Pablo. Jij hebt hem aangenomen om ons te begeleiden in Bogotá.'

'Nee. Ik heb hem niet aangenomen.'

'Oké, iemand van je personeel dan. Iemand heeft het voor je gedaan.'

'Accommodatie en vervoer worden niet door ons verzorgd. Dat staat toch nadrukkelijk in het contract?'

'Maar *wie...*?'

'Wie? Uw advocaat, meneer Goldstein, ja?'

Uw advocaat, meneer Goldstein.

'Mijn advocaat,' herhaalde Paul dof. 'Mijn *advocaat* heeft Pablo geregeld? Heeft Miles hem ingehuurd?'

'Ja, zeker. Het is zijn verantwoordelijkheid om te zorgen voor accommodatie en...'

'Vervoer.'

'Ja.'

Moshe wachtte nog steeds op hem in zijn kantoor. Hij lachte nog steeds.

'Meneer Goldstein heeft je twee dagen geleden gebeld, Maria,' zei Paul, zachtjes sprekend. 'Weet je nog, hij heeft je Pablo's nummer gevraagd.'

'Me gebeld? Nee. Meneer Goldstein heeft me niet gebeld.'

'Hij heeft je niet gebeld. Hij heeft je niet gebeld en je om dat nummer gevraagd? Twee dagen geleden – op woensdagavond?'

180

'Nee.'

Paul kreeg een visioen. Miles aan de telefoon – glimlachend, knikkend, lachend, doen alsof tegenover iemand die hij niet echt voor zich had. Maar er was wel iemand geweest.

Paul.

'Oké. Dank je.'

'Was er een probleem met uw chauffeur?'

'Geen probleem.'

'Wilt u vragen of mevrouw Breidbart me belt?'

'Ja. Dag.'

Hij functioneerde automatisch, zoals je je auto naar links of naar rechts kunt laten afslaan, stilhouden voor verkeerslichten en gas geven op de snelweg, zelfs wanneer je gedachten ver weg zijn. Pauls gedachten waren ver, heel ver weg, ingeklemd tussen angst en hulpeloosheid.

'Kom je?' Plotseling stond Moshe vlak voor hem.

Hij lachte nog steeds, maar Paul begreep dat het hetzelfde lachje was als dat van Galina toen ze haar deur had geopend en hen had verwelkomd in haar huis.

'Is er hier een toilet?' vroeg Paul. 'Ik moet naar het toilet.'

Het is verbazend hoe iemands instinct om te overleven de overhand kan krijgen.

Hoe kun je als aan de grond genageld staan, je lichaam verdoofd van angst, en toch je mond opendoen en naar het toilet vragen – naar *alles* vragen wat je ervan kan weerhouden dat kantoor binnen te gaan. Omdat je er absoluut zeker van bent dat je, als je er naar binnen gaat, er niet meer uit komt.

Moshe leek even over de vraag na te denken.

'Achterin,' zei hij, met zijn duim wijzend. 'De deur uit en dan links.'

Paul stond op. Zijn benen voelden aan zoals in Maria's kantoor, slap als gelatinepudding. Hij probeerde Moshe niet te laten merken dat hij het grote geheim kende, dat hij begreep dat hij de enige acteur in deze klucht was die geen tekst had gekregen.

'Achter in de gang,' zei Moshe, maar het viel Paul op dat hij niet meer lachte.

'Oké. Ik ben zo terug.' Hij maakte aanstalten om de deur uit te gaan. Moshe legde zijn hand op Pauls schouder. Paul voelde de scherpe nagels in zijn vlees boren.

'Schiet op,' zei hij. Zijn tanden waren geel en afgebrokkeld, iets wat

181

van een afstand niet te zien was geweest. Nu Paul zo dichtbij was dat hij hem kon ruiken, kon hij de fysieke erfenis zien van wat een armoedige, Russische jeugd moet zijn geweest.

'Natuurlijk. Ik moet alleen even plassen. Ik kom meteen terug.' Het klonk als een slechte uitleg – te veel informatie.

'Goed,' zei Moshe, ogenschijnlijk niets vermoedend. 'We hebben veel te doen, hè?'

'Ja. Veel te doen.'

Paul liep de deur uit, zich verzettend tegen de overweldigende aandrang om te hollen. Dat wil je immers doen wanneer je in levensgevaar verkeert? Het zit verankerd in je systeem – de behoefte om de benen te nemen en er als de bliksem vandoor te gaan.

Hij hoorde dat Moshe achter hem eveneens de gang in liep, kennelijk om zich ervan te overtuigen dat Paul naar het toilet ging, zoals hij gezegd had.

De wc was zo'n tien meter verderop in de gang. HOMBRES, stond op de deur – misschien hoorde dat bij het opschrift EL PRESIDENTE in de *Spaghetti Western Collection*.

Hij had geen plan toen hij zei dat hij naar het toilet moest. Hij had nog steeds geen plan.

Alleen een doel. En dat was hier levend uit te zien komen.

Hij voelde Moshe nog altijd achter zich in de gang. Hem nakijkend.

Hij ging het toilet binnen.

Het bevatte een wasbak, een smerig urinaal, en twee kleine hokjes.

Wat nu?

Zijn *telefoon.*

Hij kon de politie bellen. Hij kon hun vertellen dat hij bedreigd was, dat hij in de val gelokt was, dat hij in fysiek gevaar verkeerde.

Paul ging het eerste hokje in en sloot de deur. Daarna ging hij op de toiletbril zitten.

Hij pakte zijn telefoon en toetste 911 in – een getal dat nu voor altijd in verband werd gebracht met de datum met dezelfde cijfers.

Niets. De drie knerpende tonen die aangaven dat hij iets verkeerd had gedaan. Dat degene die hij wilde bellen was verhuisd, of een ander nummer had.

Hij keek naar het nummer op het schermpje.

811.

Oké, zenuwen. Hij toetste nog een keer in, zich afvragend of zijn mobiel in de trilstand stond en hij gebeld werd, omdat het toestel in zijn hand leek te beven. Nog terwijl hij het zich afvroeg, wist hij heel goed dat het niet zijn telefoon was die trilde.

Deze keer kreeg hij verbinding.

'Alarmcentrale. Wat kunnen we voor u doen?' Een vrouwenstem die vaag automatisch klonk.

'Ik ben in gevaar,' fluisterde Paul. 'Stuur alstublieft politie.'

'Wat is het probleem, meneer?'

Hij had haar toch net gezegd wat het probleem was?

'Die mannen... ze proberen me te vermoorden.'

'Gaat het om een inbraak, meneer?'

'Nee. Ik ben ergens... in een kantoor. Nee, geen kantoor... een pakhuis.'

'Bent u aangevallen, meneer?'

'Nee. Ja. Ze staan op het punt me aan te vallen.'

'Waar bent u precies?'

'Eh... in Little Odessa.'

'Little Odessa. Dat is in Brooklyn, meneer?'

'Ja, Brooklyn.'

'Wat is het adres precies, meneer?'

'Dat weet ik niet... ergens bij de...' Er klonken voetstappen in de gang. Paul hield op met praten.

'Mag ik uw naam, meneer?'

De voetstappen hielden vlak voor de deur stil. De deur ging open. Er kwamen twee mannen binnen, een van hen floot *Saturday Night Fever*. De kraan werd opengedraaid, een van de mannen begon zijn handen te wassen.

'*Meneer? Uw naam, meneer?*'

Iemand hoestte slijm op, spuugde het in de wasbak. De mannen begonnen te praten. Ze spraken in een vreemd mengelmoes van Russisch en Engels – zo te horen gingen ze lukraak van de ene taal op de andere over.

De man die zijn handen waste zei iets in het Russisch, daarna vroeg hij of iemand die Wenzel heette de *vig* betaald had.

De ander hield op met fluiten. 'Wat?'

'Wenzel. Heeft hij de *vig* betaald of niet?'

'O, ja hoor.'

'Verdomde GNP van Slowakije, zo is het toch?'

183

De andere man antwoordde in het Russisch, en ze begonnen beiden te lachen.

Daarna volgde wat heen en weer gepraat, voornamelijk in het Engels – *als je Yoeri ziet, zeg dan maar tegen die klootzak dat hij...* onderbroken door het geluid van een van de mannen die stond te plassen.

'*Meneer... bent u er nog...?*'

Paul zette de telefoon uit. Plotseling drong het tot hem door dat hij zijn adem had ingehouden vanaf het moment dat de mannen waren binnengekomen. Toen hij de lucht liet ontsnappen klonk het als de zucht van een net aangezette airconditioning.

Beide mannen draaiden zich om en keken naar het hokje. Dat gênante moment waarop je beseft dat er iemand is, dat diegene er al die tijd dat je met elkaar praatte, is geweest.

Paul kon alleen hun voeten zien onder de deur door. Ze droegen sportschoenen met felgekleurde, nylon strepen.

Een van de mannen zei iets in het Russisch.

Toen Paul geen antwoord gaf, schakelde hij over op Engels.

'Ben je je daar aan het aftrekken, Sammy?'

'Nee.'

Stilte. Ze herkenden de stem niet.

'Oké,' zei een van de mannen. 'Ik vroeg het alleen maar – wij zijn van de aftrekbewaking.' Ze begonnen te lachen, en daarna liepen ze de deur uit.

Paul wilde net weer gaan bellen, maar hij kon hen horen, door de gesloten deur. Iemand stond met hen te praten. Moshe?

Hij had zeker gevraagd of Paul daar binnen was.

Ja, zouden ze zeggen. Iemand zat zich in het hokje af te trekken.

Oké, dat gaf hem misschien vijf minuten. Minder, voor Moshe zelf binnenstapte, of een van zijn mannen op hem af stuurde. Om wat te doen?

Om Paul uit het hokje te sleuren en hem af te maken.

De telefoniste van de alarmcentrale had hem naar het adres gevraagd, maar dat wist hij niet. Ze zouden er voorlichtingsavonden over moeten houden – *als je ergens vermoord gaat worden, schrijf het adres op.* De *naam* ook; hij was de naam die op het dak van het pakhuis stond, vergeten.

Hij stond op en duwde de deur open. Er was één raampje. Hij schoof het open. Bijna. Halverwege bleef het klem zitten. Het leek erop dat het in geen jaren geopend was, althans niet van binnen uit – er lagen dode spinnen tussen het venster en de roestige hor.

En één niet-dode spin. Een zwarte, zo groot als Pauls duim, die hardnekkig in zijn met vliegen bezaaide web bleef zitten. Spinnen – alfabetisch weggestopt tussen *retrovirussen* en *teken* op Pauls lange lijst van dingen om bang voor te zijn.

Paul spoelde de wc door om het geluid te camoufleren, daarna gaf hij het raam een enorme duw. Het vloog open.

Eerst het belangrijkste. De spin.

Hij probeerde hem plat te drukken tegen de hor met een prop opgerold toiletpapier, maar de hor was zo verroest dat die eraf viel.

Goed. Heel goed – de spin was tegelijkertijd verdwenen.

Paul ging op de wasbak staan. Hij zette zich af en begon zich uit het raam te werken. Buiten zag hij het parkeerterrein aan de achterkant van het gebouw. Miles was nergens te zien. Alleen die rode Buick stond er nog; de man met de CCCP-tatoeage op zijn arm leunde tegen het linker voorportier en rookte een sigaret.

Als de man zich ook maar even naar rechts draaide, om aan zijn arm te krabben, of te spugen, of gewoon om zijn hals te strekken, had hij een perfect uitzicht op een doodsbange man die zich door een raampje perste.

Het deed er niet toe. Teruggaan was geen optie.

Het viel niet mee. Het raam was ongeveer zo groot als dat in het huis in Bogotá, het raam waar hij zijn armen uit had gestoken in een poging dat verbaasde schoolmeisje duidelijk te maken dat ze om hulp riepen. Hij riep nog steeds om hulp, maar als de rokende man hem zag zou hij die niet krijgen.

Blijf wrikken.

Het raamkozijn leek lagen van zijn huid weg te schrapen; waarschijnlijk zou hij bloeden. Hij herinnerde zich een scène uit *Animal Planet,* een enorme python die langzaam zijn huid afwierp. Kon hij dat maar – zijn verbrande, gehavende lichaam afstoten voor iets fris en nieuws. De roker gooide zijn peuk op de grond en bleef er enige tijd naar kijken – blijkbaar gehypnotiseerd door het rooksliertje dat er kringelend uit opsteeg.

Paul had zijn bovenlichaam naar buiten gewurmd, maar er was niets om zich aan vast te grijpen. Zijn dijbenen droegen zijn volle lichaamsgewicht. Hij had het gevoel dat hij letterlijk in tweeën zou breken.

Hij voelde iets kriebelen, onder op zijn rug. Hij draaide zijn hoofd om. *De spin.*

Zwart, harig, en teruggekomen. De griezel maakte een wandelingetje voor de spijsvertering op Pauls blote huid, waar zijn overhemd omhooggeschoven was.

Hij spande zich in met hernieuwde energie, met één nerveus oog op de spin.

Hij had de andere kant op moeten kijken.

Toen hij ten slotte zijn ogen op de man met de tatoeage richtte, staarde deze hem recht aan.

Hij was bij de auto vandaan gekomen en begon naar Paul toe te wandelen alsof hij probeerde het beter te kunnen zien. Wat eigenaardig – een volwassen man die uit een raam kruipt.

Hij kroop niet. Paul zat muurvast. Hij voelde de afzonderlijke, kriebelende haren op alle acht poten van de spin.

'Verrek, wat doe jij daar?' De man was ongeveer drie meter bij hem vandaan blijven staan. Een Russische beer. Hij had littekens op zijn arm, waar zijn spieren zo opbolden dat de getatoeëerde letters werden uitgerekt. Hij zag eruit als iemand op een poster tegen het gebruik van steroïden.

'Er zit een spin op me,' zei Paul. Het was het eerste wat hem te binnen schoot, waarschijnlijk omdat het, afgezien van de reus die voor hem stond, het belangrijkste was dat hij aan zijn hoofd had.

'Spin?'

'Ja. Ik raakte in paniek,' zei Paul.

'Hè?'

'Ik ben door het raam gesprongen.'

'Spin?' Hij begon te lachen. Oprecht, luidruchtig te lachen, als een ingeblikte publiekslach op de televisie. Het kon niet lang meer duren of de tranen zouden overvloedig over zijn wangen stromen.

'Bang voor een spin?' zei hij. 'Ha, ha, ha.'

Gelukkig, hij geloofde hem tenminste.

'Kun je me hieruit halen?' vroeg Paul.

De Rus waggelde naar voren en greep Paul bij zijn armen.

Paul voelde de enorme spierkracht van de man – onmenselijk, bijna mechanisch. Toen hij begon te trekken dacht Paul dat hij óf uit het raam zou schieten óf dat zijn armen uit de kom gerukt zouden worden. Fifty-fifty.

Maar opeens stond hij op de grond, met zijn armen intact.

Misschien was dat toch niet zo gunstig.

De man was naar links gelopen, waar hij met veel vertoon een groot brok cement pakte, dat van de voet van een parkeermeter afgebroken was en om de een of andere reden op het terrein lag. Hij woog het in zijn handen, daarna keek hij Paul aan met een eigenaardig lachje.

Paul deed een stap achteruit.

De man hield het ruwe brok cement boven zijn hoofd en begon in Pauls richting te lopen.

'Wacht...'

Hij wachtte niet.

De Rus liet het brok cement met volle kracht neerkomen. Ongeveer vijftien centimeter naast Pauls rechterschoen.

Hij lachte, tilde het op, bewonderde de smerige ster bruin bloed. Een paar spinnenpoten waren losgeraakt, maar ze bewogen nog steeds.

'Weg spin,' zei hij.

Voor Paul zich kon bewegen klonk er opeens geluid vanuit het toilet. Moshes gezicht staarde naar hem door het open raam.

Niemand zei een woord.

Moshe leek verward. Paul was blijkbaar zojuist uit het raam van het toilet gekropen, maar Moshe moest zich hebben afgevraagd hoe veel Paul feitelijk wist. Hij leek niet te weten als welke Moshe hij hier moest optreden. Als bezorgde vriend van een vriend, van plan om Paul te helpen zijn vrouw en dochter te redden?

Of als de man die was gevraagd om hem te vermoorden?

'Hij was bang voor spin,' zei Pauls weldoener, nog steeds geamuseerd door de hele kwestie.

Moshe deelde niet in zijn vrolijkheid. Hij keek naar Paul en hij zei: 'Wélke spin?'

'Op mijn rug,' zei Paul. 'Ik stond bij het raam en de spin viel bovenop me. Ik heb last van een fobie. Ik raakte in paniek.'

'Fobie?' Dat woord kende hij blijkbaar niet. Wat hij waarschijnlijk wél wist was wanneer iemand loog. Hij keek Paul recht in diens ogen – zoals goede pokerspelers naar het gezicht van hun tegenspelers kijken om te zien of ze bluffen. Hij kon het bijna voelen, alsof hij een klap kreeg.

Moshe zei iets in het Russisch, uit zijn mondhoek.

Wat?

Paul besloot niet af te wachten wat het betekende.

De man met de CCCP-tatoeage zou gemakkelijk in beweging kunnen komen om Paul met één trage klap tegen de grond te werken, of hem het brok cement uit zijn handen te slaan. Het brok dat hij had weggegooid en dat Paul had opgeraapt. Het moest als een volslagen schok overkomen dat iemand die bang was voor spinnen, in staat was iemand aan te vallen. De man bewoog zich niet tot het brok cement in contact kwam met zijn hoofd. Met een doffe klap sloeg hij tegen de grond.

Paul rende weg.

'Paul...' schreeuwde Moshe achter hem.

Hij zou nooit het terrein af kunnen komen. Hij had zich ontdaan van de steroïdengebruiker, dat wel, maar heel snel zouden er anderen komen. Veel anderen.

Hij hoorde geroep, het geluid van de laaddeur die openschoof.

Hij dacht: *mijn voorsprong is te klein; het is hopeloos.*

Maar soms heb je geluk.

Zoals iedere goede verzekeringsexpert je kan vertellen, kunnen de kansen soms keren. Kansen. Statistieken. Ze doen er niet toe. Je kunt er absoluut zeker van zijn dat, als je maar lang genoeg leeft, ze je op een dag van achteren aanvallen.

Of je op je mond kussen.

Zijn weg naar het openstaande hek leidde hem vlak langs de geparkeerde Buick. Zelfs op volle snelheid – oké, niet volgens de normen van Carl Lewis, maar wel volgens die van de gemiddelde weekendsporter, kon hij naar binnen kijken.

De sleutels bungelden in het contact.

Hij hield halt, rukte het portier open en gleed naar binnen. Hij draaide de sleutel om en drukte het gaspedaal diep in.

Hij scheurde het hek uit. Juist op het moment dat drie mannen hem achterna kwamen rennen.

Maar hun auto's stonden niet op het parkeerterrein.

Die stonden op *Ocean* of op *Rostow* geparkeerd, om de laaddeur niet te blokkeren.

28

In het licht van de vroege ochtend leek Miles' bakstenen huis in Brooklyn donkerder, dreigender.

Als de zwarte toren uit de sprookjes.

Paul had de nacht doorgebracht in zijn auto, die hij geparkeerd had op een verlaten plek onder de Verrizanobrug. Hij had ervan afgezien om naar zijn appartement terug te gaan, uit angst dat iemand hem daar opwachtte. Hij was wakker geworden toen een zwerver op zijn raampje tikte – starend naar wat zijn spiegelbeeld moest zijn.

Paul keek in de achteruitkijkspiegel om het te controleren. Ja, een waardige kandidaat voor het zwerverschap. Zijn huid was gelig. Zijn ogen waren waterig en bloeddoorlopen. Zijn hoofd deed pijn.

Hij bleef zich het waarom afvragen.

Hij had het gevoel dat hij de bizarre wereld was binnengegaan van de Superman-stripboeken die hij als kind had gelezen. Waar alles ondersteboven was, binnenstebuiten. Waar mensen die je vrienden schenen, het niet waren. Waar je geen enkele aanwijzing had.

Een deel van zijn rationele brein bleef hem vragen of hij zich vergist zou kunnen hebben. In alles. Of hij verkeerd kon hebben begrepen wat Maria door de telefoon had gezegd. Of hij twee en twee bij elkaar had opgeteld en op vijf was uitgekomen.

Misschien hád Miles Pablo ingehuurd. Misschien was het gesprek dat Miles woensdagavond met Maria had gevoerd, haar gewoon ontschoten?

En Moshe? Misschien had hij niets anders dan een onschuldig grapje gefluisterd tegen de steroïdengebruiker. Iets over de spin – over verzekeringsexperts met gekke fobieën.

En die mannen die hem achterna waren gekomen? Waarom niet, als hij zojuist een van hun collega's een klap op zijn hoofd had gegeven. Misschien.

Hij kon echter maar niet vergeten hoe Moshe vanuit de deuropening van zijn kantoor naar hem had gekeken – dat lachje, druipend van verkillende onoprechtheid. De manier waarop Moshe hem had nagekeken toen hij door de gang naar het toilet liep, alsof hij zijn prooi bewaakte.

En Miles was zijn auto gaan verplaatsen, maar hij was nooit teruggekomen.

De buurt begon te ontwaken.

Mensen druppelden uit hun huizen – jongeren, ouderen, zelfs bejaarden. In tegenstelling tot Miles waren dit mensen die God niet durfden te beledigen, ook al schrikten ze een of twee cliënten af. De mannen hadden lange pijpenkrullen die tot op hun schouders vielen, als Victoriaanse kapsels. Ze droegen allemaal zwarte keppeltjes. Ze moesten op weg zijn naar de synagoge, dacht Paul, zich plotseling realiserend dat het zaterdag was.

Achttien uur en vier dagen.

In Miles' huis bleef het opvallend stil.

Paul wachtte nog twintig minuten, tot acht uur, een redelijk tijdstip om wakker en alert te zijn.

Hij stapte uit en liep naar de stoeptreden.

In een flits dacht hij iets te zien bewegen achter het raam van de zitkamer, licht en ongrijpbaar, als de schaduw van een vlinder.

Nadat hij had aangeklopt, hoefde hij slechts tien seconden te wachten voor Rachel de deur opendeed.

Ze was op haar zaterdags gekleed, haar pruik stevig op zijn plaats onder een zwarte hoed met brede rand, blijkbaar gereed om zich bij de menigte aan te sluiten die op weg was naar het ochtendgebed. Vragend keek ze hem aan, waarna ze deed of ze op haar pols zonder horloge keek.

Ja, het was een beetje vroeg voor bezoekers.

'Hallo,' zei Paul, zo normaal als hij kon opbrengen. 'Is Miles thuis?'

Het was een overbodige vraag, leek Rachels gezicht te zeggen. Waar zou Miles op zaterdagochtend om acht uur anders zijn dan thuis?

'Hij voelt zich niet goed. Ik stond op het punt met de kinderen naar de sjoel te gaan, meneer Breidbart. Verwacht hij u?'

Goede vraag, dacht Paul.

Toen Miles Rachel vanachter de deur vroeg *wie is daar*, en slaperig in zicht kwam zonder op antwoord te wachten, besloot Paul dat het antwoord *nee* was.

Hij verwachtte hem niet.

Hij keek verrast, geschokt zelfs. Het zou niet onjuist zijn een afgezaagd cliché te gebruiken en te zeggen dat Miles keek of hij een geest zag. Hij zag er niet naar uit dat hij zich goed voelde, maar het zien van Paul had zijn toestand duidelijk verergerd.

Miles herstelde zich. Misschien nam zijn advocateninstinct het over; in elk geval nam hij zijn toevlucht tot de uitdrukking die van hem verwacht zou worden als een van zijn cliënten in de rechtszaal zojuist een moord had bekend.

'Paul,' zei hij, met een namaaklachje op zijn gezicht geplakt. 'Ik heb je gezegd dat ik altijd beschikbaar ben, maar dit is belachelijk, vind je niet?'

Oké, dacht Paul, applaus voor dapperheid in de vuurlinie.

Iets zat Paul dwars – afgezien van wat voor de hand lag.

Denk na.

Miles had hem meegenomen naar Little Odessa, om hem te laten vermoorden. Paul had iemand neergeslagen, een auto gestolen en hij was ontkomen. Moshe moest Miles *gebeld* hebben met dat nieuws.

Waarom was hij dan zo geschrokken bij het zien van Paul die levend en wel voor hem stond?

'Ik heb een probleempje gehad,' zei Paul.

Rachel stond tussen hen in als een scheidsrechter die niet begrijpt dat de wedstrijd is begonnen. 'Je moet naar boven gaan en wat rusten,' zei ze tegen Miles, met juist voldoende nadruk om duidelijk te maken wat zij, als zijn vrouw, ervan dacht. Zaken waren zaken, maar dit was zijn vrije dag.

'Een probleempje?' was Miles' reactie. Hij negeerde de opmerking van zijn vrouw. 'Tussen twee haakjes, sorry dat ik gisteren werd weggeroepen. Heeft Moshe het je verteld?'

Wat belangrijker is, dacht Paul, heeft Moshe het *jou* verteld? En zo niet – waarom niet? Voor de vijftigste keer die ochtend vroeg Paul zich af of het mogelijk was dat hij zich vergiste. Hij zou er alles voor gegeven hebben als dat het geval was.

Rachel schraapte haar keel.

'Al goed, schat,' zei Miles. 'Ik beloof je dat ik, nadat ik met Paul heb gesproken, echt lang ga rusten.'

Miles zag ernaar uit dat hij die rust kon gebruiken. Hij leek koortsig en moe, alsof hij in geen dagen had geslapen. Evenals Paul.

Rachel was duidelijk niet blij met Pauls onaangekondigde bezoek, maar zwijgend gaf ze toe. Ze riep haar jongens.

Zonder veel enthousiasme liepen ze achter hun moeder aan de stoeptreden af.

Wat nu?

Miles zei: 'Kom binnen.'

Hij nam Paul mee naar de bekende rommel in zijn werkkamer. 'En, wat zei Moshe? Kan hij je helpen?'

Paul wilde Miles nog steeds wanhopig graag geloven.

Hij wilde zich verontschuldigen omdat hij die man met een brok cement op zijn hoofd had geslagen, en omdat hij een auto had gestolen. Hij wilde zich vastklampen aan het beeld van een Miles die samen met hem de dood had getrotseerd in het moeras bij Jersey City.

Hij kon het gezicht dat Miles aanvankelijk bij de voordeur had getrokken, niet van zich afzetten. Zijn verrassing, omdat Paul *leefde*. Miles *wist* wat Paul in dat pakhuis te wachten had gestaan. Paul mocht zich in al het andere vergissen, maar hierin had hij gelijk.

'Wat is er aan de hand?' vroeg Miles, nog steeds de vriendelijke, hulpvaardige advocaat. 'Je zei dat je een probleempje had? Wat is er gebeurd?'

'Maria heeft me gebeld,' zei Paul. Na die simpele opmerking bleef hij zwijgen.

'Maria?' was het enige wat Miles zei.

Paul zag dat de telefoonhoorn die Miles had gebruikt om Maria Consuelo te bellen – of *niet* te bellen, naast het toestel lag. Toen schoot hem iets te binnen.

Ze mochten geen telefoongesprekken voeren van vrijdagavond na zonsondergang tot zaterdagavond na zonsondergang.

Orthodoxe voorschriften.

Miles dacht dat Paul dood en begraven was, omdat Moshe hem niet had kunnen bellen om hem te vertellen dat het niet zo was.

'Die avond, toen je de telefoon pakte en Maria belde?' zei Paul. 'Toen héb je haar helemaal niet gebeld. Je deed maar alsof.' Paul sprak opzettelijk langzaam, zodat Miles volledig doordrongen zou zijn van het belang van zijn woorden. 'Als Maria me niet had gebeld en me dat had verteld, zou ik met je vriend dat kantoor zijn binnengewandeld. Ik ben ervan overtuigd dat ik niet naar buiten zou zijn gewandeld.'

Alle kleur leek uit Miles' gezicht weg te trekken. Hij zag eruit als een lijk.

'Jij bent verzekeringsexpert,' zei Miles, 'ja, toch?'
'Ja.'
'Oké. Hoe staan je kansen ervoor dat je hier levend vandaan komt?'
Hij richtte een pistool op Pauls hoofd.
Het wapen kwam plotseling vanachter het bureau tevoorschijn; hij moest het uit een lade hebben gepakt.
'Ik zal je de feiten geven,' zei Miles. 'Zo werken jullie immers? Eerst feiten, dan cijfers. Dit is een *Agram 2000*. Vervaardigd in Kroatië, een automatisch wapen. Het is van een eerlijke KGB-moordenaar geweest – tenminste, dat heeft Moshe me verteld. Ze gebruikten de Agram graag omdat die klein genoeg is om in je zak te steken, maar loepzuiver schiet tot op zeven meter. Meer feiten. We zijn alleen – mijn vrouw en mijn zoons bidden tot een rechtvaardige en goedertieren God. En dat grappige ding aan het eind van de loop? Een geluiddemper. Niemand zal het horen als ik je neerschiet. Goed, hoe schat je nu je kansen in?'
'Slecht,' zei Paul. En ze werden met de seconde slechter, dacht hij.
Miles hield met moeite zijn hand stil – de hand met de Agram 2000.
'Waarom?' vroeg Paul.
Even leek het erop dat Miles hem niet had gehoord; hij scheen naar iets anders te luisteren. Hij stond op, liep naar het raam, gluurde om het gordijn heen – en al die tijd slaagde hij erin het pistool min of meer op Paul gericht te houden.
'Heb je daar iemand gezien?' vroeg hij.
'Iemand? Wat bedoel je?'
'Wat ik bedoel? Ik bedoel, heb je buiten iemand gezien? Iemand die, bijvoorbeeld, geen keppeltje droeg? Laat maar. Het doet er niet toe.'
Hij liep terug naar het bureau en ging weer zitten.
'Waarom?' vroeg Paul nogmaals.
'Waarom? Je klinkt als een klein kind. Waarom denk je?'
'Geld.'
'Geld. Ja, zeker, geld maakt er deel van uit. Heb je ooit op iets gewed, Paul?'
'Wat?'
'Heb je ooit op iets gewed? Zal wel niet. Stomme vraag. Het druist waarschijnlijk in tegen de *verzekerings*code.
Herinner je je de onverslaanbare Buffalo Bills?'
Paul kon zich niets herinneren, behalve het pistool dat op zijn hoofd gericht was.

'Mijn eerste kolossale blunder. Je weet dat je grof kunt inzetten als je het lef hebt. Als je het maar weet. Niet die irritante punten waarmee je rekening moet houden. Maar je moet drie keer inzetten om één keer te winnen. Dat is goed. Ik was er zeker van. Ik wíst het. Mijn geloof schrijft één ritueel bad per jaar voor. Dat was het mijne.'
'Je verloor.'
'O, ja. Weet je zeker dat je niemand gezien hebt, Paul? Iemand die langs het huis reed, misschien?'
'Nee.'
'Goed.'
'Je zei dat je hier en daar geld op inzette,' zei Paul. 'Om het interessant te houden.'
'Ik heb gejokt. Het is interessanter wanneer je om veel geld wedt. Ik zal je vertellen hoe ik ermee begonnen ben. Op een dag zat ik bij de telefoon te wachten. Weet je waarop?'
'Nee.'
'Ik wist het ook niet. Op iets. Toen de telefoon overging en ik opnam, zei de persoon aan de andere kant: meneer Goldstein, dit is uw geluks-dag. Het was zo'n klantenlokker. Het Orakel van Delphi van deze generatie. Ze laten je de eerste keer voor niets meespelen, om te laten zien hoe geweldig ze kunnen voorspellen. Ze deden het geweldig – die dag. Ik won. Ik won zelfs nog een keer. Dat is het probleem. Je begint je zo ongeveer almachtig te voelen. Je vergeet dat dát alleen van toe-passing is op de Man hierboven. Ik begon een persoonlijke manier van spelen te ontwikkelen. Ik zette meer in dan ik in werkelijkheid bezat.'
Buiten startte iemand een auto. Miles draaide zijn hoofd met een ruk naar het raam, de knokkels van zijn hand met het pistool werden op-eens wit.
'Het is maar een auto,' zei Paul.
'Natuurlijk. Het is maar een auto. Iedereen lóópt tijdens de sabbat.'
Hij hield één oog op Paul gericht en het andere op het raam, althans tot hij het geluid van de automotor langzaam hoorde wegsterven op straat.
'Verwacht je iemand?'
'Ja. Ik verwacht iemand. Ik weet alleen niet precies wanneer ik hem kan verwachten. Binnenkort, vrees ik.'
Miles sloot zijn ogen en hij veegde zijn voorhoofd af.
'Mijn bookmaker had niet veel begrip voor me, Paul. Omdat ik het

geld niet had. Wat waren de kansen dat hij gezegd zou hebben, geen probleem, en me met een schone lei had laten beginnen? Kom op, Paul... cijfers?'

'Ik weet het niet.' Paul bleef hem antwoord geven, telkens weer, alsof ze in die auto zaten in New Jersey en over koetjes en kalfjes praatten. Alsof het lievelingswapen van de Russische KGB niet op zijn hoofd was gericht. Misschien zou hij een briljant idee krijgen.

'Weet je het niet? Toe nou. Je hebt hem ontmóét. Moshe, de Russische zakenman. Tussen twee haakjes, hij doet niet echt veel zaken met de Colombianen. Dat hoeft hij ook niet. Hij heeft er genoeg werk aan om mijn weddenschappen voor me te plaatsen.'

Paul dacht terug aan het gesprek dat hij in het toilet had afgeluisterd. Heeft Wenzel de *vig* betaald, had een van de mannen gevraagd. *De verdomde GNP van Slowakije.* En ze hadden beiden gelachen.

'Overigens, weet je hoe de Russen de Colombianen noemen?'

Paul schudde zijn hoofd.

'*Amateurs.*' Hij glimlachte, en hij wiste zijn voorhoofd weer af. 'Weet je waarom Moshe me zijn joodse lievelingsadvocaat noemde, daar in dat pakhuis?'

'Nee.'

'Omdat andere joodse advocaten geld van hem *afnemen*. Ik ben de uitzondering. Ik ben de sukkel die blijft geven. Het probleem was, dat ik Moshe verschuldigd was wat ik niet *heb*. Hoe lagen de kansen voor me om daar onderuit te komen?'

Paul berekende andere kansen – hij probeerde de afstand tot de deur in te schatten, hij vroeg zich af hoe veel tijd het hem zou kosten om de voordeur van het huis te bereiken, als hij levend uit de werkkamer kon ontsnappen.

'Je bent er nog steeds,' zei Paul.

'Ja. Ik ben er nog steeds. Je kunt slim zijn en je kunt geluk hebben. Ik had beide nodig. Ik spreidde mijn armen en wachtte op manna uit de hemel. En dat kreeg ik.'

'Hoe?'

'*Hoe?* Dat probeer ik je nu aldoor te vertellen.' Het pistool zwaaide nog steeds heen en weer – en steeds merkte Miles het, met een ietwat schaapachtig gegrinnik, en dan probeerde hij het weer te richten.

'Je wilt me niet neerschieten,' zei Paul.

'Nee? Dat is vreemd. Dat is echt vreemd. Zie je, de strop is weer om mijn hals gelegd. Niet door jou – jij bent alleen *lastig*. Het zijn die schoften met de uzi's en de kerosine, waar ik me zorgen om maak. Ze hebben mijn auto doorzocht – ze weten waar ik woon. Ze ruiken bloed. Ze beginnen de stukjes in elkaar te passen. Ik *weet* het. Ze komen dichterbij.'

'*Welke* stukjes in elkaar te passen?'

'Misschien *zijn* het amateurs, bij de Russen vergeleken, maar niet zulke slechte. In het leger moordenaars kunnen we hen divisie 1 noemen. Ik ben er gloeiend bij.'

Miles leek ook te gloeien. Het zweet droop van zijn gezicht. Paul vroeg zich af of de vinger die Miles aan de trekker hield ook zweette, of die per ongeluk zou kunnen wegslippen.

'Ik begrijp het niet,' zei Paul.

'Dat weet ik.'

'Die kerels in het moeras. Je zei dat het Manuel Riojas' mensen waren. Wat heeft hij tegen je?'

'Hoe zijn de kansen dat die arme, kleine Paul daar ooit achter komt? Laten we maar zeggen dat geen enkele goede daad onbestraft blijft.'

'Welke goede daad?'

'Oké. Geen enkele slechte daad blijft ongestraft.'

'Ik be...'

'*Hij die één kind redt, redt zijn eigen hachje.*'

Het leek alsof Miles in fragmenten sprak, met Paul die één stap achter hem bleef om elk stukje op te rapen en wanhopig te proberen ze aan elkaar te lijmen.

'Je zei dat alles goed was met Joanna en Joelle.' Miles had gelogen over zijn gesprek met Maria. Waarover nog meer? 'Is dat zo?'

Miles leek een seconde nodig te hebben om zich te herstellen, zich te concentreren op de vraag die hem gesteld was, en die te beantwoorden.

'Ja, hoor,' zei hij. 'Naar omstandigheden. Dat spijt me. Van je vrouw en kind. Niet mijn schuld – niet helemaal. Het was niet de bedoeling dat het zo zou lopen. Daarmee kan ik je niet helpen. Ik wilde dat ik het kon.'

'Miles...'

'Uh-uh.' Miles wuifde naar hem met zijn pistool. 'Mijn beurt. Ik heb nog één vraag voor je. De laatste, eerlijk. Het is niet eens een vraag op verzekeringsgebied. Klaar – pen en papier bij de hand?'

Paul bereidde zich erop voor zich op de deur te storten. Of op het bureau. *Kies maar.* Hij had niets te verliezen.

'Weet je wat de grootste zonde is voor een orthodoxe jood – behalve dan met een *sjikse* trouwen, natuurlijk?'

'Nee,' zei Paul.

'Ja, dat weet je wel.'

Paul was pas halverwege het bureau toen de kogel uit de loop vloog en het deel van de hersenen binnendrong waar het geheugen en de sociale vaardigheden huizen, om daarna uit te treden via de nek en zich te begraven in de band van het *Adoptiereglement van de staat New York.* Hij was naar Miles toe gesprongen omdat hij dacht dat dát hem het meest zou verrassen.

Hij had zich vergist.

Miles had hem het eerst verrast.

De grootste zonde voor een orthodoxe jood?

Niet moord.

Nee.

Ik beloof je dat ik, nadat ik met Paul heb gesproken, echt lang ga rusten, had hij tegen zijn vrouw gezegd.

Hij had zich aan die belofte gehouden.

29

Het was een van die zeldzame keren dat Joanna werd toegestaan haar baby na de middagvoeding bij zich te houden, haar in slaap te wiegen en naar haar te blijven kijken.

Toen ze in haar kamer terugkwam, waren Maruja en Beatriz weg.

De laatste tijd waren er geruchten geweest. Er hing iets in de lucht. Een mogelijke uitwisseling van gevangenen, of losgeld dat contant zou worden betaald. De laatste keer dat Maruja haar man op televisie had gezien, had hij gezinspeeld op een ophanden zijnde vrijlating.

Joanna had Maruja erop betrapt dat ze bad met de rozenkrans in haar handen, die ze had gekregen van een van de guerrilla's – Tomas met de trieste ogen, die in het geheim religieus was. Hij had de rozenkrans gemaakt van stukjes kurk, en hij gaf haar die nadat ze hem om een bijbel had gevraagd.

De man die ze *el doctor* noemden, die hen periodiek bezocht als een plichtsgetrouw huismeester die zijn ronde doet, had Maruja en Beatriz verteld dat ze misschien binnenkort een reisje gingen maken, en hij had daarbij naar hen geknipoogd.

Joanna had het gevoel dat ze uit twee mensen bestond. De ene was dolblij voor Maruja en Beatriz; ze waren als zussen geworden en ze voelde mee met hun verdriet, omdat ze al zo lang van hun kinderen en hun familie gescheiden waren.

De andere Joanna was dieptreurig, verlaten en jaloers.

Nu waren Maruja en Beatriz weg.

De kamer ademde een sfeer uit van eenzaamheid, van mensen die hun spullen hebben gepakt en zijn vertrokken. Het was er pas schoongemaakt, de matras was opgeschud en gekeerd, de vloer was geveegd. De weinige kleren die Maruja en Beatriz geleidelijk hadden verzameld – afdankertjes van de kinderen, zoals Beatriz hun bewakers noemde, van wie de meesten ook jongens waren – was opvallend afwezig. Beatriz had een provisorische kleerkast gemaakt van twee melkkratten – toen

Joanna erin keek lag er alleen nog het sweatshirt met het logo van het Colombiaanse nationale voetbalelftal, dat Maruja haar zo vriendelijk had gegeven.

Joanna ging in de hoek zitten en ze begon te huilen.

Ongeveer een uur later klopte ze op de deur, om te vragen of ze *el doctor* mocht spreken. De deur werd geopend door Tomas, die nog melancholieker keek dan anders. Hij toonde geen enkele reactie. Maar een paar uur later klopte *el doctor* aan de deur, waarna hij de kamer binnenstapte.

'Ja?' zei hij, haar die flitsende, edelmoedige glimlach schenkend die Joanna niet vond passen bij een man die haar gevangen hield.

'Waar zijn Maruja en Beatriz?' vroeg Joanna.

'Ah. Goed nieuws,' zei hij. 'Vrijgelaten.' Alsof hij zich al die tijd voor hen had ingezet.

'O,' zei ze. 'Dat is geweldig.'

'Ja.' Zijn lach werd nog breder. 'De volgende. Jij.'

Joanna stond zichzelf toe hem te geloven – heel even maar.

'En mijn baby.'

'Ja, natuurlijk. Baby's horen bij hun moeders.'

'En Rolando?' vroeg ze.

De doctor negeerde die vraag. In plaats daarvan keek hij de sobere kamer rond. 'Je hebt nu meer ruimte, ja?'

Joanna knikte.

'Goed.'

De eerste nacht N.B. – Na Beatriz – kon Joanna niet slapen. De matras, die altijd zo klein had geleken, maar wel gezellig warm, voelde nu onbehaaglijk ruim en ijskoud aan. Er hing een vreemde, weeïge lucht in de kamer. Ze werd wakker, snakkend naar gezelschap. Ergens ging dat over in iets tastbaarders.

Ze klopte op de deur en vroeg om water.

De bewaakster met het lange, zwarte haar deed de deur open. Ze had naar de televisie zitten kijken, waar een sombere nieuwslezer iets oplas van een vel papier.

Toen ze water voor Joanna ging halen, zorgde ze ervoor eerst de tv uit te zetten.

Het water, dat lauw was en zurig, hielp haar niet om in slaap te vallen. Ze lag met wijdopen ogen naar het plafond te staren. Maruja had een massa sterren op het gewitte plafond getekend met een viltstift. Een manier om de muren van hun gevangenis open te breken en een zielige illusie van vrijheid te creëren.

Joanna drukte haar hoofd in de matras en wenste egoïstisch dat Maruja weer naast haar lag.

Die lucht. *Wat was dat toch?*

Het leek nu sterker. Ze besloot dat het de matras moest zijn. Ze hadden die omgedraaid in een onhandige poging om het er netjes te laten uitzien, maar de kant waar ze op sliep, of althans op probeerde te slapen, had heel lang op de vuile vloer gelegen. Het was ook de afwezigheid van een geur, dacht ze, de vertrouwde geur van de vriendinnen die ze miste.

Ze stond op, keerde de matras om, en daarna ging ze weer liggen.

Ze merkte het niet meteen.

Het was te donker in de kamer. Het duurde even voor haar ogen gewend waren aan de duisternis en aan het feit dat de lucht, in plaats van frisser te worden, geleidelijk aan viezer werd.

Joanna draaide zich eerst op haar linker-, daarna op haar rechterzij. Ze ging zelfs andersom op het bed liggen. Ze drukte haar gezicht in het schuimrubber en ze begon bijna te kokhalzen.

Met een ruk ging ze rechtop zitten en staarde naar de plek op de matras waar haar hoofd enkele seconden geleden had gerust.

Het leek op een Rohrschach-test. Zo een waar je naar een ordeloze mengeling van kleur en schaduw moest kijken om ten slotte de verborgen afbeelding erin te vinden.

Bloed. Een grote, onregelmatige vlek.

Niet zo'n vlek die afkomstig is van een sneetje of een bloedneus. Nee. Een vlek die bijna zo groot was als een mensenhoofd.

Ze deed haar ogen dicht en stak een vinger midden in het roestige bruin. Het voelde vochtig aan, als aarde uit een kelder. Toen ze naar haar vingertop keek, zat er een bruine vlek op.

Wankelend ging ze staan. Ze waggelde als een dronkeman door de kamer, opgejaagd door groeiende angst en paniek.

Daarna begon ze wild op de deur te bonzen.

Tomas weer. Ze wilde hun namen hardop uitspreken – om ze duidelijk en onmiskenbaar te laten klinken. Maar toen zag ze iets uit zijn broekzak bungelen.

De rozenkrans van kurk. Die hij aan Maruja had gegeven, en waarvan ze gezworen had dat ze die altijd zou bewaren als een eeuwigdurend symbool van geloof, hoop, en koppig overleven.

Joanna wachtte tot hij de deur achter zich had gesloten, toen liet ze zich op de grond zakken en begroef haar gezicht in haar handen. Daarna schreeuwde ze zo hard ze kon.

Ze wisten dat ze het wist.

Van Maruja en Beatriz.

Ze had het hun waarschijnlijk zelf verteld, telkens wanneer ze opsprong als een van hen de kamer binnenliep of bij haar in de buurt kwam. Ze bleef zich afvragen wie van hen de trekker had overgehaald, het mes had getrokken. Was het Tomas, die de laatste tijd tobberiger keek dan ooit? Of Puento, die een geweer op Joelle had gericht toen ze lag te krijsen tijdens haar longontsteking? Of beiden.

Ze moest zichzelf elke keer geruststellen met de gedachte dat ze niet voor haar waren gekomen.

Ze wist volkomen *zeker* dat ze wisten dat zij het wist, toen *el doctor* binnenkwam en zich verontschuldigde omdat hij haar aan de muur moest vastketenen.

Hij leek het oprecht te betreuren, maar hij legde uit dat het voor haar eigen bestwil was.

'Als de USDF-patrouilles beginnen te schieten,' zei hij, 'ben je zo veiliger, nietwaar?'

Nee. Joanna vroeg hem, één keer maar, om het niet te doen. Alsjeblieft niet.

Met een zucht haalde hij zijn schouders op. Het lag niet aan hem, verklaarde hij. Het was alleen voor 's nachts, dat was alles.

Ze maakten het ene eind van de ketting vast aan een allang defecte radiator. Het andere eind ging om haar linkerbeen.

Lichamelijk had ze er geen last van – de pijn was psychisch. Het benadrukte haar toestand. Ze zat nu letterlijk achter slot en grendel.

Een van hen kwam haar elke ochtend losmaken. Joanna durfde bijna geen adem te halen voor dit ritueel afgewerkt was. Dan wist ze dat ze althans nog één ochtend zou blijven leven. Dan kon ze beginnen uit te zien naar het moment om Joelle te voeden. Van het ene uur in het andere leven eiste zijn tol. Ze was voortdurend schrikachtig, huilerig en uitgeput. Er waren momenten dat ze merkte dat ze niet kon ophouden met trillen.

Toen ze tegen Galina zei dat ze ervan overtuigd was dat Maruja en Beatriz vermoord waren, schudde Galina haar hoofd en zei dat ze vrijgelaten waren.

'Ze zijn niet vrijgelaten,' zei Joanna. 'Tomas heeft haar rozenkrans. Die zou ze nooit achterlaten. Het meisje zette de tv uit, die avond toen ze me zag kijken. Er zat bloed op de matras. Ik weet het.'

Galina wilde niet luisteren. Ze hield zich doof.

Het was om gek van te worden. Het was om ziek van te worden.

Het werd duidelijk dat met Galina over bepaalde dingen praten hetzelfde was als praten tegen een muur. Joanna wist hoe dat was, omdat ze tegen haar muur praatte in plaats van tegen Maruja en Beatriz. Ze dacht dat het iets normaler was dan tegen zichzelf praten.

Soms werd de muur iemand die ze kende. Paul. Van tijd tot tijd probeerde ze zich voor te stellen waar hij was – in een gevangenis in Florida, wegens drugssmokkel? Dood? Wanneer ze erg bang was, beeldde ze zich in dat hij hier bij haar was, en vertelde ze hem over haar dag.

Soms gaf Paul antwoord.

Wat is er gebeurd?

Ze hebben mijn vriendinnen vermoord.

Misschien vergis je je.

Nee. Er zat bloed op de matras. Ik ontdekte het de dag waarop ze verdwenen waren.

Misschien heeft een van je vriendinnen zich gesneden.

Het was veel bloed. En Maruja heeft iets achtergelaten.

Maar toch.

Je moet me geloven. Soms denk ik dat ik gek word, maar ik word niet gek.

Oké, ik geloof je.

Ik ben nu bang. Elke dag ben ik bang.

Blijf sterk. Je bent Xenia, mijn krijgshaftige prinses, weet je nog? Bovendien, ik kom je halen.

Wanneer? Ik wil naar huis, Paul.

Binnenkort, lieverd.

Wanneer?

Binnenkort.

Ze voeg Tomas naar de rozenkrans.

'Die heeft Maruja je zeker teruggegeven toen je haar liet gaan,' zei Joanna.

Tomas gaf geen antwoord. Maar toen Joanna om de rozenkrans vroeg, gaf hij die aan haar.

Ze had opgelet hoe de deur werd afgesloten. Aan de andere kant werd een sleutel omgedraaid en dan schoof een kleine grendel in het slot. Dat was alles. De houten deurpost was oud en er zat houtworm in.

Joanna haalde één kurk van de rozenkrans. De kurk was een beetje kneedbaar, als half geharde klei.

Toen Galina haar de volgende ochtend kwam halen om Joelle te voeden, duwde ze met haar duim het stukje kurk in het sleutelgat.

Die avond lette ze goed op toen een van de bewaaksters de kamer uit ging, de deur achter zich sloot en plichtsgetrouw de sleutel omdraaide. Ze wachtte op de *klik*. Die kwam niet.

Een toenemende opwinding nam bezit van haar. Een warme gloed, als een flinke slok cognac.

Maruja had sterren op het plafond getekend om uit de gevangenis te zijn, maar ze was in haar bed vermoord.

Dit was beter.

Ze zat echter nog steeds vastgeketend aan de muur. En ze kon niet weggaan zonder haar baby.

De vraag was, wat ze nu moest doen. Ze was niet op een ochtend wakker geworden met een plan om te ontsnappen. Ze had niet de strategie besproken met de muur. Ze had deze eerste stap gezet en gezegd, als dit goed uitpakt gaan we verder.

Toen gebeurde er iets, iets wat twee belangrijke obstakels tegelijkertijd uit de weg ruimde.

Joelle werd weer ziek.

Deze keer alleen een ernstige verkoudheid, genoeg om te maken dat ze snufte, prikkelbaar was en lichte koorts had.

Joanna vroeg Galina of ze Joelle bij zich mocht houden. De hele nacht, zoals die keer toen Joelle longontsteking had en ze uren achter elkaar met haar heen en weer had gelopen.

Galina vond het goed.

Daarna vroeg Joanna haar nog iets. Konden ze de ketting losmaken? Als Joelle in slaap gewiegd moest worden. Als Joanna met haar door de kamer zou moeten lopen? Dan zou het geweldig helpen als ze niet vastgeketend zat aan de radiator.

Op dat punt leek Galina minder tegemoetkomend.

Joanna bleef pleiten, en ten slotte zei Galina dat ze met de bewaker zou praten.

Het was Tomas. Misschien vond hij haar nu aardiger, nu ze gelovig was geworden. Misschien wilde hij goedmaken dat hij haar vriendinnen had vermoord. Hij zei, goed. Vannacht geen ketting.

Toen hij de deur achter zich dichttrok en de sleutel omdraaide, hield Joanna haar adem in.

Geen klik.

Dat was het dan. Ze had een stap gezet, daarna nog een, en nog een en plotseling had ze een deur bereikt. Die verlokkend open was.

Even vroeg Joanna zich af of ze er echt doorheen zou kunnen komen. De bloedvlek op de matras spoorde haar aan, maar hield haar ook tegen. Als het mislukte zouden ze haar vermoorden omdat ze het geprobeerd had. Als ze bleef, zouden ze haar uiteindelijk toch doden. *Moed.*

Ze wachtte uren, tot haar ingebouwde klok haar vertelde dat het omstreeks twee uur 's nachts moest zijn. Ze kon er redelijk zeker van zijn dat er niemand voor de deur zat – toen ze die natte doek nodig had, midden in de nacht, had ze vijf minuten op de deur moeten bonzen voor Puento reageerde.

Op haar tenen sloop ze naar de deur en drukte haar oor tegen het hout. Niets.

Ze draaide de knop om.

Die bewoog niet. Heel even zei ze bij zichzelf: oké, ik heb me vergist. De kurk heeft *niet* geholpen. De deur is nog afgesloten. Ik zit gevangen.

Daarna drukte ze iets harder.

De knop draaide.

De deur ging op een kier open.

Het leek op een deur in een film over een spookhuis – de deur die je niet mag openen, maar die je toch opent. De deur waarachter iets gevaarlijks op de loer ligt.

Er was niets.

De gang was leeg.

Sinds ze haar voor de wandeling naar de kamer waar ze Joelle voedde, niet meer hadden geblinddoekt, had ze genoeg gezien om te weten hoe het huis in elkaar zat. Rechts van haar waren de keuken, de kamer met Joelle, het vertrek waar ze Rolando opgesloten hielden – als hij er tenminste nog steeds was.

Links – vrijheid.

Joelle sliep onrustig in haar armen. Ze kreeg spookbeelden voor ogen dat de baby wakker zou worden en zou gaan huilen – het beste alarmsysteem dat een FARC-bewaker zich kon wensen. Ze zou zich heel langzaam en heel voorzichtig moeten bewegen. Centimeter voor centimeter.

Toen ze de gang in stapte kreeg ze het gevoel of ze zich door iets tastbaars bewoog – een sciencefiction krachtveld. Ze bleef staan en haalde diep adem. Daarna sloeg ze linksaf, ze sloop door de gang, met kleine, schuifelende stapjes tegelijk, tot ze kwam bij wat de buitendeur moest zijn – de deur waardoor ze haar geblinddoekt en doodsbang naar binnen hadden gebracht.

Ze was nog steeds doodsbang.

Ze duwde de deur open.

30

Een baan. Atomen hebben een baan. Elektronen en neutronen. Levens ook.

De baan van de kogel die Miles had gedood, die hem in elkaar had laten zakken, eigenaardig vredig, met de Agram 2000 nog stevig in zijn hand geklemd, was door zijn nek gegaan en recht in een van de dikke, stoffige boeken blijven steken die het grootste deel van zijn boekenkast in beslag namen. *Adoptiereglement van de Staat New York.* De snelheid van de kogel had een groot aantal andere boeken op de grond doen belanden, de pagina's lagen verspreid als confetti.

Paul lette er eerst niet op. Baan.

Hij stelde zich een onregelmatige baan voor die hij zelf beschreef. Bijna op een plotseling met bloed bespat bureau afgevlogen, daarna de kamer rond gestrompeld als een bokser op zijn laatste benen, niet zeker wetend of hij down moest gaan of blijven vechten.

Hij bleef staan.

Aanwijzingen, spoorden zijn gedachten hem aan.

Miles was zijn laatste schakel met wat er in Colombia gebeurde.

Aanwijzingen.

Miles had gelijk gehad wat de geluiddemper betrof. Niemand zou het pistoolschot hebben gehoord, het had geklonken als de plop die je veroorzaakt als je een vinger uit je wang trekt. Als het geluidseffect van een tekenfilm.

Er was echter wel veel bloed. De kamer stonk ernaar.

Paul liep om het bureau heen waar Miles – zijn lichaam – nog steeds achter zat. Hij probeerde het te negeren, die levenloze klomp vlees die een naam en een stem had gehad.

Weet je wat de grootste zonde is voor een orthodoxe jood?

Paul trok de bureaulade open. Papier, nietjes, potloden, twee halflege pakjes kauwgum. Hij had er geen idee waar hij naar zocht.

Aanwijzingen.

De vraag was, wat *was* een aanwijzing? Hoe scheidde je aanwijzingen van normale dingen in een kantoor, de spullen van het leven van alledag?

Ze passen de stukjes in elkaar. Ik weet het.

Hij keek een paar papieren door die in de lade lagen. Een belastingformulier. Een verzoek van een vaktijdschrift om het abonnement te verlengen. Een bon uit een folder omcirkeld met rode inkt. *Chatty Kathy.* Een wedstrijdschema uit 1999 van de New York Giants.

Een boekje met telefoonnummers.

Het boekje waar Miles in had gebladerd toen hij had gedaan of hij Maria belde – toen hij met zijn vingers had geknipt en had gezegd: *ik weet het. We moeten Maria bellen. Zij heeft Pablo's nummer.*

Maria's nummer stond er natuurlijk in.

Ook dat van Pablo.

Paul kende zijn achternaam niet – hij was gewoon Pablo de chauffeur geweest, Pablo, de ingehuurde kracht.

Daarna Pablo de kidnapper.

Hij moest door de A's, B's, C's, D's, E's, F's, G's, H's, I's, J's, K's bladeren voor hij het vond. *Pablo Loraizo.*

Vreemd, die achternaam kwam hem bekend voor.

Hij scheurde de bladzijde eruit en stak die in zijn zak.

Hij zocht naar aanwijzingen, maar hij had geen flauw idee wat hij moest doen. De politie bellen? De synagoge in de buurt zoeken en Rachel en de kinderen meedelen dat hun man en vader zich zojuist door het hoofd had geschoten?

Weggaan.

Weggaan klonk goed. Als de politie met hem kwam praten, zou hij hun vertellen dat ze gepraat hadden, dat hij daarna was weggegaan. Zelfmoord? Hoezo, zelfmoord? Of hij zou hun alles vertellen – dat Miles hem naar Colombia had gestuurd om gekidnapt te worden, dat zijn vrouw en dochter gevangen gehouden werden tot er losgeld was betaald. Hoeveel losgeld? Twee miljoen dollar aan zuivere cocaïne die hij gehoorzaam door de douane had gesmokkeld. Misschien moest hij dat gedeelte weglaten.

Hij voelde zich duizelig, net zoals in Galina's huis, toen hij de confrontatie met Pablo wilde aangaan, maar in plaats daarvan op de grond terecht was gekomen. Zijn gedachten vlogen wild heen en weer. In tegenstelling tot de kogel die recht door Miles' hoofd was gegaan.

Hij schonk er nu aandacht aan – aan de kogelbaan.

Die had een puinhoop veroorzaakt. Pagina's uit boeken lagen overal op de vloer verspreid. Nee, het waren geen pagina's. Nu hij beter keek, waren ze duidelijk met de hand beschreven.

Brieven.

Oké. Paul herinnerde het zich.

Die nacht, toen hij niet kon slapen en naar beneden was gegaan om iets te lezen te zoeken. Het was erop uitgedraaid dat hij die brief uit het zomerkamp had gelezen – *Lieve pap, weet je nog toen je me in de dierentuin had achtergelaten?* Toen hij had geprobeerd zijn eenzaamheid te verdrijven door zich te bemoeien met het gezinsleven van anderen.

Hij stapte over de papieren heen om de kamer uit te gaan, toen hem iets opviel.

Hij bleef staan en las het, bukte zich, en bleef daarna stokstijf staan, met zijn handen op zijn knieën.

Een kogelbaan wordt afgelegd volgens de wetten van de fysica, dacht hij.

Door de voortstuwing, de luchtweerstand en de zwaartekracht. En de positie van de hand waarmee geschoten wordt. Dit is belangrijk. Waar de hand naar wijst.

Misschien had Miles, vlak voordat hij besloot zich een kogel door zijn hoofd te jagen, nagedacht over de kans dat *die arme Paul er ooit achter zou komen,* en had hij besloten die kans te vergroten.

Hij zei: ik wijs hiernaartoe.

Deze kant op.

31

Hij was weer in de vertrouwde omgeving van zijn eigen huis – hij had geen andere plek kunnen bedenken om naartoe te gaan.

Behalve dan dat het niet vertrouwd was. Er waren te veel herinneringen. Hij schoof het kinderbedje het appartement door en duwde het half in een kast, zodat hij er niet naar hoefde te kijken. De roze beertjes grinnikten naar hem tijdens hun rit door de kamer, alsof ze zich vrolijk maakten over zijn kinderlijke poging de waarheid te verbergen.

Lisa moest gehoord hebben dat het over de grond rolde, want een seconde later hoorde Paul dat er aan de deur geklopt werd. Toen hij op zijn tenen naar het kijkgaatje sloop en erdoorheen keek, keek Lisa, Joanna's beste vriendin, terug. Ze leek verbaasd en trok haar mond een beetje scheef, een vertederende gewoonte die Paul altijd vaag sexy had gevonden. Vandaag niet. Of Paul en Joanna waren terug, plotseling en onaangekondigd, óf er was iemand hun flat binnengedrongen. Paul vóélde zich een beetje als een inbreker, een inbreker in zijn eigen leven.

Hij wachtte tot ze wegging.

Hij had het verhaal over het visum bij de hand, maar hij was niet in de stemming om het te gebruiken. Nog niet.

Nadat Lisa nog een keer had geklopt en vervolgens schouderophalend was weggegaan, pakte Paul het stapeltje brieven dat hij bij Miles van de grond had opgeraapt. Als je er van dichtbij aan snoof, kon je de geur van zijn bloed nog ruiken.

Hij trok de jaloezieën dicht en legde de hoorn naast de telefoon. Het zou een poosje duren voor Rachel hem kon bereiken. Hij wist niet of ze zich zijn achternaam zou herinneren, waarschijnlijk niet. Het deed er niet toe. Op een gegeven moment zou ze in Miles' boekje met telefoonnummers kijken, terwijl de politie over haar schouder meekeek, en alle *Pauls* opzoeken. Dan zouden ze die beperken tot hem. Uiteindelijk zouden ze bellen.

Ik ben naar Miles toegegaan om met hem over mijn adoptieproblemen te praten. Toen ik het huis verliet leefde hij nog. Was hij depressief? Een beetje – hij zei iets over gokschulden. Ik vind het heel erg dit te horen.
De brieven droegen geen datum.
Hij kon ze echter naar de kleur op chronologische volgorde leggen. Van perkamentgeel tot bijna wit.
De laatste was de brief die hij die nacht had gelezen, de brief die Miles' zoon geschreven had uit het zomerkamp. Maar wat hem interesseerde waren de andere brieven. De andere brieven, die uit *Het Verhaal van Ruth* waren gevallen. Deze brieven waren anders. Deze brieven waren niet door een kind geschreven.
Ze waren óver een kind geschreven.
Geachte meneer Goldstein, begon de eerste.
Ik heb een kind dat dringend geadopteerd moet worden.
De meeste mensen schreven Miles omdat ze een kind *wilden* adopteren. Mensen die behoefte hadden aan een kind, erom vroegen, er zelfs om *smeekten.* Deze brief was anders – er werd een kind in aangeboden.
Beschouwt u dit als een speciaal verzoek, vervolgde deze bief. *Dit moet onmiddellijk gebeuren. Er is geen tijd om de gebruikelijke papieren in orde te maken. Daarom schrijf ik u rechtstreeks. Daarom heb ik uw hulp nodig. Ik moet zo snel mogelijk iets van u horen. Vandaag. Morgen. Ik smeek u me te antwoorden zo snel het menselijkerwijs mogelijk is.*
Paul ging verder met de tweede brief, daarna met de derde.
Hij las ze langzaam, zorgvuldig, soms las hij iets nog een keer over voor hij verder ging. Alle brieven waren natuurlijk aan Miles gericht. Hij had niet de brieven die Miles teruggeschreven had. Het leek op het afluisteren van de helft van een telefoongesprek. Je moest zelf met de antwoorden komen. Je moest de hiaten invullen.
De brieven vervolgden met de uitleg wie het kind was. Een meisje van drie jaar. De briefschrijver benadrukte dat het kind nu uit Colombia weg moest. Er werd uitgelegd waarom. Haar vader zat achter haar aan. Het kind verkeerde in groot gevaar. Ten slotte, en dat was veelzeggend, legden de brieven uit hoe dit alles moest plaatsvinden.
Toen Paul de laatste brief uit had, las hij ze allemaal nog een keer. En hij herinnerde zich hoe Miles in fragmenten had gesproken, en hoe hij zelf achter de feiten aan was gelopen om te proberen ze te verzamelen en aan elkaar te plakken.
Hoe liggen de kansen dat die arme, kleine Paul hier achter komt?

Slecht, Miles, dacht hij, *heel slecht,* maar er was een mogelijkheid dat ze beter zouden worden.

De volledige naam van de vader van het meisje kwam nergens in voor. Alleen een initiaal. R. Ergens tussen de brieven in moest zijn naam in Miles' oor gefluisterd zijn, om daarna nooit meer genoemd te worden. Maar degene die de brief had geschreven, stond onder aan elke pagina vermeld. Dat had Paul gezien toen hij de kamer uit wilde lopen, met de geur van bloed in zijn neus – daarom was hij blijven staan om te kijken en te lezen. De handtekening onderaan de pagina.

Een mooi, schuin handschrift, in het bijzonder de letter G.

De G van Galina.

32

Eerst dacht hij dat het geluid bij zijn deur een droom was. Misschien deed hij dat. Dromen, althans half dromen.

Over zijn vrouw en dochter.

Over het kleine meisje.

En over de spreuk die achter Miles' bureau hing.

Hij die één kind redt, redt de wereld.

Wie was dat meisje? Galina's kleindochter.

Dat had ze duidelijk verklaard in haar tweede brief aan Miles. En ze had over de vader van het meisje geschreven. Dat ook.

Ooit dacht ik dat mijn dochter veilig was voor hem, had ze haastig neergekrabbeld. *Ik heb me vergist.*

Ze had Miles om hulp gesmeekt. Het kind moest het land uit.

Haar vader zoekt haar. Hij zal niet ophouden tot hij haar gevonden heeft. Zoals u weet heeft R de macht en de middelen om dat te doen.

Ze moest geadopteerd worden door iemand in Amerika. Het moest snel gebeuren.

In de volgende brieven vertelde ze hem iets meer over het meisje.

Ze heeft dingen gezien die geen enkel kind ooit zou moeten zien, had ze geschreven. *Die niemand zou moeten zien. Ze heeft nachtmerries.*

Na de vierde brief werd duidelijk dat Miles gezegd had dat het goed was. Dat hij zou helpen. Meer doen dan helpen. Hij had blijkbaar een verbazingwekkend edelmoedig en onzelfzuchtig aanbod gedaan. Hij had aangeboden Galina's kleindochter zelf te adopteren.

Weet u het zeker? had ze hem geschreven. *Hoewel ik er dolgelukkig mee ben, moet u begrijpen dat dit niet iets is voor korte tijd. Het is voorgoed. U zult niet alleen haar ouder worden. U zult haar beschermer zijn. Haar voogd. Haar enige hoop.*

Ja, moest Miles teruggeschreven hebben, hij wist het zeker.

Maar hij wilde er iets voor terug.

Wat?

Het was moeilijk te zeggen.

Het was duidelijk dat Galina's blijdschap min of meer was verdwenen. Haar brieven kregen de sobere toon van zakelijke onderhandelingen.

U moet begrijpen dat wat u vraagt, misschien onmogelijk is, schreef Galina. *Ik ken hen niet. Ik kan niet voor hen spreken. Ik kan het ze alleen vragen.*

Ze.

Paul was als een kind van twee jaar, dat begint te begrijpen dat achter woorden zonder betekenis zaken met betekenis schuilgaan.

Ze hadden ja gezegd.

Het moest wel, omdat Galina's laatste brief een hartverscheurende smeekbede was voor de toekomst van haar kleindochter.

Ik wil u een paar dingen vragen, schreef ze. *Of u haar wilt troosten wanneer ze midden in de nacht angstig wakker wordt. Leest u haar alstublieft voor — ze houdt van verhaaltjes over treinen en clowns en konijnen. Leert u haar wat ze moet weten in haar nieuwe land. Bescherm haar. Ik vraag u om me af en toe te laten weten hoe ze het maakt. Niet elke week, niet elke maand. Af en toe. Dit is mijn laatste brief aan u. Hoe minder contact we hierna hebben, des te veiliger het is. Ik vraag u nog één ding. Het allerbelangrijkste. Dat u en uw vrouw van haar zullen houden.*

Er was iemand aan de deur.

Opeens was hij klaarwakker, hij staarde naar het plafond van de slaapkamer.

Hij hoorde het weer.

Een zacht gekrabbel. Het klonk als een kat die vroeg om binnengelaten te worden.

Hij had geen kat.

Hij bleef op zijn bed liggen, zich afvragend welke deur het was. De dichte deur van zijn slaapkamer, de voordeur? Dat was belangrijk. Als het de voordeur was, had hij nog een kans. Als het de slaapkamerdeur was, was hij dood.

Hij concentreerde zich, probeerde zijn gehoor fijner af te stemmen. Het bloed klopte in zijn trommelvliezen, zijn ademhaling was moeizaam, vluchtig en luid.

Het krabbelende geluid leek zwak en gedempt.

Oké, dacht hij. *De voordeur.*

Paul liet zich van het bed glijden, niet toegevend aan de verleiding om eronder te kruipen. De voordeur zat op slot. Hij was nog steeds heer en meester in zijn domein. Hij kon hen buiten houden – hij kon zichzelf beschermen.

Hij was slechts gekleed in boxershorts. Toen hij een blik wierp in de lange spiegel tegen de muur, leek hij grappig kwetsbaar. Hij bleef doodstil staan, rekte zijn hals om te luisteren.

Krabbel, krabbel.

Ik maak me zorgen om die schoften met hun uzi's en hun kerosine.

Het zijn de mannen uit het moeras, dacht hij.

Of anders.

Anders is het de man met de CCCP-tatoeage op zijn arm.

Hij was bij de voordeur. De deur waar Lisa door het kijkgat had gekeken, de deur die, als hij het zich goed herinnerde, stevig op slot zat. Er zat zelfs een dubbele grendel op.

Behoedzaam deed hij de slaapkamerdeur open. Hij stapte de gang in. Hij staarde naar de voordeur alsof hij die voor het eerst zag. Er voor het eerst echt naar keek. De deur leek stevig genoeg – hij moest geschilderd worden, dat wel, maar hij was zo sterk als staal. Die gedachte stelde hem gerust.

Hij kon zweren dat hij de twee grendels erop had geschoven, maar hij kon zich niet herinneren of de knop, wanneer de deur op slot was, verticaal of horizontaal moest staan.

Opeens besefte hij dat hij geen geluid meer had gehoord sinds hij de slaapkamer uit was gekomen. Hij besefte dit omdat hij het nu hoorde. Dit was veel dichterbij, het leek ruw en versterkt. *De mist sluipt aan op poezenvoetjes* – een gedicht dat hij zich herinnerde uit zijn kinderjaren. Maar dit was geen kat, en hij was geen kind meer.

Een wapen.

Zijn ogen vlogen de flat rond, nerveus en paniekerig, rondzoemend in cirkels als een vlieg die tussen twee schuiframen gevangen zit.

De metalen presse-papier van Sharper Image. Misschien.

De glimmende Afrikaanse wandelstok die Joanna's ouders hadden meegebracht uit Kenia. Mogelijk.

Een matglazen ei dat midden op de eetkamertafel stond. Nee.

De eetkamertafel.

Messen.

Hij staarde naar de keuken, in een poging zich te herinneren waar Joanna de vleesmessen bewaarde.

Hij weerstond de overweldigende aandrang om ernaartoe te rennen.

Lopen. Op je tenen. Zweef, zoals Mohammed Ali. Ze wisten niet dat hij thuis was. Ze raadden ernaar. Misschien kregen ze er genoeg van om te proberen het slot te forceren. Misschien gaven ze het op.

Niet als ze wisten dat hij thuis was.

Hij zweefde naar de keuken, stelde zichzelf voor als licht en geluidloos, al voelde hij zwaarder dan lood, zich ervan bewust dat de geluiden bij de deur luider en indringender werden.

Ze probeerden iets in het slot te stoppen, zo klonk het. Ze raakten gefrustreerd. Ze probeerden het er met geweld in te duwen, net als bij een verkrachting – eerst beleefd en voorzichtig, daarna hardnekkig en wreed. Het slot schreeuwde *nee.* De indringer gaf er niets om.

Paul trok een keukenlade open. Die piepte.

Het gekrabbel hield onmiddellijk op.

Stilte.

Je moet iets aan die laden doen, Paul. Joanna had het hem niet één, maar wel duizend keer gezegd. En Paul had haar duizend keer gezegd *dat ze een klusjesman erbij moest halen.*

Dat was echter nooit gebeurd. De laden bleven klagen, telkens wanneer je ze opentrok.

De mensen achter de deur wisten dat hij thuis was.

Meer slecht nieuws.

De open lade bevatte Joanna's agenda, een paar potloden, paperclips en een lijst met afhaalmaaltijden.

Geen messen.

Het gekrabbel begon weer. Harder.

Met de tweede lade van onderen had hij geluk. Die bevatte de hele collectie Ginzu-messen waarvoor ze 49.95 hadden betaald in vijf gemakkelijke maandelijkse termijnen. Die opmerkelijke messen die je op de televisie door vloeipapier zag snijden, in verkoopprogramma's van een halfuur. Gesmeed door echte samuraimeesters in Yokohama. Hij klemde zijn vingers om een koel, plastic handvat en haalde er een uit.

Daarna draaide hij zich om en keek naar de deur.

Misschien stond hij er drie meter vanaf. Van *hen.* Het leek onvoorstelbaar en belachelijk dat zo'n gewone *deur* hem kon redden. Hij kon ruiken hoe graag ze naar binnen wilden. Hij wist zeker dat Joanna het had kunnen ruiken.

Bel 911.

Deze keer kon hij hun wel zijn adres noemen.

Hij kon om een politieauto vragen. Om hen af te schrikken.

Hen laten denken dat de politie elk moment kon komen.

De telefoon was aan de andere kant van de flat, die hem even uitgestrekt en ontoegankelijk voorkwam als de Sahara.

Wacht. Hij hoefde niet te bellen. Hij kon doen *alsof.*

'Ja, met de politie?' riep hij opeens. *'Ja, mijn adres is West 84th Street 341 – appartement 9G. Iemand probeert in te breken – ja, dat klopt. U bent er over twee minuten? Goddank.'*

Het was vreemd, maar zijn neptelefoontje liet de man, of de mannen, niet ophouden. Nee.

Misschien had hij zich moeten afvragen *waarom niet?*

Misschien, als het geen vijf uur in de ochtend was geweest, en als hij niet doodsbang was geweest, en als hij een beetje slimmer was in dit soort zaken, zou hij het gedaan hebben.

Dan zou hij hebben begrepen dat de enige reden, dat een neptelefoontje naar de politie iemand er niet van weerhield om bij je appartement in te breken is, dat ze wísten dat het een neptelefoontje was.

En de enige manier waarop ze dat konden weten is, dat ze wisten dat je niet kon bellen.

Als ze, bijvoorbeeld, uit voorzorg de telefoonlijn onklaar hadden gemaakt.

33

Eerst voelde hij alleen de pure kracht.

De overweldigende, onmiskenbare aanwezigheid ervan.

De knoestige spieren. Alsof de deur niet van staal gemaakt was, maar de man die erdoorheen was geknald. *CCCP,* dacht hij.

Het ene ogenblik stond Paul nog drie meter bij de deur vandaan, met het Ginzu-vleesmes in zijn hand. Het volgende moment stortte een vormeloze, zwarte gedaante zich bovenop hem.

Hij haalde naar de zwarte verschijning uit met zijn mes, maar de man hield zijn arm met bijna komisch gemak tegen.

Het mes viel kletterend op de vloer.

Voor de man hem kon vermoorden kwam Paul in beweging.

Door de kracht waarmee hij het mes had gehanteerd vloog hij langs de maaiende arm van de man de keuken in, waar hij probeerde opnieuw een mes uit de tweede lade te pakken zonder zijn tempo te vertragen. Hij sneed zich echter aan een van de andere Ginzu's – misschien de appelboor die ze er gratis bij hadden gekregen omdat ze direct op de aanbieding hadden gereageerd. Hij trok zijn bloedende, lege hand terug.

De man was vlak achter hem. Paul hoorde hem zwaar ademen, alsof de inspanning van het forceren van de deur hem vermoeid had.

Dat was slechts voor even. Niet genoeg om hem te laten ophouden.

Paul zigzagde naar de slaapkamer als een verdwaasde fieldrunner. Hij smeet de deur achter zich dicht.

Nee.

De man was al aan de andere kant van de deur voor Paul die goed kon dichttrekken.

Hij duwde terug.

Adrenaline is een soort drug, dacht Paul. Hij voelde elke afzonderlijke spier spetteren van energie. Hij voelde zich sterk, meedogenloos, on-overwinnelijk zelfs.

Hij had geen enkele kans.

Adrenaline was niet voldoende. De persoon aan de andere kant van de deur was geen man. Hij was een griezelige speling van de natuur. De deur boog door.

Twee centimeter.

Vijf centimeter.

Zijn hand gleed weg in zijn eigen bloed.

'Verdomme...' schreeuwde Paul. 'Verdomme!' Hij kreunde, probeerde zijn laatste krachtreserves aan te spreken.

Hij kon brullen wat hij wilde. Hij kon duwen en krabben en vechten en bidden. Hij zou het verliezen.

Het eindigde met een knal *en* een gejammer. De deur knalde met een luide klap tegen de muur. Paul deinsde achteruit, nee, hij viel, suisde, werd gelanceerd. Hij kaatste van het bed terug. Hij tastte naar de telefoon – de lijn was dood.

De man kwam op hem af.

Paul hief zijn handen op om zich te verdedigen. Hij gilde, maar er kwam geen geluid.

De man had een hand op zijn mond gedrukt en de andere tegen zijn luchtpijp.

Hij voelde zich als een lappenpop waarvan het hoofd zou worden fijngeknepen.

Maar de man kneep Pauls hoofd niet fijn.

Hij sprak tegen hem.

Hij fluisterde.

'Doorademen,' zei hij.'Rustig aan. Zo is het goed.'

Er was geen Russisch accent. Ook geen Colombiaans accent. Dat was de eerste verrassing.

Er volgde een tweede.

Later, toen Paul was opgehouden met beven, praatten ze over vroeger. Niet *veel* vroeger. Tamelijk recent in het geheugen, maar net lang genoeg geleden om geschiedenis te zijn.

De vertraging op Kennedy Airport.

De tussenstop in Washington DC. Acht ellendige uren op de startbaan, met niets te doen.

Alleen had het voor de man niet zo ellendig geleken. Nee. Hij had daar volkomen kalm zitten staren naar de rugleuning van de stoel voor hem.

218

Hij was gewend om te wachten, had hij gezegd. *Weet je nog?* vroeg hij Paul.
Hij was een vogelkenner.

34

Apenkooien bij de gymnastiekles.
Jungleboek.
In the jungle, the mighty jungle, the lion sleeps tonight.
Jungle Boogie.
Joanna zei bij zichzelf alles op wat iets te maken had met de jungle. Ze was haar eigen google.com. Een paar van die verwijzingen naar de jungle waren gunstig, de jungle was vriendelijk. Iets om over te dansen, te zingen, iets waar kinderen van vier jaar argeloos in konden klimmen.
Er waren andere, angstaanjagender verwijzingen.
De betonjungle.
Het is daar een echte jungle.
Daar wilde ze liever niet aan denken.
De echte jungle, de vochtige veelheid van onzichtbare zoemende, krijsende dingen en rottende, verwarde vegetatie, was al griezelig genoeg. Om te beginnen was het donker.
Donkerder dan donker.
Een verstikkend dak van takken hield het beetje maanlicht dat er was, tegen. Het was alsof je in een kast rondstommelde, zo'n kast waarvan kinderen overtuigd zijn dat die enge monsters herbergt.
Er waren beslist activiteiten in de nacht. Ze hoorde ze vlak boven haar hoofd. Ritselende takken, plotseling gegrom. *Apen?* Of erger?
Jaguars, ocelotten, boa constrictors?
Joelle was wakker geworden, kort nadat Joanna een kleine, open plek was overgestoken en tussen de dikke bomen was beland. De baby begon te jammeren om eten – of omdat ze het koud had, of gewoon omdat ze zich ziek voelde. Joanna wist het niet. Ze was nog bezig de onbekende babytaal te leren – een taal die Galina als vanzelfsprekend leek te begrijpen. Het deed er niet toe. Ze had geen fles bij zich en ze kon niets doen aan de koude nachtlucht waartegen het babydekentje weinig bescherming bood.

'We gaan naar huis,' fluisterde ze tegen haar dochtertje, hoewel ze daarmee alleen zichzelf geruststelde. Hardop praten hielp de duisternis te doordringen, gaf haar althans het gevoel dat zíj aanwezig was en meetelde. Het zou natuurlijk hetzelfde doen voor alle dieren in haar nabijheid. Menselijke of andere.

Zo nu en dan raakten onzichtbare vliegende dingen haar gezicht. Ze slikte bijna een enorme nachtvlinder in; ze kon die nog maar net uitspugen, daarna klapte ze kokhalzend dubbel toen het tot haar doordrong wat er om haar mond had gefladderd.

Ze had er geen idee van welke kant ze op moest.

Ze had besloten dat ze vanaf het huis een rechte lijn zou aanhouden. Ook al wist ze niet waar ze naartoe ging, ze zou in elk geval weten waar ze vandaan liep. Er was echter een probleem, zoals bij alle goed voorbereide, verstandige aanvalsplannen. De vijand had er ook iets in te zeggen.

De jungle werkte niet mee. Ze vond ontelbare obstakels op haar weg – massieve boomstammen, waar ze dikwijls bijna tegenop liep, plotselinge, steile hellingen, een zwarte rivier compleet met een onzichtbare waterval die, één geruststellend moment, als het geruis van de tv klonk.

Ze bleef omwegen maken, tot ze het gevoel had dat ze blindemannetje speelde en de tikker was. Ze was te vaak rondgedraaid om nog te weten waar ze was. Ze had wanhopig behoefte aan iemand die haar zou vertellen dat ze warmer werd.

Op dit moment werd ze echter kouder. En hongeriger. En banger.

De simpele, schommelende beweging van de ene voet voor de andere zetten had Joelle weer in slaap gesust. Joanna kwam in de verleiding haar voorbeeld te volgen. Wanneer de ochtend aanbrak zou ze ten minste kunnen zien – haar omgeving in ogenschouw nemen en grofweg inschatten waar ze was.

Ze maakte zich zorgen dat er iemand haar kamer in zou gluren – Tomas, of Puento. Dat ze mensen achter haar aan zouden sturen die de jungle kenden en wisten hoe ze iemand erin konden *volgen*. Ze moest blijven lopen.

Strompelend kwam ze bij een grote, open plek.

Het leek alsof iemand het licht had aangeknipt. Opeens kon ze haar benen zien, Joelles slapende gezichtje, de hemel. Ze had de hemel niet gezien sinds... nou, ze wist niet meer wanneer. Even was ze verbijsterd bij het zien van de overvloed aan glinsterende sterren – er waren er zo veel dat het kunstmatig aandeed, als een enorme discobol. Ze bleef staan om even op adem te komen.

Raar. Ze was hier midden in het oerwoud, maar als ze niet beter had geweten zou ze gezworen hebben dat ze voor een akker stond. Iets wat bebouwd werd en regelmatig verzorgd. Er hing een bedompte, maar bekende geur in de lucht. Maar van wat?

Ze liep naar voren tot ze aan de rand van het veld stond.

Natuurlijk.

Coca. Ze was op een illegale cocaïneplantage gestuit, zo een die diep in de jungle werd aangelegd om niet opgemerkt te worden door regeringspatrouilles.

Er welde iets op in Joanna... hoop?

Ze was in overtreding, ze bevond zich op gevaarlijk terrein. Maar het was ten minste een terrein dat door ménsen werd betreden.

Al ze tot de ochtend bleef wachten kwam er misschien iemand – de boer die het bewerkte. Maar als het nu eens geen *campesino* was die op zoek was naar een kleine bijverdienste? Als het nu eens een van *hen* was? Misschien hadden ze hun *eigen* plantages – misschien was dit er een van. Ze voelde zich gevangen tussen tegenstrijdige en tegelijkertijd onweerstaanbare aanvechtingen. Ze zou alles doen om niet naar de jungle terug te hoeven gaan. Als ze bleef, als ze hier ineengedoken ging liggen tot de morgen aanbrak, zou ze uiteindelijk wel eens op de verkeerde mensen gewacht kunnen hebben.

Doorgaan, of blijven?

De beslissing werd voor haar genomen.

Het veld was een vage, voornamelijk zwarte deken. Ook toen haar ogen gewend raakten aan haar door de maan beschenen omgeving, bleef het zo. Zwart.

Er hing een stank die bijna tastbaar was – vochtig, plakkerig en bitter. Ze begreep het. Het veld leek zwart omdat het zwart *was.*

Zo zwart als as.

De beplanting was tot de grond toe afgebrand. Ze kon het nu zien – anderhalve meter hoge cocaplanten waar niet meer van over was dan verspreide, verwrongen stompjes.

Een regeringspatrouille had de plantage ontdekt en in brand gestoken. Of het USDF. Of de boer die de coca verbouwde. Misschien pasten ze een soort wisselbouw toe.

Hoe het ook zij, de plantage was verlaten. Er zou die ochtend niemand komen.

Ze moest doorgaan.

Welke kant op?

Er werd gezegd dat je de weg kon vinden met behulp van de sterren. Hoe? Paul wist dergelijke dingen – ze had voor zijn vijfendertigste verjaardag een telescoop voor hem gekocht, die volslagen onbruikbaar bleek op het dak van hun flatgebouw. De heldere lichten van New York verblindden niet alleen enthousiaste nieuwkomers – ze deden hetzelfde met amateurastronomen. Toch had Paul een paar keer geprobeerd haar een of ander sterrenbeeld te wijzen. Ze wilde dat ze beter had opgelet.

Oké, welke kant uit?

Ze zwaaide haar arm rond in een boog en besloot dat ze die zou stilhouden wanneer het goed aanvoelde. Zoiets als geblinddoekt darten. Toen haar arm niet meer bewoog, wees die naar links.

Ze gaf Joelle een kus op haar hoofdje en daarna liep ze terug, de jungle in.

Het werd snel ochtend.

Het licht was veranderd van diepzwart in antracietgrijs. Ze hoefde zich geen zorgen meer te maken dat ze bij elke stap die ze zette in drijfzand kon belanden, of in een gat, of op de kop van een of ander beest.

Dat was het goede eraan.

Het slechte was, dat ze een paar van de krijsende, grommende, schuifelende dingen kon zien die ze tot nu toe alleen gehoord had. Verbeelding mocht dan angstaanjagender zijn dan de werkelijkheid, dacht ze, maar niet veel.

Iets wat op een baviaan leek slingerde op enkele centimeters bij haar vandaan door de takken, met een dreigende kreet die haar trommelvliezen bijna deed scheuren. De aap belandde in een gevorkte tak, anderhalve meter boven haar hoofd, en schudde met een slingerplant in haar richting. Hij liet zijn tanden zien, die scherp en angstwekkend groot waren.

Joanna ging rechtsaf en strompelde door de struiken, in de hoop dat de aap hen niet achterna zou komen.

Hij kwam niet.

Opeens zag ze recht voor zich een tak bewegen. Die kwam letterlijk overeind en begon zich los te maken van de stam van een enorme boom, waar slierten doorschijnend groen mos vanaf hingen.

Het was natuurlijk geen tak. Het was een *slang* – enorm groot en zich duidelijk bewust van haar aanwezigheid. De slang was zo dik als haar arm, met doffe, gele ogen en een zwarte, flitsende tong. Ze bleef kijken hoe het dier zich ontrolde, wat minuten leek te duren, doodsbang en proberend niet te gillen.

De slang gleed weg tussen een dicht bosje varens.

Met het licht kwam ook de hitte. Die bedekte hen als een zware, wollen deken en ze raakte doordrenkt van het zweet dat insecten leek aan te trekken; wolken witte vliegen daalden van alle kanten op haar neer. Ze probeerde ze van zich af te slaan, maar ze waren even koppig als de duiven in New York; ze weken nergens voor, behalve voor geweerschoten.

Dan waren er de muskieten – of hun heel grote neven. Ze was een wandelende traktatie – haar bestoken armen raakten overdekt met rode bulten, alsof ze onder de netelroos zat.

Joelle was weer gaan huilen, en ze leek niet in de stemming om ermee op te houden.

Zelfs voor iemand die niet bedreven was in babytaal, was duidelijk dat, hoewel Joelle het misschien te warm had en zich niet op haar gemak voelde, het nu alleen maar om honger ging. Voor het eerst vroeg Joanna zich af of ze hier wel goed aan had gedaan. Ze had het beter moeten voorbereiden – flesjes babyvoeding moeten opsparen. Ze was schuldig aan een misdadig gebrek aan plannen.

Niets leek Joelle te kunnen kalmeren; het zou niet lang duren voor Joanna zelf gekalmeerd moest worden. Angst nestelde zich diep in haar maag en verstikte haar fysiek, alsof haar benen met elastiek aan elkaar gebonden waren. Ze verkeerde in een van die dromen waarin je achtervolgd wordt, waarin je, al hangt je leven ervan af, je niet kunt *bewegen*. Ze waren zo verdwaald als het maar kon.

De jungle had hen opgeslokt, levend opgegeten. Ze zouden er niet uit komen.

Toch bleef ze lopen, iets dwong haar ertoe eerst haar ene been op te tillen, daarna haar andere. Koppigheid misschien.

Wandelliedjes – die had ze nodig.

I'm walking, yes indeed, I'm talking, yes indeed...

These boots are made for walking...
Walk like a man...
Ze besloot dat ze zou blijven lopen tot ze niet meer kon. Dat was redelijk. Doorgaan zo lang ze kon, en er daarna bij neer vallen. Vechten tot het uiterste.

Het was vroeg in de ochtend – behalve het korte oponthoud bij de verlaten cocaïneplantage, had ze zo'n zes uur achter elkaar gelopen. Toen rook ze het.

Ze bleef abrupt staan, sloot haar ogen, hield haar vingers gekruist.
Snuf.
Ze rook het weer.

Worstjes.

Was dat mogelijk?

Warme, sissende, geurige *worstjes*?

Misschien was het een of andere plant? Een dier? Een oerwoudgeur die ze gewoonweg niet kende?

Opnieuw snoof ze de lucht op, nam er de tijd voor. Nee. Het was overduidelijk. Iemand was bezig met het ontbijt.

Haar hart sprong op, het vloog, het draaide pirouettes. Ze wiegde Joelle niet meer heen en weer, maar trok haar hoofdje onder haar kin. 'We hebben het gehaald. We gaan naar huis. We zijn vrij.'

Ze zag niemand – hetzelfde panorama van bomen, slingerplanten, stronken en varens. Op een reusachtig, met dauw bedekt spinnenweb weerkaatste het zonlicht in spetterende vonken.

Ze ging op de geur af.

Links, dan naar rechts, dan recht vooruit.
Neus, laat me nu niet in de steek.

De jungle leek minder ondoordringbaar te worden – niet meteen, maar langzaam, onafwendbaar. Het was niet meer zo verstikkend, haar longen kregen lucht, de insecten zweefden weg.

De geur werd sterker, prikkelde haar smaakpapillen, trok haar naar zich toe.

Nu kon ze lege plekken zien, tussen de bomen door.

Ze versnelde haar tempo – als ze gympen had gedragen in plaats van schoenen met halfhoge hakken, zou ze zijn gaan hollen.

Ook Joelle scheen te merken dat er verandering in de lucht zat. Ze huilde minder, hield er daarna helemaal mee op. Ze uitte een reeks gorgelende geluidjes en een schor gesnuffel.

Joanna liep om vegetatie heen die duidelijk betreden was. Iemand had hier gelopen, stengels afgebroken, brede, groene bladeren in het zand vertrapt. Ze dacht dat ze zelfs een voetafdruk zag.

De geur maakte haar bijna dronken. Ze wankelde langs een reusachtige banyanboom en opeens keek ze de vrije lucht in.

Daar stond een eenzame gestalte, van achteren beschenen door een zon die de kleur had van marmelade.

De gestalte zei iets tegen haar.

Joanna liet zich op de grond vallen, met Joelle in haar armen. Ze liet haar hoofd hangen, wiegde heen en weer, begon te huilen.

'Nee,' fluisterde ze tegen zichzelf, tegen Joelle, tegen degene die op de open plek stond, tegen God. *'Nee...'*

De open plek liep omhoog naar een richel waar een bescheiden boerderij stond.

De schoorsteen rookte, de luiken waren lichtgroen, en achter een verzakte omheining liepen hanen, geiten en koeien.

Dit was de eerste keer dat ze het van de buitenkant zag.

'Vlug,' zei Galina, 'terug naar de kamer voordat ze je zien.'

35

Galina smokkelde haar terug het huis in. Niet zonder gezien te worden. Het indiaanse meisje met het lange, zwarte haar kwam de badkamer uit en botste bijna tegen hen op. Galina had een verklaring.
Ze is flauwgevallen, zei Galina in het Spaans tegen haar, *ze had frisse lucht nodig.*
Het meisje knikte, blijkbaar niet erg geïnteresseerd.
Nadat Galina Joanna de kamer in had geloodst, nadat ze de deur gesloten had en was gaan zitten, zei ze: 'Dat was dom. Je kent de jungle niet.' Ze nam Joelle over uit Joanna's uitgeputte amen, gaf haar een schone luier en daarna de fles. 'Je zou daar doodgegaan zijn.'
'Ik ga toch wel dood,' antwoordde Joanna. Het was de eerste keer dat ze die gedachte hardop uitte. Daardoor leek het een verschrikkelijke zekerheid te worden.
Galina schudde haar hoofd. 'Dat mag je niet zeggen.'
'Waarom niet? Het is waar. Ze zullen me vermoorden, zoals ze Maruja en Beatriz hebben vermoord. Je wilt er niet over praten. Ze hebben hen hier gedood – in deze kamer. Ik kan je hun bloed laten zien.'
'Haar verkoudheid is erger geworden,' zei ze, op Joelle duidend, nog steeds niet bereid iets te zeggen over de twee geesten die nog in de kamer rondwaarden.
'Ja. Haar verkoudheid is erger. En haar moeder zit nog steeds vastgeketend aan een radiator. En we willen niet over twee vermoorde vrouwen praten.' Joanna's stem klonk haar zelf nu vreemd in de oren – vlak, zonder emotie. Het is de hoop, dacht ze – die was ze in de jungle kwijtgeraakt.
'Ik zal ervoor zorgen dat ze gaat slapen,' zei Galina.
'Ja. Geweldig idee. Als je toch bezig bent, breng mij dan ook maar in slaap.'
Galina kromp ineen en ze wreef over haar linkerarm.
Verpleegster. Ontvoerster. Vriendin. Bewaakster.

'Ik begrijp jou niet,' zei Joanna.
'*Wat zeg je?*'
'Ik begrijp het niet. Jij. Waarom je hier bent. Waarom je met deze mensen meewerkt. Moordenaars. Je was zelf moeder.'
Galina had aanstalten gemaakt om weg te gaan, maar nu bleef ze staan, en ze keek achterom. Het was dat *woord*, dacht Joanna.
Moeder.
'Je hebt je verhaal niet afgemaakt,' zei Joanna. 'Vertel het me. Vanavond wil ik een goed verhaal horen. Ik moet begrijpen waarom.'

36

Vanavond wil ik een goed verhaal horen.
Precies zoals Claudia het vroeger tegen me zei, omdat ze nog niet wilde
gaan slapen.
Een verhaaltje, mamma, had ze gesmeekt. Een verhaaltje.
Goed dan.
Een verhaaltje.

Nadat ze die avond uit de bar waren weggegaan, hadden ze Claudia
niet meer gesproken.
Soms werden ze gebeld door de jongen van La Nacional.
Er had een vuurgevecht in de bergen plaatsgevonden met door helikopters aangevoerde Speciale Troepen. Een nieuw initiatief van een
zojuist ingezworen president die had beloofd harder op te treden tegen de *guerrilleros*. De jongen zei dat Claudia daar was – legerofficie-
ren hadden melding gemaakt van een mooie, jonge vrouw in camouflagepak. *Maakt u zich niet ongerust,* zei de jongen, *er is haar niets*
overkomen.
Deze aanvallen door regeringstroepen kwamen onregelmatig voor en
waren louter voor de show. Hard optreden tegen de *guerrilleros* was,
zoals iedereen wist, niet meer dan een gebaar. Er mochten dan twee
keiharde groeperingen zijn in Colombia, maar de regering hoorde
daar niet bij.
Je had FARC, de Revolutionary Armed Forces of Colombia, in de lin-
kerhoek, en in de rechter het United Self Defense Front.
Alle namen in dit soort conflicten stonden bol van de ironie. Self Defense – alsof ze een klap op hun neus hadden gekregen en zich eenvoudigweg verdedigden tegen een treiteraar op het schoolplein. Misschien geloofden sommigen van hen ook dat ze daarmee bezig waren.
Zo niet de man die de leiding had.
Als je wilde begrijpen wat er met Claudia gebeurd was, moest je hem

ook begrijpen. Als je Claudia als gevoelig en snel gekwetst achtjarig meisje door de achterbuurten van Chapeniro zag trippelen, moest je *hem* zien opgroeien in Medellin, waar hij behoorlijk wat mensen kwetste. Ze waren tegenpolen. Als Claudia het licht was, was hij de duisternis.

Het was voorbeschikt dat ze met elkaar in botsing zouden komen.

Hoe verklaar je een Manuel Riojas?

Kwade geesten worden meestal niet geboren, ze zijn er gewoon. Ze houden zich schuil in het moeras van menselijke angst en ellende. Ze hebben geen begin, slechts een einde. Maar zelfs dan gaan ze nooit in stilte, niet voor ze grote plekken verschroeide aarde hebben nagelaten.

Echte kwade geesten *hebben* een begin. Ze kennen verjaardagen, en eerste communies, en eindexamens. Ze leven in woonwijken, niet in moerassen. Manuel Riojas groeide op in de smerige wijk Jesus de Navarona, in Medellin.

Galina was daar een keer op bezoek geweest bij familie. Ze herinnerde zich hoe de gestadige regen het vuilnis de heuvel af spoelde. Het was mogelijk dat ze door Riojas zelf gereden was – later had ze het zich afgevraagd. Had hij destijds maar auto's gestolen. Had hij hun auto toen maar uitgezocht – een pistool door het raampje gestoken en er een eind aan gemaakt voor het was begonnen.

Er werd beweerd dat hij opgroeide met de verhalen.

De legenden over Colombia's *bandidos*. Desquite en Tirofijo en Sangrenegra. *Wraak, Scherpschutter,* en *Zwartbloed*. Galina begon te geloven dat landen waar het grootste deel van de bevolking arm en onderdrukt is, gedoemd zijn de verkeerde mensen te aanbidden. Mensen die stelen van de rijken, ook al geven ze er nooit iets van weg aan de armen. Het doet er niet toe – ze zijn arm. Of ze waren het. Ze kunnen gemeen zijn, moordzuchtig. Ze kunnen regelrecht psychotisch zijn. Ze maken van degenen die slachtoffers maken zelf slachtoffers. Dat is genoeg om hen tot volkshelden te maken. Genoeg om kinderen die opgroeien in onzekere omstandigheden erover te laten dromen ook zo te worden.

Het begin van Riojas' criminele activiteiten was beslist duister. Er werd beweerd dat hij politierapporten liet veranderen, verslagen van de rechtbank liet verdwijnen, en een aantal bekenden uit zijn jonge jaren uit de weg ruimde. Het is bekend dat hij minstens één keer werd gearresteerd toen hij veertien jaar was – mogelijk wegens kruimeldief-stal. Men gelooft dat hij nagemaakte loterijbriefjes verkocht, sigaret-ten pikte, auto's stal, voor hij overstapte op iets wat oneindig lucratie-ver was. De speciale plaag van hun godvergeten land: drugs. In het bijzonder, *coca.* Hij begon als runner, als kleine dealer. Hij was blijk-baar de favoriet van de plaatselijke *contrabandista,* die de fatale fout beging om hem te vertrouwen en hem promotie te laten maken in de organisatie. Op de een of andere manier belandde het afgehakte hoofd van deze *contrabandista* uiteindelijk op een paal langs een bergweg, even buiten Medellin. Op de een of andere manier werd Riojas de baas van de cocaïnehandel in Medellin. Dit werd over het algemeen beschouwd als een eerste blijk van Riojas' manier van zakendoen. Hij streed niet tegen zijn concurrenten. Hij vermoordde hen. Hij deed het op zo'n manier dat anderen erdoor ontmoedigd werden. Kinderen werden omgebracht voor de ogen van hun ouders. Moeders werden verkracht in het bijzijn van hun echtgenoten. Vijanden werden ge-marteld en verminkt, hun afgeslachte lichamen in het openbaar ten-toongesteld. Meer voer voor de kranten.

Ook bezittingen moesten het ontgelden. Pakhuizen, fabrieken, cocaï-neplantages van de concurrenten werden in brand gestoken en weg-gevaagd.

De verhalen groeiden; de legende kreeg vorm en inhoud.

Hij steeg tot bijna onvoorstelbare hoogten.

Dat is noodzakelijk voor een kwade geest. Uittorenen boven degenen die van angst ineenkrimpen. En ze *krompen* ineen. Niet alleen rivali-serende bendes, de Ochoas, de Escobars, die al snel ten onder gingen in een reeks afgrijselijke en langdurige bloedbaden. Maar de *familias* die aan de touwtjes trokken. Ook die moesten voor hem buigen. Rio-jas at het hart uit zijn vijanden, en werd daarna een met hen. Hij werd tot senator van de staat gekozen. Men zegt dat hij dit aan zijn moeder beloofd had. Een respectabel ambt. Men zegt dat hij het had gezworen aan de idolen die hij eropna hield in een geheime kapel op een van zijn haciëndas. *Santeria,* werd er gefluisterd, de hocus-pocus die op een groot deel van het platteland buiten Bogotá werd beoefend.

Heersers eisen echter meer dan gehoorzaamheid. Ze eisen legers. Het regeringsleger was waardeloos. Je hoefde niet over bijzondere intelli-gentie te beschikken om te beseffen dat het enige leger dat de moeite waard was en kon vechten, in de heuvels ten noorden van Bogotá huisde, het leger dat zich FARC noemde. Ze spuiden marxistisch gebazel over het omverwerpen van de elite, spraken over het *volk* alsof het volk er werkelijk iets toe deed. Onder andere omstandigheden zou Riojas misschien met hen gesympathiseerd hebben, zich wellicht bij hen hebben aangesloten. Hij had tenslotte dezelfde armoedige achtergrond. Nu waren zij de vijand. Hij was ook zo'n succesvolle *capitalista* die probeerde zijn investeringen te beschermen.

Hij vormde zijn eigen militie. Hij gaf zijn beulen die hij het meest vertrouwde, een rang. Kapitein. Generaal. Majoor. Dat maakte hen min of meer tot een leger. Hij eiste geld van de vijf *familias* om het in stand te houden.

Nu konden ze een echte oorlog voeren.

Riojas kon die voeren op de manier zoals oorlog werd geacht te worden gevoerd. Wanneer het USDF *campesino*-dorpen wilde beletten onderdak te verlenen aan FARC-guerrilla's – niet dat ze het gedaan hadden, niet dat ze er ook maar aan gedacht hadden, alleen voor het geval dat – pikten ze er lukraak twintig *campesinos* uit. Jij, jij, en jij. Ze lieten hen hun eigen graf graven, en dwongen daarna hun vaders en broers om hen te executeren. Wie weigerde, volgde hen de kuil in. Dit was de gespierde les die een simpele *campesino* kon begrijpen.

Twee jaar nadat ze die bar uit was gelopen werd Claudia gevangengenomen door het USDF.

De jongen van de universiteit belde om het hun te vertellen,

Nadat Galina de hoorn op de grond had laten vallen en ernaar staarde alsof het iets buitenaards was, nadat ze hem aarzelend had opgeraapt en haar stem teruggekregen had, vroeg ze de jongen of haar dochter dood was. Maar het was niet *haar* stem – het klonk als de stem van iemand die jaren ouder was.

Nee, zei hij. Ze werd levend gevangen gehouden.

Hij liet er niet op volgen dat het niet voor lang zou zijn.

Dat hoefde ook niet.

Een jaar lang nam Galina aan dat Claudia dood was.

Ze dacht erover om een herdenkingsdienst voor haar te houden, maar op het laatste moment kwam er altijd iets tussen. Soms was het iets wat ze vond wanneer ze het huis schoonmaakte. Ze maakte nu voortdurend schoon. Onophoudelijk, genadeloos, religieus bijna. Ze sjokte naar huis nadat ze voor de zoon of dochter van iemand anders had gezorgd, en onmiddellijk pakte ze een dweil, een spons, een stofblik, zich wanhopig vastklampend aan die routine, als een middel om de gedachte aan zelfmoord van zich af te zetten. Op een dag, toen ze onder Claudia's bureau stofzuigde, vond ze een verjaardagskaart die een acht jaar oude Claudia op school voor haar had getekend. Een moederfiguurtje met armen en benen als stokjes, die een kleiner stokjesfiguurtje in haar armen hield. *Te adoro,* fluisterde het kind op de kaart.

Galina zei, nog niet. De herdenkingsdienst kon wachten.

Soms was het simpel een herinnering. Een gewone, huishoudelijke zaak. Een laken in de wasmachine stoppen en dan opeens terugdenken aan de eerste keer dat Claudia ongesteld werd, hoe ze op een ochtend blozend en verlegen voor Claudia's bevlekte bed had gestaan, voor haar dochter naar de middelbare school ging. Ook al bleef haar dochter eigenaardig beheerst, zelfs geruststellend. *Ik weet wat het is, mama – het betekent dat ik kleinkinderen voor je kan krijgen.*

Ze schoof de herdenkingsdienst weer voor zich uit.

Alles wat daarna gebeurde, zou Galina later te horen krijgen.

Claudia was gevangengenomen in de stad Chiappa. Ze hadden haar daar naartoe gestuurd voor de bevoorrading, en iemand had haar gezien. Er deden al maanden verhalen over haar de ronde. De knappe studente met de revolutiekoorts. Iemand wachtte haar daar op. Hij volgde haar toen ze de stad uit ging en haalde er versterking bij. Toen Claudia terugkwam bij het ravijn waar haar medestrijders in de oorlog tegen het kapitalisme op haar wachtten, had het USDF het al omsingeld om hen af te maken.

Toen ze de flap van hun provisorische tent openmaakte, slechts een paar aan elkaar geknoopte overhemden om de regen buiten te houden, daalde er een regenbui van kogels op hen neer.

Drie *guerrilleros* werden gedood. Twee konden door de jungle ontsnappen, een van hen met een kapotgeschoten rechterbeen dat later geamputeerd moest worden.

Waarom werd Claudia niet gedood, net als de anderen?

Misschien omdat hun gezegd was het niet te doen.

Omdat Riojas de verhalen had gehoord, nieuwsgierig was haar in levenden lijve te zien. Meer dan nieuwsgierig. *Begerig.*

Die avond verliet hij voortijdig een regeringsdiner in Bogotá. Iemand had hem iets in zijn oor gefluisterd, en hij vloog per helikopter naar een haciënda in het noorden. Toen hij de kamer binnen kwam waar

Claudia op haar knieën lag, met haar handen stevig achter haar rug gebonden, was hij nog in smoking.

Hij nam er de tijd voor. Om haar te *taxeren,* zoals je een paard inspecteert, of jachthonden. Blijkbaar had hij veel van beide.

Wat hij zag had hem blijkbaar bevallen.

Je kunt je voorstellen wat er gedurende de volgende twee jaar gebeurde. Je kunt je ogen dichtdoen en bidden en stilletjes gluren. Riojas nam persoonlijk haar ondervraging op zich. Ze kwam heel dicht bij de dood. Ze bad erom, smeekte God dat ze, de volgende keer dat hij haar bewusteloos sloeg, niet meer wakker hoefde te worden. Ondanks dat ze zich bij het leger van de goddelozen had aangesloten, geloofde Claudia nog. Ergens diep van binnen zat nog steeds die katholieke kern. Daar sprak ze nu tegen.

Ze had de verhalen gehoord; gevangenen die uit helikopters gegooid werden, aan de tijgers werden gevoerd. Dat zou er met haar gebeuren.

Twee dagen werden er drie.

Daarna vier.

Een hele week ging voorbij.

Niemand kwam haar halen om haar mee te nemen in een helikopter, of voor een tochtje naar de tijgerkooi. Ja, er wáren tijgers. Ze gluurde door bijna dichtgeslagen ogen uit haar raam en zag ze heen en weer lopen, als schildwachten.'s Middags gooide iemand een levende pony in de kooi en de tijgers scheurden de keel van het dier open.

Toen gebeurde er iets vreemds.

Op een dag kwam Riojas binnen, maar hij sloeg haar niet.

Hij vroeg haar of ze haar benen voor hem wilde spreiden. Het was een beleefd verzoek. Claudia weigerde, sloot haar ogen, wachtte op een nieuwe pijnaanval.

Riojas ging de kamer uit.

De volgende keer had hij cadeautjes bij zich.

Franse lingerie.

Riojas vroeg haar of ze die voor hem wilde aantrekken. Claudia weigerde.

Weer raakte hij haar niet aan.

De derde keer begon Claudia iets te begrijpen. Ze had weinig ervaring met mannen; ze had alleen een paar losse vriendjes gehad.

Maar ze wist wanneer iemand verliefd was.

Het was eerder gebeurd – jongens op de middelbare school, daarna op de universiteit, die zich stom tegenover haar begonnen te gedragen, totaal anders dan normaal gedrag.

Het werd steeds duidelijker dat Riojas niet van plan was haar te vermoorden.

Hij maakte haar het hof.

Waarom?

Misschien omdat Claudia Claudia was.

Omdat hij begeerde wat hij niet kon vernietigen. *Liefde is vreemd –* zeggen ze dat niet in alle songs?

Er kwam een moment waarop Claudia begon te begrijpen dat deze adoratie haar zou kunnen redden. Misschien niet voorgoed. Een poosje maar. Ergens hield ze op te wensen dat ze dood was, en begon ze te wensen dat ze mocht blijven leven.

Toen hij haar voor de vierde maal vroeg de Franse lingerie aan te trekken, zich om te draaien en alsjeblieft voor hem op het bed te knielen, stemde ze toe. Ze begreep dat het geen zin had aldoor tegen zijn wensen in te gaan. Op den duur zou hij er genoeg van krijgen. Dan zou hij genoeg van haar krijgen.

Er was iets echt zieligs aan een veroveraar die verliefd was op zijn gevangene. Daar moest Claudia gebruik van maken. Ze moest iets achterhouden. Zo nu en dan toegeven, maar hem altijd datgene ontzeggen wat hij boven alles wenste. Wederzijdsheid.

Haar hart – zoals de dichters zeggen.

Ze begon met hem te dineren, aan een echte tafel. Gedekt met glanzend zilver en doorschijnend porselein. Gekleed in een van de jurken van vijfhonderd dollar die hij voor haar had uitgezocht. Soms trok ze iets anders aan, met opzet zijn wensen negerend. Dan kreeg hij een driftbui die pas overging nadat het grootste deel van hun maaltijd op de grond terecht was gekomen.

Hij vond het geweldig om haar te vertellen wat hij met andere vrouwen had gedaan. Vrouwen die hem gedwarsboomd hadden. Die zangeres – Evi, de popster die dacht dat ze haar verhouding met een musicus kon voortzetten terwijl ze met hem omging.

Ik ging naar haar appartement, met mijn privé-dokter. Ik hield haar vast terwijl hij haar stembanden doorsneed, daarna bleef ik zitten kijken toen hij haar hechtte. Nu zingt ze niet meer zo goed.

Hij probeerde angst en gehoorzaamheid op te wekken. Claudia deed of het haar verveelde. Ze was ervan overtuigd dat ze, als ze het tegenovergestelde deed van wat hij wilde, weer een dag zou overleven. Hij liet de teugels een beetje vieren.

Ze mocht naar buiten – altijd vergezeld door een van zijn gorilla's. Ze luisterde. Ze observeerde. Ze onthield dingen.

Waar waren ze? Ze rook zout in de lucht. Niet voortdurend, maar op dagen wanneer de wind hard uit het zuiden blies. Ze moesten ergens aan de kust zijn. Toch waren ze hopeloos geïsoleerd. Nergens was een dak te zien. Alleen welige palmbomen, uit hun krachten gegroeide varens, buitelende paradijsvogels. Wilde parkieten brachten haar een serenade tijdens haar wandelingen over de haciënda.

Toen merkte ze iets anders op.

Iets verschrikkelijks.

Riojas had altijd veilig met haar geslapen. De laatste tijd was hij slordig geworden. Meestal was hij dronken, of high van de coke.

Ze sloeg een menstruatie over. Daarna nog een.

Op een ochtend werd ze ontzettend misselijk wakker. Een halfuur zat ze op de marmeren vloer van de badkamer, starend naar haar spiegelbeeld in de met bladgoud bedekte kranen.

Ze besloot dat ze zelfmoord zou plegen.

Dit besluit nam ze kalm en rationeel.

Er waren vleesmessen in de keuken.

Boven de open haard in de zitkamer hingen twee zwaarden. Ze zou een ervan dwars door zich heen steken, dwars door dit monster in haar, voor iemand haar kon tegenhouden.

Riojas was weg. Ze maakte haar gezicht schoon, bracht zorgvuldig de Franse make-up aan die Riojas voor haar had meegebracht, en trok een donkergrijs broekpak aan dat haar passend leek voor een begrafenis.

De gewapende bewakers die hij in het huis geposteerd had, bleven vandaag gelukkig uit de buurt van de zitkamer.

Het bleken ceremoniële zwaarden te zijn, Japans, dacht ze – van dun, gebogen staal, bevestigd aan kleurige, handbeschilderde gevesten. Ze hingen gekruist aan spijkers.

Ze stak haar hand uit om er een te pakken, toen ze het voelde. Of misschien verbeeldde ze het zich.

Alsof iemand haar in de buik schopte.

Ze had het instrument voor haar eigen dood aangeraakt, en toen had er in haar lichaam iets bewogen. Ze liet zich op de vloer zinken.

Ze begreep wat het was.

En er was meer. Ze wist dat ze er niet toe zou kunnen komen het te doden.

Het was voor de helft van haar.

Het betekent dat ik kleinkinderen voor je kan krijgen, had ze ooit tegen haar moeder, Galina, gefluisterd. Misschien herinnerde ze zich die ochtend dat ze het gezegd had. Misschien gaf het die lichte beweging in haar buik een gezicht, een plaats op de wereld.

Ze zweefde tussen wanhoop en nog erger.

Ze had de beslissing genomen om te blijven leven, maar het was een beslissing waar ze onmogelijk mee kon leven. Daarom nam ze een ander besluit.

Toen Riojas terugkeerde uit Bogotá, deed Claudia alsof ze dolblij was, ze legde zijn hand op haar buik alsof ze hem wilde helpen een nieuw territorium op te eisen. Weer een stukje van de wereld waar hij zijn monogram op kon drukken – die R's als uit een tekenfilm, die nadrukkelijk aanwezig waren op al zijn zakdoeken, servetten, boxershorts – alles wat geborduurd kon worden.

Hij begon haar te verwennen. Binnen zekere grenzen, natuurlijk. Ze was niet zijn vrouw. Daar had hij er een van in Bogotá, met drie obsceen dikke kinderen. Hij kon niet met haar pronken in de stad. Maar hij gaf blijk van iets wat respect genoemd zou kunnen worden. De teugel werd losser. Een gevangengenomen opstandelinge, zelfs een die werd bedolven onder nertsmantels en schoenen van vijfhonderd dollar, zou kunnen weglopen. Maar een meisje dat zijn kind droeg?

Hij praatte niet meer over de vrouwen die hem gedwarsboomd hadden.

Behalve op de dag dat ze het hem verteld had.

Hij vroeg om seks, en ze had geweigerd; zwangerschap was een goed excuus, een dat bij alle andere gevoegd kon worden.

Natuurlijk, zei hij, hij begreep het. Maar voor hij haar kamer verliet draaide hij zich om en sprak tegen haar.

Als je ooit probeert weg te lopen met mijn baby, zal ik je opsporen en je vermoorden. Jullie allebei. Hoe lang het ook duurt, waar je ook naartoe bent gegaan. Begrijp je me?

Ze knikte, dwong zich te glimlachen, alsof het een uitspraak was die bewondering verdiende. Een liefdesverklaring van een macho.

Ze begon zich verder bij het huis vandaan te wagen. Voorbij de tijgerkooien. Een kronkelend pad op dat naar de jungle leidde. Ze had zoute lucht geroken. Het terrein van de haciënda eindigde op een klip met uitzicht op de Caribische Zee, waar een vissersdorpje recht onder de rots lag. Boten waren half op het strand getrokken, op spinnenwebben lijkende netten hingen te drogen in de zon.

Er ging nog steeds een bodyguard met haar mee, maar de afstand tussen hen leek toe te nemen naarmate haar buik groeide. Dikwijls liet hij haar alleen met een boek, of liet hij haar ongestoord een dutje doen in een van de hangmatten met uitzicht op het water.

Ze werd goede maatjes met de beheerder van de dierentuin; behalve tijgers waren er struisvogels, lama's, en chimpansees. Hij heette Benito, en anders dan de andere mannen die Riojas in dienst had, leek hij niet psychotisch te zijn. Hij had zoölogie gestudeerd. Hij liet haar weten dat levende paarden aan de tijgers voeren niet zijn idee was. Evenmin als tweebenige wezens aan hen voeren.

Maar een baan was een baan.

Ze mocht toekijken wanneer hij hun verse brokken schapen– en rundvlees voerde, waarbij hij zich in de kooi waagde en de lunch van de dag aan een lange stok met een haak liet bungelen.

Claudia wachtte tot Riojas weer een van zijn vele reizen zou maken.

Om drie uur 's nachts liet ze zich uit bed glijden. Ze trok de bovenste lade van haar kast open, haalde er een set kleren uit, rolde die om het keukenmes dat ze tussen de band van haar broek had gestoken.

Voor ze naar bed ging had ze het slot van een erkerraam in de zitkamer opengelaten. Ze zette het raam nu zo wijd open dat ze erdoor kon glippen – geen geringe prestatie, gezien haar zwangerschap. Ze stapte het gras op.

Dit had ze minstens tien keer geoefend.

Ze kon de route slapend afleggen.

Ze liep langs de tijgerkooi naar de loods van de beheerder.

Ze haalde de sleutels van de kromme spijker. Ze schoof de mouw van haar nachthemd op tot haar elleboog, pakte het mes en drukte het tegen haar huid.

Ze gebruikte de extra kleren die ze uit haar lade had gehaald om het bloed erin te laten trekken. Daarna liep ze terug naar de tijgerkooi en duwde de bebloede kleding tussen de spijlen door.

Claudia stak de sleutels zorgvuldig in het slot van de kooideur en liet ze daar hangen.

Vervolgens koos ze het pad dat naar de zee voerde.

Ze probeerde tijd te winnen.

's Morgens zouden ze merken dat ze weg was. Ze zouden tot de ontdekking komen dat de sleutels van de tijgerkooi nog in het slot zaten. Alsof iemand zichzelf had binnen gelaten en de deur achter zich op slot had gedaan om er zeker van te zijn dat er geen weg terug was. Voor het geval die persoon de moed verloor, van gedachte veranderde. Ze zouden haar bebloede kleren vinden. Aan stukken gereten.

Ze zouden Riojas bellen, in Bogotá. Hij zou terugdenken aan de laatste avond dat ze bij elkaar waren. Hij zou zich alles weer voor de geest halen. Haar glimlachjes en haar onderworpen houding, en hij zou slechts leugens zien. Had ze zich om het leven gebracht? Had ze het werkelijk gedaan?

Op den duur zou hij achter de waarheid komen. Ze zouden geen afgeknaagde botten vinden. Ze zouden begrijpen wat ze in scène had gezet, en Riojas zou beginnen zich aan zijn belofte te houden.

Als je ooit probeert weg te lopen met mijn baby, zal ik je opsporen en je vermoorden. Jullie allebei. Hoe lang het ook duurt, waar je ook naartoe bent gegaan. Begrijp je me?

Misschien hoorde Claudia die woorden toen ze die nacht door de jungle naar de zee liep. Toen ze ineengedoken in een van de traag schommelende vissersbootjes ging zitten en wachtte tot de vissers als geesten zouden opdoemen uit de vroege ochtendschemering...

Het geluid van een huilende baby. Met een schok keerde Joanna tot de werkelijkheid terug. Terug van die haciënda en de tijgerkooi en de jungle.

Joelle was wakker geworden.

Haar verkoudheid. Galina nam haar op schoot en veegde haar neusje af, daarna maakte ze haar oogjes schoon met een tissue. Joanna gaf haar de fles, duwde de speen in haar mond, wiegde haar zachtjes heen en weer. Het duurde niet lang voor Joelles oogjes slaperig werden, een paar maal knipperden en zich dan sloten tot twee kleine spleetjes.

Galina had haar armen om haar lichaam geslagen, alsof ze het opeens koud had.

'Wat gebeurde er toen, Galina?' vroeg Joanna. 'Hoe ging het verder met Claudia?'

Galina bracht de lege dagen door met het plichtsgetrouw voeden en wassen en poederen van andermans dochters.

Ze maakte ritueel en herhaaldelijk haar huis schoon.

Daarbij vond ze allerlei dingen van Claudia, waar ze een soort altaartje van maakte. Oude verjaardagskaarten. Foto's. Brieven. Half-opgebrande wierookkaarsen. Een paar, voornamelijk goedkope, sieraden. Ze deed wat verwacht wordt dat mensen bij een altaar doen. Ze bad om een wonder.

Soms gebeuren die echt.

Soms word je wakker en trek je dezelfde, saaie kleren aan als de vorige dag. Je gaat aan de keukentafel zitten, waar je lusteloos ontbijt met muffe cornflakes en fruit, omdat je moet eten, ook al heb je geen honger. Je stofzuigt een vloerkleed dat je al zo vaak hebt gezogen dat het begint te slijten. Je stoft elk meubelstuk in huis af. Je doet de afwas nog maar een keer, en je schrobt de vloer. Daarna ga je weer aan de keukentafel zitten omdat het tijd is voor de lunch.

En soms hoor je een zacht klopje op de voordeur. Vermoeid sta je op om open te doen, niet onmiddellijk, omdat je hoopt dat, wie het ook is, zal weggaan en je met rust laten. Maar de persoon gaat niet weg, dus ten slotte moet je opstaan, naar de deur sloffen, vragen wie er is.

Dan hoor je gemompel achter de deur. Iets met een M. Een stem die je niet direct kunt thuisbrengen, maar die je ergens lijkt te raken. En dan vraag je opnieuw: *Wie is daar?*

Nu komen er meer letters, behalve de M. Die staat niet langer op zichzelf. Opeens begrijp je dat de persoon aan de andere kant van de deur je niet haar naam vertelt. Ze noemt *jouw* naam. Maar het is een naam die maar twee mensen op de hele wereld kunnen gebruiken. Een van die twee mensen is de stad uit, en de andere...

Je hart houdt op met kloppen, alsof er kortsluiting in je bedrading is ontstaan. Met trillende vingers draai je de sleutel om. Je gooit de deur open en de persoon fluistert het nog een keer.

Mama... mama... mama.

Dan valt ze in je armen.

Ze zochten een schuilplaats voor haar.

Colombia was een groot land.

Riojas was groter.

Tante Salma was geen echte tante, maar ze werd liefkozend zo ge-

240

noemd, een ongetrouwde vrouw die lang geleden zo ongeveer door hun familie was geadopteerd, en die van dat moment af altijd aanwezig was bij verjaardagen, eerste communiefeestjes en begrafenissen. Ze woonde ver weg, in Fortul, waar Galina geboren was.

Ze reden er de volgende dag met Claudia naartoe.

Claudia verzekerde hun dat Riojas haar achternaam niet kende. Alle FARC-leden veranderen hun achternaam om represailles voor hun familie te voorkomen.

Galina wist dat het haar niet echt zou beschermen.

Ze was opvallend knap. En zwanger. Riojas zou alle provincies uitkammen om haar te vinden.

Dat ze het niet had gemerkt, gaf aan hoe waanzinnig blij Galina was. Niet meteen. Zeker niet bij de deur, waar ze met betraande ogen naar haar had gekeken, ook niet aan de keukentafel waar ze zich aan elkaar hadden vastgeklampt als overlevenden van een schipbreuk.

Toen ze zich eindelijk van elkaar losmaakten en ze haar dochter goed bekeek om te zien of die iets mankeerde, zag ze iets wat ze niet had verwacht.

'Je bent zwanger.'

Twee jaar geleden zou Claudia er misschien een antwoord op gehad hebben – een opmerking over haar moeders verminderde opmerkzaamheid. Nu knikte ze slechts.

'Van wie?'

Claudia vertelde het haar. Daarna sprak ze er nooit meer over – alleen deze ene keer. Ze hield Galina's beide handen vast. Ze sprak langzaam, zacht en kalm. Het was goed dat ze Galina's handen in de hare geklemd hield. Galina wilde niets liever dan die handen gebruiken. Om ergens op te slaan. Om tegen de muur te bonzen. Om ze voor haar mond te drukken, zodat ze niet kon schreeuwen. Het was onmogelijk voor een moeder om rustig te blijven zitten en dit aan te horen. Het was onverdraaglijk.

Over abortus werd nooit gesproken.

Misschien was haar zwangerschap al te ver gevorderd. Misschien deed het er niet toe. Zo waren ze beiden niet opgevoed.

Salma woonde bij een zuivelboerderij, even buiten de stad, waar de mogelijkheid bestond dat Claudia er betrekkelijk ongestoord en anoniem kon wonen. Ten minste voor een poosje. Ten minste tot de baby geboren was.

Ze vertelden Salma net genoeg om haar de ernst van Claudia's situatie te laten inzien. Ze bedachten een verhaal voor mensen die ze niet konden ontlopen. Een ongelukkige liefde. Een niet-geplande zwangerschap. Een meisje dat met rust gelaten wilde worden, samen met het gevolg van haar verkeerde keuzes.

Galina en haar man gingen er om de twee weken op bezoek, ze zorgden ervoor 's avonds laat te vertrekken en onderweg een aantal malen te stoppen om te zien of ze misschien gevolgd werden door verdachte auto's. Vaker dan twee weken was te riskant. Minder was onverdraaglijk.

Met hulp van een plaatselijke verloskundige, een *mestizo,* beviel Claudia van een dochter.

Galina had zich afgevraagd wat haar gevoelens zouden zijn. Of ze de baby als haar *kleinkind* zou kunnen omhelzen. Toen het hoofdje van de baby zichtbaar werd, zag Galina Claudia in elk facet van haar gezichtje. Ze kreeg het gevoel of ze terugging in de tijd. Naar een ziekenhuisbed in Bogotá, de lucht van bloed en alcohol en talkpoeder, een krijsende baby die toen al haar handjes leek uit te strekken naar iets wat buiten haar bereik lag.

Ze werd genoemd naar haar grootmoeder van vaderszijde. *Sofia,* de *ventello*-zangeres. Ze werd ingebakerd, gedoopt, en liefdevol geaccepteerd door de kleine kring mensen die van haar bestaan mochten afweten.

Een korte, vluchtige periode, stond Galina zichzelf toe zich te ontspannen en te koesteren in het bijzondere genoegen een *abuela* te zijn. Wanneer ze naar Fortul ging, met speelgoed bij zich, was ze als iedere andere oma die haar kleinkind bezoekt. Ze verspreidde het verhaal dat Claudia in Fortul woonde omdat haar man daar bij een van de olieraffinaderijen werkte. Dat Claudia nooit naar haar ouders kwam omdat de baby nog niet kon reizen. Nog niet. Dat ze altijd binnen bleven omdat het slecht weer was, of omdat Sofia overgevoelig was voor de zon.

Toen werd het onmogelijk om nog te doen alsof.

Op een dag kwam Salma van de markt terug, al het bloed leek uit haar gezicht weggetrokken. Ze vertelde Claudia dat er mensen waren die vragen stelden. Iemand liet een foto zien. Claudia herinnerde zich de eerste dagen van haar gevangenschap, toen Riojas haar had *verhoord,* toen hij naaktfoto's van haar had genomen in verschillende posities, bedoeld om haar zo veel mogelijk te vernederen. Haar ogen waren gezwollen en dicht, maar ze kon nog steeds het licht van de flitslampjes als vuurpijlen uit de duisternis zien schieten.

Ze moesten hen ergens anders naartoe brengen.

Een andere tak van de familie werd gezocht, en er werd druk op uitgeoefend. En de druk was zwaar. Degenen die hen verborgen hielden waren er zich sterk van bewust dat ze zich in de vuurlinie bevonden. Er werd een soort ad-hocsysteem ontwikkeld. Claudia en Sofia werden heen en weer geschoven. Heen en weer tussen die familieleden en vrienden die op een bepaald moment hun angst konden wegslikken, en hun tijdelijk onderdak konden verschaffen.

Het was niet gemakkelijk voor Claudia om doorgeschoven te worden als een ongewenst familielid. Maar dat wás ze. Een last, een albatros. Albatrossen betekenden de dood, en dat zou Claudia ook kunnen betekenen. Ze bleef een paar weken of een aantal maanden in elk huis of appartement, voor ze vertrok. Meestal in het holst van de nacht. Ze werd bedreven in snel inpakken, net genoeg meenemen van de ene plek naar de andere, om zich op elk nieuw adres thuis te kunnen voelen.

Langzaam nam de druk af. De verhalen over *paramilitares* die informeerden naar een mooi meisje met een baby werden sporadisch, en hielden daarna geheel op. Claudia's logeerpartijen werden langer, routine nam de plaats in van angst. Sofia werd van baby een peuter – in een ogenblik, althans zo leek het voor Galina, die haar slechts in zorgvuldig afgemeten periodes te zien kreeg. Claudia leek ook te groeien, ze hervond dingen van zichzelf die haar in die haciënda waren afgenomen. Ze begon zich buiten te wagen, met haar dochtertje op sleeptouw, vermomd met een zonnebril en een enorme, strooien hoed.

Soms vergezelde Galina haar op die wandelingen. Ze probeerde zich te verbeelden dat het leven weer een beetje normaal zou kunnen worden. Er waren nu vier jaar versteken. Als je de kranten goed las, had Riojas meer dan genoeg om hem bezig te houden. Ze dreigden hem wegens drugssmokkel uit te leveren aan de Verenigde Staten. Misschien was hij Claudia vergeten. Was hij hen vergeten. Misschien kon het hem niet meer schelen.

Wanneer ze gedrieën hand in hand wandelden – of Sofia aan haar beide armpjes over de stoeprand tilden – konden ze zich gemakkelijk voorstellen dat het waar was.

Later zou Galina begrijpen dat dát was wat hij hen wilde laten denken. Dat ze begonnen te geloven dat het allemaal voorbij was. Dat ze wat zorgelozer zouden worden. *Onvoorzichtiger.* Dat ze niet meer om elke hoek zouden kijken.

Ze kwam nooit te weten hoe het gebeurde. Dat zou ze nooit weten. Ze zou het zich moeten voorstellen, wat erger was dan weten. Omdat je verbeelding elke nachtmerrie kan oproepen die er bestaat, niet beperkt wordt door feiten of omstandigheden.

Iemand had Claudia gezien. Zo veel wist ze.

Galina kreeg een paniekerig telefoontje van haar dochter. Of liever gezegd, het stond op haar antwoordapparaat. De rest van haar leven zou ze het zich kwalijk nemen dat ze die dag boodschappen was gaan doen. Dat ze de koelkast had opengedaan en had gezien dat er eten gekocht moest worden. Ze zou uren en dagen en weken en jaren hebben om zich voor te stellen wat haar dochter werd aangedaan terwijl zij zich bezighield met de routineklusjes van het dagelijks leven. Om te piekeren over die ene vraag. Als ze thuis was geweest en Claudia's gesprek had kunnen aannemen, zou ze haar dan hebben kunnen rédden?

Toen Galina ten slotte thuiskwam, toen ze achteloos de knop van het antwoordapparaat indrukte en de duidelijk doodsbange stem van haar dochter hoorde, wist ze het al. Het was te laat.

Ze begroef haar paniek, deed wat er van je verwacht wordt wanneer iemand je belt. *Terugbellen.* Claudia's oom nam op – de oom bij wie ze de afgelopen zes weken had gelogeerd. Hij wist niet waar ze was, zei hij. Zij en de baby. Misschien waren ze gaan wandelen.

Iemand heeft me gezien, op de markt, had ze in de telefoon gefluisterd. Claudia had niet gewacht tot haar oom thuiskwam. Uit zelfbehoud, en omdat ze hem wilde beschermen, had ze Sofia meegenomen en was ze gevlucht. Later hadden ze gemerkt dat er wat spullen van haar weg waren – niet alles, wat kleertjes van Sofia en een fotootje van hun drieën – oma, moeder en baby – dat ze van het ene huis naar het andere had meegesleept.

Claudia was op de markt gezien en in paniek had ze de enige gebeld die ze op de wereld het meest vertrouwde.

Galina was niet thuis. Ze deed boodschappen.

Toen had Claudia besloten dat ze hen moest verlaten.

Daarna, wie zal het zeggen?

Daarna blijf je achter met de gortdroge politieverslagen en een paar ooggetuigen die al dan niet iets hebben gezien. In de eerste plaats blijf je achter met het lichaam.

Ze werd gevonden aan de rand van een *barrio*.

Aanvankelijk wist niemand dat het een *vrouw* was. Het was een verzameling vlees en beenderen, een legpuzzel waar twee gerechtelijk pathologen een hele week voor nodig hadden om die in elkaar te leggen, voor ze konden verklaren dat *zij* het was. Zo veel wisten ze. Wat haar was aangedaan, had tijd en geduld gevergd. Er waren sporen van een touw om haar nek. Wat *ooit* een nek was geweest. Overal waren brandwonden van een bijtend zuur. *Op elke centimeter van haar huid.* Dat stond in het politierapport. Het had geheimgehouden moeten worden om de familie te sparen, maar het werd gelekt naar een krant die het als een klein artikel afdrukte op de pagina met het weerbericht. Ze was verbrand en verminkt. Het rapport vermeldde niet of ze leefde en bij bewustzijn was tijdens de marteling.

Het vertelde Galina ook niet wíé het gedaan had.

Het was gewoon weer een onopgeloste moord. Om bij de duizenden onopgeloste moorden in Colombia te worden gevoegd.

Was Riojas er persoonlijk bij betrokken geweest?

Had hij weer een telefoontje gekregen tijdens een diner, had hij zijn vrouw koeltjes in haar oor gefluisterd dat hij dringend weg moest voor zaken? Had hij geglimlacht, zijn mouwen opgestroopt, was hij met forse stappen binnengekomen en had hij Claudia doodsbang gemaakt, zoals hij dat vier jaar geleden had gedaan? Onmogelijk te zeggen.

Maar Galina zág hem daar.

Wanneer ze het zich voorstelde, wat ze telkens en telkens weer deed, verdoofd door de drank, volgestopt met zo veel pillen als ze van weer een nieuwe dokter had kunnen loskrijgen, was Riojas er altijd. Zwaaiend met het mes. Het zuur over haar heen gietend. Het leven uit haar dochter persend.

Hij was er altijd.

Nadat Galina uitgesproken was, kon Joanna niets bedenken om te zeggen. Verbijsterd bleef ze zitten, zwijgend.

Pas toen Galina opstond om weg te gaan, toen ze welterusten fluisterde en naar de deur liep, besefte Joanna dat er nog een stukje aan het verhaal ontbrak.

'Sofia,' zei Joanna. Ze aarzelde om het te vragen omdat ze bang was voor Galina's antwoord. 'Wat is er met je kleindochter gebeurd?'

Galina bleef bij de deur staan. 'Dood,' zei ze, zonder zich om te draaien. 'Net als haar moeder.'

Er waren nog meer vragen – hoe hun dood Galina bij FARC had gebracht. Joanna wilde ze echter niet stellen. Als ze er goed genoeg over nadacht, kon ze de hiaten waarschijnlijk zelf invullen.

Nadat Galina was weggegaan, ging Joanna op de grond liggen en beschermde ze haar dochter met haar lichaam.

37

Aan de buitenkant leek het op een taxigarage. BEL-EEN-TAXI stond erop, in grote, gele blokletters.

Blijkbaar was het niet zo.

Om te beginnen stonden er geen taxi's in.

Er waren geen chauffeurs.

Er waren donkere gangen die nergens heen schenen te leiden. Er was een grote ruimte met vage olievlekken op de grond. Misschien was het vroeger een garage geweest, maar niet nu.

Hier had de vogelkenner hem mee naartoe genomen.

Hij was afgevoerd via de trap van zijn appartement, met de hand van de vogelkenner op zijn arm, daarna was hij een auto met grijsgetinte ramen in geschoven en de stad uit gereden door een chauffeur wiens gezicht hij niet kon zien. Queens, dacht Paul – dat uitgestrekte onbekende gebied waar bewoners van Manhattan doorheen rijden op weg naar East End, alleen stoppend om te tanken of af en toe voor een wedstrijd van de Mets.

'Je bestudeert geen vogels,' zei Paul ergens gedurende de rit tegen hem, de woorden kwamen eruit als lood, alsof ze zwaarder waren dan lucht.

'Nee,' zei de man. 'Ik bestudeer andere dingen.'

Het duurde even voor Paul besefte dat hij verhoord werd.

Ze stelden vragen en het leek erop dat hij die beantwoordde. Ja, ze waren met hun tweeën. Na een poosje viel hem op dat een van de mannen altijd uit het zicht en vlak achter hem bleef – de twee mannen wisselden van positie als strandvolleyballers die beurtelings bij het net staan, of serveren. Hij vroeg zich af of deze tactiek bedoeld was om hem bang te maken. Die ene, die zich achter hem schuilhield, en godweet-wat deed? Als het zo was, kon hij hun vertellen dat ze zich die moeite konden besparen – hij was al bang genoeg.

Toen ze bij de garage kwamen had de vogelkenner een blauw nylonjack aangetrokken. Nee, *aangetrokken* was te zacht gezegd. Hij had zich erin gehuld, zoals een Master's Champion zich in het groene jasje hult.

Op dit jack stond DEA, in opvallende, witte letters van vijftien centimeter hoog. Paul dacht dat de bedoeling ervan was dat er geen twijfel mogelijk was wie de voordeur intrapte van een of andere flat zonder lift in Spaans Harlem. Blijkbaar had de vogelkenner het niet nodig gevonden te laten merken waar hij bij hoorde, toen hij Pauls appartement in West Side was binnengedrongen.

'Weet je wat dit betekent, Paul?' vroeg de vogelkenner hem.

'Ja,' zei Paul. 'Drug Enforcement Agency.'

'Mis.'

'D... E...'

'Mis.'

'Ik dacht dat DEA...'

'Mis. Op dit jack staat *Paul is er gloeiend bij.*'

Ja, dacht Paul. Oké. 'Mag ik bellen met... ?'

'Weet je waaróm het erop staat, Paul?' onderbrak de vogelkenner hem.

'Kun je het raden?'

'Nee. Ja.'

'Nee. Ja. Welk van de twee?'

'Neem me niet kwalijk. Mag ik een advocaat bellen?'

'Natuurlijk mag je een advocaat bellen. Wat dacht je van *Miles Goldstein*? Dat is toch een advocaat?'

Paul gaf geen antwoord. De vogelkenner had zijn bril afgezet en daarmee verdween elke suggestie dat hij zich bezighield met de vriendelijke, geleerde wetenschap van de ornithologie.

Ik bestudeer andere dingen.

'Paul, ik heb je een vraag gesteld. Misschien ben je niet bekend met de gang van zaken tijdens een DEA-verhoor. Dat geeft niet. Ik zal het uitleggen. Wij stellen de vragen. Jij antwoordt. Het is heel eenvoudig. Dus, wat denk je ervan – is het tot zover duidelijk?'

Paul knikte.

'Mooi. Geweldig. Dus, wat heb ik je zojuist gevraagd? Tom, weet jij nog wat ik Paul gevraagd heb?' Hij richtte zich tot de man die zich achter Paul schuilhield. Paul draaide zich om, hij wilde kijken, maar hij voelde onmiddellijk de arm van de man om zijn schouder, die hem met geweld terug dwong.

'Je vroeg hem of Miles Goldstein advocaat was,' zei Tom.

'Ja,' antwoordde Paul. 'Hij is advocaat.'

'Mis,' zei de vogelkenner.

'Hij is adoptie...'

'Mis.'

'We zijn naar hem toegegaan omdat...'

'Mis. Miles Goldstein is géén advocaat.'

Paul haalde zijn schouders op en hij stamelde iets – hij voelde zich een domme, getreiterde student die niet op het juiste antwoord kon komen.

'Miles Goldstein wás advocaat. Was. Zijn hersens liggen overal in de werkkamer van zijn huis verspreid. Maar dat weet je, Paul. Moeten we de gang van zaken tijdens een DEA-verhoor nog een keer doornemen?'

'Nee.'

'Nee? Oké. Miles Goldstein was advocaat. Wat was Miles Goldstein nog meer? Behalve een zak van een jood? Denk jij dat joden de zalen van de macht hebben geïnfiltreerd, Paul? Denk je dat ze meewerkten met onze buitenlandpolitiek? Dat ze banken beroofden, onze bedrijven corrumpeerden, onze bloedlijn vervuilden? Denk je dat, Paul?'

'Nee.'

'Nee? Het geeft niet, Paul – we halen alleen de rotzooi naar boven. Je zult me vertellen dat een paar van je beste vrienden joden zijn, bla-bla-bla... maar kom nou toch, wilde je me vertellen dat je, telkens wanneer je de krant openslaat, de joden niet vervloekt? Dat je denkt dat Osama *Jew* York heeft uitgezocht omdat hij de pest heeft aan yankees?'

'Ik weet het niet.'

'Ja, natuurlijk, je wéét het niet. Maar je kunt ernaar raden. Je kunt stilletjes een vermoeden hebben. Als je een dokter, of een advocaat nodig hebt, of een accountant om de belasting te ontduiken, dan is er geen vuiltje aan de lucht. Misschien wil je je laten pijpen – Jappen zijn er kunstenaars in, goed, dat wil ik toegeven. Maar wil je echt met ze samenleven? Vooruit, Paul – joden – ja of nee?'

'Nee,' zei Paul, toegevend om de druk te verlichten. Hij wilde dat de vogelkenner tegen hem zou lachen, hem op zijn rug zou kloppen, hallo vriend, leuk je te zien, zou zeggen. Hij wilde weg uit deze garage. De klap in zijn nek ramde zijn gezicht hard op de tafel. Toen hij overeind kwam, spatte het bloed uit zijn mond.

'Paul. *Paul...*' De vogelkenner schudde langzaam zijn hoofd, maar het beeld werd steeds waziger, omdat Paul de tranen in de ogen geschoten waren. 'Ik verbaas me over je. Tom is jood. Je hebt hem diep beledigd. Waarom zou je Tom zo willen beledigen?'

Paul probeerde hem te vertellen dat hij het niet zo bedoeld had, dat hij alleen maar probeerde aardig gevonden te worden, maar hij had te veel pijn om te praten. De aanvankelijke verdoving had plaatsgemaakt voor een schroeiende, afschuwelijke pijn. Dikke bloeddruppels lekten op de tafel.

'Van nu af aan moet je proberen ons niet te beledigen, Paul. Het is maar een raad, oké? Van de ene vriend aan de andere. Ik ben een kalm type, maar Tom is vaker aangeklaagd wegens geweldpleging dan de politie van New York. Nu, waar waren we? Wat was Miles Goldstein nog meer?'

Hij gaf Paul een papieren zakdoekje, wachtte geduldig tot Paul genoeg bloed uit zijn keel had geschraapt om te kunnen antwoorden.

'Ik weet het niet,' fluisterde Paul. 'Hij was een soort drugsdealer, denk ik.'

'Denk je dat?' De vogelkenner glimlachte, maar het was niet het lachje waarop Paul had zitten wachten. Nee.

'Ja, Miles Goldstein was een drugsdealer. Je hebt gelijk. Absoluut. Maar wie deden het vuile werk voor hem? Wie waren zijn koeriers?'

Ik.

Paul zei: 'Ik wil nu toch echt mijn advocaat bellen.'

'Echt. Dat wil je echt?'

'Ja.'

'Nee.'

'Je hebt niet... Ik heb recht op één telefoontje. Je hebt me mijn rechten niet voorgelezen.'

'Daar is een reden voor, Paul.'

'Welke reden?'

'Je hebt geen rechten.'

'Wat?'

'Zie je, we kunnen je je rechten voorlezen, maar die heb je niet. Waar heb je gezeten? Dit is het Guiliani-tijdperk.'

'Ik ben geen terrorist,' zei Paul.

'Nee, Paul, je bent geen terrorist. Je bent een ezel. Je bent een *culero*. Je bent een koerier met pakjes in zijn achterste. We weten wat je bent.'

Maar Goldstein speelde een spelletje met die doortrapte linkshandigen in het Che-stadion. Je weet dat FARC door de regering als een *terroristische groepering* wordt beschouwd. Ja, ze staan op de lijst, samen met Osama en de Hezbollah. Daarom voorzien we Colombia van speciaal materiaal en echt *coole* wapens. Dus als Goldstein zaken deed met terroristen en jij deed zaken met Goldstein, nou, dan maakt dat jou... laat eens kijken, wat is híj dan, Tom?'
'Dat maakt dat hij valt onder de pas aangenomen wetten voor de nationale veiligheid. Of, zoals wij zeggen, dat hij in de handen van Ridge valt.'
'Ja,' zei de vogelkenner, 'daar komt het wel zo ongeveer op neer. Nee, Paul, je mag niet bellen. Je krijgt geen advocaat. Je krijgt geen drie maaltijden en je mag niet roken. Je komt hier niet uit. Niet tenzij wij het goedvinden. En over de rotzooi die je van je leven gemaakt hebt, gesproken, ik zou wel eens willen weten hoe Miles en jij zijn werkkamer in Williamsburgh zijn binnengewandeld, en hoe jij er als enige uit wandelde.'

Ze zetten hem in een cel, die geen echte cel was.
Er was geen wc en geen wasbak. In tegenstelling tot de kamer in Colombia, was er ook geen bed. Niets dan lege ruimte, omgeven door kale muren en wat op een pas aangebrachte, metalen deur leek.
Als hij wilde gaan liggen om te slapen, en dat wilde hij wanhopig graag, zou hij op de betonnen vloer moeten gaan liggen.
Hij probeerde het, ging op zijn rug liggen en staarde naar een kale gloeilamp met metalen draadwerk. Het zag er niet naar uit dat het licht binnenkort zou uitgaan. De lamp was beschermd dus hij kon er niet op af springen om die te breken, om het glas als wapen te gebruiken, ook niet tegen zichzelf. Geen zelfmoord tijdens hun werktijd.
Ze hadden hem bestookt met vragen voor ze hem in deze cel gooiden – hij had geprobeerd het grootste deel ervan te beantwoorden. Voornamelijk had hij geprobeerd uit te leggen wat er gebeurd was. De ontvoering in Bogotá, de verschrikkelijke positie waarin hij was geraakt, gedwongen te kiezen tussen zijn vrouw en dochter en het overtreden van zes verschillende drugswetten.
Hij kon niet zeggen of ze hem geloofden, of dat ze dachten dat hij het allemaal verzon.
Ze hadden hem heel wat over Miles gevraagd. Zo nu en dan onder-

broken door een verandering van tactiek – welke school had Paul bezocht? Wat verdient een verzekeringsexpert? Voor welk bedrijf werkte
Joanna?

Telkens wanneer hij de naam van zijn vrouw uitsprak, voelde hij een
doffe pijn in zijn borst. Alles wat hij gedaan had, had hij voor hen
gedaan. Voor Jo en Jo. Hij was niet dichter bij hun bevrijding gekomen. Ze vervaagden in de verte. Het leek alsof hij hen tegen een berg-
helling op sleepte, er echt kracht achter zette, maar het touw glipte
door zijn handen en ze vielen steeds dieper omlaag.

Nadat hij een paar uur in de cel had gezeten, kwam de vogelkenner
hem weer halen.

Tom was niet bij hem.

'Weet je wat me echt kwaad maakt, Paul?' vroeg de vogelkenner. Hij
inhaleerde diep van een Winston, hield de rook binnen tot het adertje
op zijn voorhoofd begon te kloppen, voor hij de rook in een blauwe
wolk liet ontsnappen.

'Nee,' zei Paul.

'Dat was een retorische vraag, Paul. Ik vind het prettig dat je eindelijk
de nuances van een DEA-verhoor doorhebt, maar ik was niet echt op
zoek naar een antwoord. Wat me echt kwaad maakt, waar ik de pest
over in heb, is dat ik anderhalf jaar achter die klootzak aan heb gezeten, en dat hij nu dood is. Een echt ernstig geval van coitus inter-
ruptus. Mijn ballen zijn blauw en zo groot als grapefruits. Weet je hoe
dat voelt?'

Deze keer hield Paul zijn mond.

'Het voelt niet goed, Paul. Het doet pijn. Het enige wat ik eraan over-
gehouden heb zijn een hoop gratis vlieguren met American – en die
moet ik in de gezamenlijke pot van het bureau stoppen. Toch niet te
geloven? Al die vervelende vluchten naar Bogotá, kijken naar Bruce
Almighty en zitten naast stommelingen als jij, en volgend jaar Kerstmis krijg ik een reisje naar San Juan – als ik geluk heb. En ik voel me
niet gelukkig. Ik bedoel maar, anderhalf jaar, en dan blijf ik zitten met
jou? De laatste reiziger aan boord van de Goldstein Express.'

Paul was de laatste van velen geweest, verklaarde de vogelkenner. Het
had hem veel tijd gekocht om erachter te komen. Geduldig had hij het
geldspoor gevolgd. Zo dichtbij om het af te ronden, zó dichtbij, en
dan...

'Dus, wat is er in zijn huis gebeurd, Paul? Ruzie over geld? Contract-breuk?'

'Dat heb ik je verteld,' zei Paul. 'Hij heeft zich voor zijn hoofd geschoten.'

'Misschien. Maar ik ben niet geneigd je te geloven. Jij hebt de pech dat je degene bent die met de brokken blijft zitten. Dat is toch klote? Ik heb mijn pond vlees nodig, en dat ben jij, vriend. *Hij heeft zich voor zijn hoofd geschoten.* Misschien. Misschien niet. Misschien kan het me geen moer schelen.'

'Ik zeg het nog één keer, ze hebben ons *ontvoerd*. Miles heeft ons er ingeluisd met een chauffeur en een verpleegster. Galina. Zij heeft de baby's verwisseld en toen we er met haar over gingen praten...'

Paul zweeg. Het hele verhaal klonk onaannemelijk, zelfs in zijn eigen oren. De vogelkenner leek niet in de stemming voor een verhaal dat Paul ook maar een spoortje onschuld kon opleveren. Hij stak een volgende sigaret op en staarde in de ruimte.

Er was nog een reden waarom Paul verder niets meer had gezegd.

Er stonden een paar dingen in het tafelblad gekrast. Een paar smerige uitdrukkingen, een paar gore tekeningetjes, en een gebroken hart.

Paul keek naar de letter in de onderste helft van het gebroken hart.

Het was de letter R.

Die herinnerde hem ergens aan.

De brieven van Galina. En de kleindochter, die ze ten koste van alles wilde beschermen.

Haar vader zoekt haar. Hij zal niet ophouden tot hij haar gevonden heeft. Zoals u weet, heeft R de macht en de middelen ervoor.

R.

Eindelijk begreep Paul het.

38

Ze noemden het een *boom der fouten*. De naargeestige jongens van de afdeling Verliezen noemden het zo.

Wanneer er een tragedie plaatsvond, een gebouw tot de grond toe afbrandde, een vliegtuig neerstortte, een brug in een rivier stortte – moest je ergens de schuld aan toeschrijven.

Dus je werkte terug.

Je creëerde een boom der fouten.

Je begon met de twijgen – alle feitjes die je kende, alles. Dan probeerde je vast te stellen welke terugleidden tot de takken. En vandaar naar de *stam*. Als je geluk had, als je je huiswerk goed deed en er de tijd voor nam, kwam je ten slotte uit bij de wortels.

In zijn cel had hij weinig anders te doen dan twijgen opruimen, proberen de takken te ontwarren, en daarna alles in elkaar te passen.

Dat deed hij.

Hij hakte en snoeide en zaagde en brak af, en ten slotte had hij een boom.

Het begon met een Colombiaanse kinderverpleegster.

Ze hielp Amerikaanse echtparen die haar land binnenstroomden, op zoek naar een kant-en-klaar gezin. Een echt goede vrouw, iemand die wist wat het betekent dat je wanhopig graag een gezin wilt stichten, omdat zij er een had, ze had althans een dochter, die misschien veel op Joelle had geleken. Paul nam aan dat ze van deze dochter hield en haar aanbad.

De Colombiaanse verpleegster werkte voor een Amerikaanse advocaat. Misschien niet voortdurend, maar wel vaak. Een adoptieadvocaat, die mensen die alles, behalve een baby stelen, hadden geprobeerd, naar een land stuurde dat als belangrijkste exportartikel cocaïne had, op de tweede plaats koffie, maar op de derde plaats kinderen. Een land met bijna evenveel ongewenste kidnappings als ongewenste kinderen. En daar wachtte de verpleegster hen op, en ze hielp geduldig bij de verwarrende overgang naar het ouderschap.

Deze advocaat had niet gekozen voor belastingrecht of ondernemings-recht, maar voor de juridische hulpverlening, vanwaar toenemende teleurstelling hem uiteindelijk bij adopties uit het buitenland had gebracht. Hij had behoeftige baby's samengebracht met behoeftige families, en hij begon zichzelf schouderklopjes te geven en tegelijker-tijd een goed inkomen te verdienen.

Maar niet goed genoeg.

Op een dag pakte hij de telefoon op en kreeg een klantenlokker die hem iets influisterde. Hij begon te wedden op de paardenraces. Of op de atletiekbaan, het stadion, het honkbalveld, de ijshockeybaan, over-al waar mannen in clubtenue speelden voor de verlokking van het geld, het genoegen van de fans, en de blijdschap, maar meestal het verdriet, van de gokkers.

Voor de advocaat betekende het verdriet.

Hij was een respectabel man met een slechte gewoonte. En een ge-vaarlijk hoog oplopende schuld. Hij was de verkeerde mensen geld schuldig.

Terug naar de kinderverpleegster in Bogotá. Haar dochter had een dochter bij iemand.

Laten we hem R noemen.

Laten we ons voorstellen dat hij een verkeerd soort man was, niet iemand van wie je zou willen dat hij je dochter thuisbracht na een avondje stappen. Iemand die gevaarlijk was en corrupt. Zelfs misdadig. Beslist misdadig.

Ik dacht dat ik mijn dochter een veilig leven kon garanderen. Ik heb me vergist.

Er was iets gebeurd met de dochter van de verpleegster.

Ze was vermoord, ontvoerd, iemand had haar laten verdwijnen, wat dan ook, want opeens waren het alleen nog de verpleegster en haar klein-dochter. De dochter was verdwenen, ja, maar het meisje leefde nog.

Er was echter een probleem.

Haar vader zoekt haar. Hij zal niet ophouden tot hij haar gevonden heeft. Zoals u weet, heeft R de macht en de middelen ervoor.

De verpleegster moest in actie komen. Snel.

Ze moest haar kleindochter uit handen van R houden, en de enige manier om dát te doen was haar het land uit te brengen.

Hoe?

Door zich tot de enige persoon te wenden die haar kon helpen, de enige die *wist* hoe je kinderen het land uit kon krijgen, omdat dat tenslotte zijn beroep was. Ze klopte bij de advocaat aan om hulp. Nog een Colombiaans kind dat hij moest helpen naar *el norte* te verdwijnen.

Alleen, met dit kind lag het anders. Dit kind had een prijs op haar hoofd. Vreemd genoeg hing de advocaat ook een prijs boven het hoofd. Al dat geld dat hij de verkeerde kerels schuldig was – de Russen met hun gele tanden en CCCP-tatoeages op hun arm.

Natuurlijk, schreef hij terug. Ik zal je helpen. Je bent naar de juiste persoon gekomen. Geen probleem.

Er is maar één kleine voorwaarde.

Geld.

Niet de gebruikelijke juridische kosten. Nee.

Genoeg om hem te redden uit de klauwen van de Moskovieten en hem in staat te stellen al die mensen die van sportprognoses hun beroep hadden gemaakt, aan het werk te houden. En toen vertelde hij haar hoe ze eraan kon komen.

Dit is de deal, had hij de verpleegster verteld.

Ik stuur je echtparen die een kind willen adopteren, net als altijd. Heel af en toe – niet elke keer, niet eens om de andere keer, maar zo nu en dan, heeft een van deze echtparen de pech dat het ontvoerd wordt. Dat is toch schering en inslag in je land? Wat kan een advocaat daaraan doen?

Wie moet hen ontvoeren?

Die marxisten in de bergen, die mensen die ertoe hebben bijgedragen dat voetbal niet meer het Colombiaanse tijdverdrijf is.

En wat moest FARC doen met die ontvoerde echtparen?

Iedereen wist dat FARC op de ouderwetse manier aan geld kwam – ze verdienden het. Hoe ze het verdienden? Door de verkoop en de smokkel van pure, onversneden Colombiaanse cocaïne.

Ze gaven de voorkeur aan muilezels, maar die behoorden tot een prototype dat in elke Amerikaanse film voor douaniers-in-opleiding voorkwam. Colombianen, arm en met een slechte reputatie. Van elke twee muilezels die door de douane kwamen werd er één uitgepikt, uitgezogen en naar huis teruggestuurd.

Maar als die muilezels nu eens Amerikanen konden zijn, middenklasse en volkomen respectabel? Wat dan? Als de echtgenoten die het slecht getroffen hadden nu eens door de douane konden worden gestuurd met cocaïne ter waarde van miljoenen dollars bij zich, om hun vrouwen en hun baby's te bevrijden?

De verpleegster hoefde alleen maar dit idee, dit staaltje van buitengewoon vernuft, door te spelen naar FARC. O, ja, en af en toe helpen bij de ontvoeringen. Dat ook.

Iedereen zou krijgen wat hij het liefst wenste. De verpleegster kreeg veiligheid voor haar kleindochter. FARC kreeg een waterdichte, brandvrije pijplijn met New York. En de adoptieadvocaat? Hij zou het geld krijgen om zich de Russen van het lijf te houden, en om op de uitslagen en de punten te gokken.

Hij die één kind redt, redt zijn eigen hachje.

En een tijdlang werkte het. Een lange tijd, te oordelen naar de ouderdom van de brieven.

Toen gebeurde er iets.

Paul. De expert onder de experts, die altijd de kansen berekende, maar nooit rekening had gehouden met de kans dat zijn verpleegster het hotel uit zou lopen met de ene baby en terugkeren met de andere.

De laatste reiziger aan boord van de Goldstein Express.

Handig te grazen genomen, volgestopt met drugs, en gedumpt voor een afgebrand safehouse. En daarna bijna langzaam krokant geroosterd in de moerassen van New Jersey.

Hoe kon dat gebeuren?

Weet je nog wat de advocaat hem had verteld voor hij zich het leven benam?

Het zijn die schoften met hun uzi's en hun kerosine waar ik me druk over maak.

Ze passen de stukjes aan elkaar. Ze komen dichterbij.

En daarvoor, nadat ze teruggereden waren uit het moeras, toen Paul hem had gevraagd wie hun bijna-moordenaars waren?

Mannen van Riojas, had hij gezegd. *Hij zit in de gevangenis. Zij niet.*

En denk terug aan wat de verpleegster in die brief schreef.

Hij zal niet ophouden tot hij haar gevonden heeft. Zoals u weet heeft R de macht en de middelen ervoor.

Ze schenen het over twee verschillende mensen te hebben.

Tenzij dat, natuurlijk, niet het geval was.

Miles was zo bang dat hij een pistool tegen zijn hoofd zette en schoot. Galina was zo bang dat ze haar kleindochter naar een ander land stuurde, om haar nooit meer te zien.

De een was bang voor R. De ander was bang voor Riojas.

Denk aan die R, niet als een letter die in de tafel van een voormalige taxigarage is gekerfd, maar in de stam van de boom der fouten. En dan begrijp je het.

R staat voor Riojas.

Hij had de *macht en de middelen om haar te vinden,* en dat had hij ook zeker gedaan. Die mannen in het moeras waren niet op zoek naar drugs of geld – niet alléén naar drugs of geld. Ze waren op zoek naar iemands dochter. Ze pasten de stukjes aan elkaar. Ze kwamen dichterbij.

Daar stond hij, in zijn volle, afschuwelijke glorie, de boom der fouten. Maar toen Paul ernaar keek, dacht hij dat hij die heel misschien zou kunnen gebruiken als bescherming tegen de storm. Bescherming voor hen alle drie – Joanna en Joelle en hijzelf.

Nog één vraag.

Het meisje. De advocaat had beloofd haar als zijn eigen kind te adopteren.

Waar was ze?

39

De vogelkenner hapte. Paul bood aan hem een zeldzame vogel te laten zien. Althans de schuwe nakomeling ervan. Hij bood aan hem naar het nest te brengen.

'Dat is een interessant verhaal,' zei de vogelaar. 'In welke rubriek zou je het onderbrengen? Fictie of non-fictie? Misschien *sciencefiction*.'

Paul zag dat de man meer belangstelling had dan hij wilde laten merken. Hij stopte bijvoorbeeld de sigaret die hij net wilde aansteken, terug in het verfrommelde pakje. Daarna ging hij rechtop zitten en hij staarde naar Paul alsof die eindelijk de moeite waard was om naar te kijken.

'Anderzijds moet ik toegeven dat je een vermoeden van ongeloof bij me hebt opgewekt, Paul,' zei hij. 'Natuurlijk is Manuel Riojas mijn zaak niet. Zijn zaak is gesloten. Hij zit in een federale gevangenis met vierentwintiguursbewaking. Dus, vraag ik je, waarom zou ik hier iets mee moeten doen?'

'Omdat Riojas dan wel in de gevangenis zit, maar zijn mannen niet.' Hij herhaalde de woorden van een zekere advocaat, nu overleden. 'Ze hebben in New Jersey twee mannen vermoord.'

'Colombiaans uitschot, net als zijzelf. Dus ik vraag je nogmaals, waarom zou ik hier iets mee doen?'

'Omdat hij, als hij nog steeds zijn mannen eropuit stuurt om mensen te vermoorden, nog steeds drugs smokkelt. Dat doen zijn mannen voor hem. Hoort het niet bij je werk om daar een eind aan te maken?'

Hij had de rollen op een gevaarlijke manier omgedraaid – hij las zijn bewaker de les over het rechte pad. Hij verwachtte elk moment dat zijn hoofd weer tegen de tafel geslagen zou worden. Maar Tom was er nog steeds niet, dus er stond niemand achter zijn rug.

'Dat is een kwestie van opvatting, Paul. Wat mijn werk is. Meestal is het wat de Amerikaanse regering zegt dat het is. Op dit moment zegt die dat Miles Goldstein mijn zaak is, wat betekent: wat er overgebleven is van mijn zaak, dat ben jij. Niet Manuel Riojas. Ik moet toegeven dat hij veel sexier is dan jij. Maar dat betekent niet dat ik voor cowboy kan gaan spelen en eropuit gaan op een éénmansposse. Bedenk eens wat dat zou doen voor de interne structuur – als we allemaal besloten te doen wat we wilden? Denk eens aan het papierwerk dat ermee gemoeid is.'

'Riojas is nog in afwachting van zijn rechtszaak. Zijn dochter kan waardevol voor je zijn.'

'Misschien. Als er een dochter is. Wat, laten we eerlijk zijn, nog te bezien staat. Maar ik moet toegeven – het intrigeert me. Werkelijk. Riojas' *bandidos* vallen niet onder mijn onderzoeksgebied, maar als het waar is wat je zegt, hebben ze mijn geldspoor verstoord. Ze hebben de zaak in de war geschopt, wat je zou kunnen uitleggen als een actie die hen in mijn onderzoeksgebied plaatst. Dus, misschien heb ik een vage toestemming om het net uit te breiden. Misschien. Ik zie echter nog niet hoe dat van invloed is op jouw algemeen welzijn.'

'Ik kan je helpen.'

'Dat zeg je. Hoe?'

'Ik was de laatste die Miles levend heeft gezien.'

'Gefeliciteerd. Wie kan dat iets schelen?'

'Rachel. Zijn vrouw lijkt een heel fatsoenlijk mens. Ik geloof niet dat ze het weet.'

'Wat weet?'

'Wat hij gedaan heeft. De deal die hij met Galina heeft gemaakt. De drugs. De ontvoeringen. Het meisje.'

'Goed dan. Als ze het niet weet...?'

'Ze weet íéts. Misschien weet ze niet wat het betekent. Ze zal met me praten. Ze zal willen weten wat Miles zei voor hij zelfmoord pleegde.'

'Nu we het er toch over hebben, wat zéí Miles voor hij zelfmoord pleegde?'

'Wat ik zeg dat hij gezegd heeft. Wat ervoor zorgt dat zij me de goede kant op stuurt. Naar het meisje. Naar geld dat Miles misschien heeft kunnen verstoppen.'

'Paul, je hebt het verraderlijke hart van een DEA-agent. Wie had dat gedacht? Laten we het nog eens doornemen. Je wilt dat ik je vrijlaat om de arme weduwe uit te horen. En wat wil je als tegenprestatie?'

'Ik doe het gratis. En jij helpt me om mijn vrouw en kind terug te krijgen.' Daar. Dit was zijn kans, dit was zijn laatste, zijn enige hoop.

'Sorry. Ik denk dat je vergeet dat je momenteel statenloos bent. Maar laten we nu eens zeggen dat de aanklacht zal worden herzien. Laten we zeggen dat elke eventuele hulp verleend door de vermeende beklaagde, die is gearresteerd onder de Anti-terroristenwet, in zorgvuldige overweging zal worden genomen. Dat alle mogelijke hulp binnen de normale kanalen om de vrouw en de baby van de beklaagde te bevrijden, zal worden verleend.'

Het was het beste dat Paul eruit kon halen.

'Oké,' zei hij.

Sjiwa.

De joodse versie van een condoleancebijeenkomst.

Diverse leden van de orthodoxe gemeenschap gingen Miles' huis binnen in een gestadige, zwarte stroom, als mieren die kruimels naar hun koningin brengen. Kruimels van respect, medeleven, en cake.

De vogelkenner had in Pauls kasten gezocht en een passend, donker pak voor hem meegebracht. Hij zag eruit als een van de rouwenden.

Het eerste wat hem opviel toen hij de deur door was gelopen, was de lucht. De lucht van te veel mensen die te dicht op elkaar gepakt zaten in een te kleine kamer. Er was geen airco – misschien werd dat als oneerbiedig ten opzichte van de overledene beschouwd. Er was al te weinig eerbied. Paul voelde een smeulend onbehagen in het vertrek, even tastbaar en onprettig als de hitte. *Weet je wat de grootste zonde is voor een orthodoxe jood, Paul?*

Ja, Miles, nu weet ik het.

Paul voelde dat hij naar voren werd geduwd, langzaam werd hij meegezogen in een verstikkende, zwarte zee.

Plotseling stond hij voor drie houten stoelen zonder leuning, waar de rest van Miles' familie op had plaatsgenomen. Zijn twee zoons, in zwarte pakken en met nog zwartere keppeltjes op, zaten stijf en met samengeknepen lippen, alsof ze overal wilden zijn behalve daar. En Rachel, die de gefluisterde condoleances met gebogen hoofd in ontvangst nam, alsof het ongewenste vleierij was.

De oudste zoon luisterde met zwijgende berusting naar Pauls *gecondoleerd met het verlies van je vader*. Ondanks de zonden van de vader had Paul slechts medelijden met hem. Misschien omdat het, als je de keppeltjes weg dacht, zijn huis had kunnen zijn, toen hij elf jaar was. Waar hij als verdoofd een parade van veemdelingen had verwelkomd die hem bleven vragen of ze iets voor hem konden doen, terwijl het enige wat hij wilde was, dat ze hem zijn moeder teruggaven. Hij wist dat Miles' zoons zich de komende paar jaar zouden afvragen of God wel bestond.

Toen Rachel hem zag leek het geruime tijd te duren voor ze hem kon thuisbrengen. Ze keek op, daarna sloeg ze haar ogen neer, om hem vervolgens weer met half dichtgeknepen ogen aan te kijken alsof ze probeerde zich te concentreren.

Daarna viel ze flauw.

'Het komt alleen doordat het, toen ik u zag, allemaal weer terugkwam,' zei Rachel bedroefd. Ze was bijgebracht met behulp van een natte handdoek en een paar zachte tikjes.

De gasten hadden gezamenlijk hun adem ingehouden toen Rachel viel.

Arme vrouw, hoorde Paul verscheidene mensen fluisteren. *Het is de stress.*

Beide jongens waren van hun stoel opgesprongen alsof ze gelanceerd werden, duidelijk bang dat ze vandaag ook hun moeder zouden verliezen.

Paul stond erbij en voelde zich als een paria in de tempel.

Gelukkig wees niemand naar hem met een beschuldigende vinger.

Rachel werd door een groepje naar een andere kamer gedragen; met Paul in hun kielzog.

Toen ze haar ogen knipperend opende, toen ze weer overeind ging zitten, zag ze Paul daar staan.

De vogelkenner had een paar telefoontjes gepleegd. Het verhaal – er móést een verhaal zijn – luidde, dat Paul Miles levend had achtergelaten. Dat hij zijn zaken met hem had afgehandeld – die ongelukkige kwestie met het visum – Miles een hand had gegeven en daarna was weggegaan. Dat dit alles al aan de politie was doorgegeven.

Met andere woorden, Paul ging vrijuit.

Toch was het zien van hem haar te veel geworden.

'Toen ik mijn man de laatste keer zag, stond u daar,' zei ze. 'Ik verwachtte half en half dat Miles uit zijn kamer zou komen. Het spijt me.' Ze zaten nu min of meer alleen. Haar groep redders had zich geleidelijk verspreid.

'Ik ben degene die zich moet verontschuldigen,' zei Paul. 'Ik heb er niet bij nagedacht wat dit voor u zou betekenen – om mij hier te zien. Ik wilde mijn deelneming betuigen.'

'Ja, natuurlijk. Bedankt dat u gekomen bent.'

Hij voeg zich af hoe lang het zou duren voor ze vragen begon te stellen. Wetend dat zij dan wel de op een na laatste persoon was die haar man levend had gezien, maar dat Paul de *laatste* was.

Niet lang.

'U moet begrijpen dat dit een enorme schok voor ons was,' zei Rachel. Haar pruik was een beetje scheefgezakt toen ze op de grond viel. Lokken weelderig, donkerbruin haar krulden in het licht bezwete kuiltje van haar nek. Hij vroeg zich af wat de etiquette in zo'n geval voorschreef – of het onbeleefd gevonden zou worden om haar erop opmerkzaam te maken.

'Ik neem aan dat iedere vrouw hetzelfde zegt. Iedere weduwe.' Ze sloeg haar ogen neer, alsof het voor de eerste keer uitspreken van dat woord het echt had gemaakt. 'Maar werkelijk... hij leek niet depressief, of kwaad, of wanhopig. Hij leek... gewoon, Miles. Misschien was hij de laatste paar dagen wat meer gespannen. Oké. Ik nam aan dat het kwam omdat hij u hielp. Hij zei dat de Colombiaanse regering het deze keer ernstig had verpest, dat uw vrouw en de baby in Bogotá werden vastgehouden.'

'Ja, het is één grote puinhoop,' zei Paul.

'Hebt u iets gemerkt? Hebt u iets gezien wat ik niet gezien heb?' Ze sprak hem niet meer aan met *Paul,* ze koos voor meer formaliteit. Maar ja, wat was er formeler dan de dood? 'Die dag, toen u hem wilde spreken, toen we u met hem alleen gelaten hebben? Leek hij toen ongelukkig, overstuur, was er iets wat op zelfmoordplannen wees?' Haar ogen waren vochtig en roodomrand – ze had de laatste tijd vermoedelijk weinig geslapen. Ze moest in bed gelegen hebben, starend naar dezelfde vraag tot die in drukletters op haar oogleden verscheen – wat had ze over het hoofd gezien?

'Hij zei iets over gokschulden,' zei Paul.

Dat was maar al te waar.

'Gokken? Wedden?' Een ander woord leek het er voor haar niet begrijpelijk op te maken. 'Hij zette altijd tien dollar in. Hij keek 's morgens de sportpagina's door en dan zei hij, daar gaat mijn zakgeld. Tien dollar. Hoe groot kan die schuld geweest zijn?'

'Misschien heeft hij tegen u gezegd dat het maar om tien dollar ging.

Waarschijnlijk waren het er tienduizend. Het is een ziekte, Rachel. Gokkers liegen, net als alcoholisten en junks. Ze liegen zelfs tegen zichzelf.'

'Tienduizend? Dat kan niet. Ik zou het geweten hebben. We hadden geen schulden. Dat had ik moeten zien.'

Nee. Je wist niets af van Miles' andere zaakjes. Je zag het geld er niet uit gaan omdat je het niet zag binnenkomen.

'Misschien had hij meer geld dan u wist. Wie behandelde de financiën, schreef de cheques uit? U of hij?'

'Dat deed Miles.'

'Zie je wel. Als hij geld voor u verborgen wilde houden, had hij dat kunnen doen.'

Rachel leek erover na te denken of dit waar kon zijn. Een volgende bezoeker stapte de kamer binnen, bukte zich om haar hand te pakken en fluisterde iets in haar oor.

'Dank je,' fluisterde Rachel terug.

De man knikte ernstig en liep achterwaarts de kamer uit, alsof het onbeleefd geweest zou zijn om zich om te draaien. Paul herinnerde het zich: de ongemakkelijke verlegenheid waarmee de nabestaanden worden bejegend. Wat moet je zeggen tegen een kind wiens moeder aan kanker is overleden? Wat moet je zeggen tegen een vrouw wier man zich zojuist door het hoofd heeft geschoten?

Rachel keek naar hem op. 'Ik kan het niet bevatten. Ik zou het begrepen hebben. Het is maar geld. Ik zou gezegd hebben, vooruit, we zullen je helpen, we zorgen ervoor dat het goed komt. Hij zou steun hebben gekregen van de hele gemeenschap. Het zou allemaal in orde gekomen zijn.'

Nee, wilde Paul zeggen. Het zou niet in orde gekomen zijn. De gemeenschap zou zich om een gokker hebben geschaard, niet om een drugssmokkelaar. Of een kidnapper.

'Zelfmoord plegen omdat hij iemand geld schuldig was. Dat klinkt zo zinloos.'

Weer wilde Paul haar corrigeren. Het ging niet om geld, het ging om angst. Niet alleen voor hemzelf – voor hen. Uiteindelijk had een zelfzuchtige man een onzelfzuchtige daad begaan. Hij moest geloofd hebben dat, als hij er niet meer was, zijn gezin geen gevaar zou lopen. Riojas was niet iemand die ervoor zou terugdeinzen om vrouwen en kinderen te vermoorden.

'Veel mensen plegen zelfmoord om geld,' zei Paul. 'Ze doden zichzelf, of andere mensen. Ik kan het weten. Ik doe in verzekeringen.'

Rachel staarde naar haar handen. Ze droeg haar trouwring nog, zag Paul. Hij vroeg zich af hoe lang het zou duren voor ze die afdeed en naar de bureaulade verbande.

'Wat heeft hij u nog meer verteld? Ten slotte schijnt hij u gekozen te hebben om al zijn geheimen aan te vertellen,' zei ze, met een spoortje bitterheid.

Nee, dacht Paul, niet al zijn geheimen.

'Hij praatte over zijn gezin. Hoe belangrijk dat voor hem was.'

'Blijkbaar niet belangrijk genoeg. Vertelt u me wat u denkt dat ik wil horen?'

Paul schudde zijn hoofd. 'Ik kreeg de indruk dat zijn gezin voor hem op de eerste plaats kwam. Ik vroeg me zelfs af waarom jullie zelf geen kind hadden geadopteerd. Omdat hij zijn leven eraan gewijd had.'

Rachel aarzelde voor ze antwoord gaf. 'Ik weet niet zeker of een Colombiaans kind welkom zou zijn in deze gemeenschap. We vormen een geïsoleerde groep, meneer Breidbart. En dat is nog een understatement. Het is niet bijzonder vleiend om zoiets te zeggen – maar het is waar.'

'Miles leek een soort haat-liefdeverhouding te hebben met zijn geloof.'

'Het is niet alleen een geloof. Het is een manier van leven.'

'Ik weet het. Ik ben er niet van overtuigd dat Miles zich volkomen op zijn gemak voelde bij die manier van leven.'

'Het is niet de bedoeling dat je je op je gemak voelt. Het is de bedoeling dat je leeft zoals God het wil. Dat is moeilijk.'

'Hebt u wel eens een van hen ontmoet?'

'Een van wie?'

'Van de baby's. De geadopteerde kinderen. Heeft Miles er wel eens een mee naar huis genomen?'

'Nee.'

Iemand kwam de kamer in om haar te halen. Ze zei iets in het jiddisch en Rachel knikte. Daarna stond ze op. Paul bood haar zijn arm, om haar te ondersteunen, maar Rachel wuifde die weg. Paul kreeg de indruk dat ze sterker was dan je op het eerste gezicht zou denken – sterk genoeg om zich te wapenen tegen de zelfmoord van haar man, en de lange, eenzame nachten die er zeker op zouden volgen.

Voorlopig zou ze niet meer flauwvallen.

Paul bleef nog een poosje hangen.

Hij hoopte dat hem iets te binnen zou schieten – dat hij erover zou struikelen, of dat het hem op een presenteerblaadje zou worden aangereikt. In plaats daarvan lagen er gehakte lever en crackers op de bladen die hem werden aangeboden, met af en toe een schaaltje gemengde noten.

Hij begon zich steeds minder op zijn gemak te voelen. De warmte, natuurlijk, maar meer nog de zijdelingse blikken, de gefluisterde gesprekken in het jiddisch, de eilanden van bezoekers die hem geen veilige haven schenen te bieden.

Tot zijn opluchting kwam er een onvervalste, zwarte man binnenlopen.

Even dacht Paul dat hij was gekomen om op te ruimen. Om de lege borden, de cakepapiertjes vol kruimels, en de verfrommelde papieren bekertjes met lipstickvlekken te verzamelen en die naar de afvalbak te brengen.

De zwarte man droeg echter een pak – het paste niet goed en het leek niet duur, maar niettemin was het een pak. Hij was een bonafide bezoeker die kwam condoleren.

Paul vroeg zich af of de man oud genoeg was om een kind te hebben geadopteerd – of hij was gekomen om de man te bedanken die een vader van hem had gemaakt. Maar daar leek hij wat te jong voor. Misschien achter in de twintig.

Eén ding was pijnlijk duidelijk. Als de orthodoxe bezoekers Paul als buitenstaander hadden beschouwd, staarden ze nu naar de zwarte man alsof hij een indringer was. Gekomen om de mannen te beroven en de vrouwen te verkrachten. Paul zag dat enkelen zelfs een paar stappen achteruit gingen en hun portefeuilles stevig vasthielden.

De zwarte man liep op Rachel toe, die nu weer op een van de ongemakkelijke stoelen zonder leuning zat – Paul dacht dat het de bedoeling was dat ze ongemakkelijk zaten – en hij bukte zich om haar een hand te geven. Hij zei iets tegen haar. Ze keek een beetje verwilderd, ongetwijfeld was ze nog bezig alles te verwerken wat Paul haar zo-even had verteld. Toch slaagde ze erin de energie te vinden om te knikken en iets terug te zeggen.

Toen de zwarte man verder de kamer in was gelopen en neerkeek op de laatste cracker met gehakte lever, zich ongetwijfeld afvragend wat het was, stapte Paul op hem af en vertelde het hem.

'Lever? Dan maar niet,' zei de man. 'Ik hou niet van lever.'

'Het is *gehakte* lever. Het smaakt anders... helemaal niet slecht.'

'Toch maar niet. Ben niet zo'n liefhebber van lever. Ik heet Julius,' zei hij.

Paul gaf hem een hand. 'Paul Breidbart.'

'Nou, Paul, het lijkt erop dat jij en ik de enige mannen hier zijn die geen petjes dragen.'

'Keppeltjes,' zei Paul, die de verleiding niet kon weerstaan hem te verbeteren.

'Kep-wat? Laat maar.'

'Was je een vriend van Miles?'

'Vriend? Nee-ee. Onze wegen kruisten elkaar, zoiets.'

'Beroepshalve?'

'Hè?'

'Ben je advocaat?'

Julius scheen dat grappig te vinden. 'Nee-ee. Ik stond aan de andere kant, om zo te zeggen.'

'Welke andere kant?'

'Hij vertegenwoordigde me.' Julius' hand had een lang litteken dat over zijn rechterpols omhoog kroop.

'O. Miles was je advocaat.'

'Ja. Bij de kinderrechter. Alweer een hele tijd geleden. Ik was destijds een slechterik, zie je? Ik zat diep in de shit.'

'Heeft hij je geholpen?'

'Nou, en of. Hij heeft ervoor gezorgd dat ik niet naar de jeugdgevangenis hoefde.'

'Heeft hij vrijspraak voor je gekregen?'

'Zoiets. Waarom ben je zo nieuwsgierig?'

'Ik probeer gewoon een gesprek gaande te houden.'

'O, is dat het?'

'Ik ken hier verder niemand.'

'O, nee? Ik ben heel dik met ze,' zei Julius lachend.

'Waarom ben je gekomen?' vroeg Paul.

'Dat zei ik toch. Miles heeft zijn best voor me gedaan, me uit de bak gehouden.'

'Dus hij heeft vrijspraak voor je gekregen.'

'Je wilt er echt alles van weten, hè? Hoor eens, ik zat in de shit. Ik had iemand neergeschoten. Hij liet me evalueren. Ik was een asociale gangster. Ze stopten me in een gekkenhuis tot mijn achttiende, toen mocht ik eruit.'

'Was dat oké?'

'Oké genoeg voor mij. Niet verkeerd. Je leefde op lithium en je maakte tekeningen. Niemand zeurde aan je kop. Ik las veel. Zat altijd in de bibliotheek. Deed examen. Toen ik vrijkwam, kon ik ergens naartoe. Dat heeft me uit de klauwen van de wolven gered.'

'Hoe lang ben je daar geweest? In die inrichting?'

'Lang genoeg. Ik ben in die dierentuin gekomen toen ik vijftien was.'

'Dierentuin? Je zei dat het niet zo erg was.'

'Nee-ee. We noemden het zo, omdat het tegenover de dierentuin in de Bronx stond. 's Nachts kon je de olifanten horen, man. En soms de leeuwen. In het voorjaar namen ze ons mee ernaartoe, uitstapje voor de achterlijken. Ze gaven ons eten voor de lama's – de helft van de jongens at het op. Dat was verdomd grappig.'

Een van de gasten, een oude, joodse man met een grijze baard die zo dicht was dat je er een nest in kon bouwen, staarde hen afkeurend aan.

'Bij ons noemen ze dat onbeleefd,' zei Julius.

Paul loodste Julius voorzichtig naar een andere hoek van de kamer, de indruk wekkend dat ze op zoek waren naar meer eetbare hapjes.

'Ben je met Miles in contact gebleven?' vroeg Paul, nadat ze een geschikte schaal hadden gevonden en geplunderd.

'Zo'n beetje. Af en toe. Toen ik goed terecht was gekomen heb ik hem gebeld – dan wist hij dat we er niet allemaal onderdoor gaan. Hij was *cool.*'

'Ja,' zei Paul.

Het werd tijd om te vertrekken.

Julius was een paar minuten na zijn gesprek met Paul weggegaan, bij de voordeur had hij zijn vertrek aangekondigd.

Julius verlaat het gebouw, zei hij. Niemand leek het erg te vinden.

Paul vroeg zich af wat hij de vogelkenner zou vertellen. Een vaag voortgangsrapport, met een verwijzing naar veelbelovende aanknopingspunten en toekomstige resultaten.

Hij nam afscheid van Rachel en de jongens. Ze leek opgelucht hem te zien vertrekken.

Op de stenen stoeptreden botste hij tegen iemand op die naar boven ging.

Hij keek op om te zeggen *neemt u me niet kwalijk,* maar hij zweeg verbluft.

'Kun je me misschien vertellen waar mijn auto geparkeerd staat?'

Moshe was gekleed in een indrukwekkende begrafenisoutfit, een zwart zijden pak met een donkergrijze das en een gebreid wollen keppeltje, dat met een haarspeldje aan zijn haar was vastgemaakt. Hij was niet alleen.

De man die Paul een klap op zijn hoofd had gegeven, stond vlak voor hem, met een bevlekt verband om zijn voorhoofd gewikkeld. Hij was juist bezig een gebalde vuist ter grootte van een ham uit zijn jaszak te halen.

Paul voelde de fysieke bedreiging als een storing in de atmosfeer. Opeens trok die voorbij.

Het duurde even voor Paul besefte waarom. Moshe had één vinger in de lucht gestoken. Die leek aan een onzichtbare riem vast te zitten die de CCCP-man in stilte, maar doeltreffend, tot gehoorzaamheid dwong. 'Dit is een begrafenis, Andry,' zei Moshe tegen hem. Daarna wendde hij zich tot Paul. 'De auto, Paul? Waar staat die?'

'Queens,' zei Paul.

Paul had de auto in het centrum van Long Island neergezet voor hij met de trein terugreed naar de stad.

'Queens,' herhaalde Moshe. 'Nog een speciaal gedeelte? Bij Corona Ice King, misschien? Beste ijs in de stad, niet te geloven. Over welk deel van Queens hebben we het?'

'Het centrum van Long Island. 24th Street, achter de Northern Boulevard.' Paul hield de man met de CCCP-tatoeage scherp in het oog, omdat deze nog steeds een beetje kwaad op hem scheen te zijn.

'Aardig dat je het me vertelt. Dat stel ik op prijs.'

Een moment stilte. Niet dat het rustig was. Het gonsde in de lucht van de mogelijkheden, waarvan de meeste onaangenaam waren.

'Je lijkt nerveus, vriend,' zei Moshe. 'Zit er een spin op je rug?'

Paul kreeg een kleur, terwijl Moshe hem voorbij liep, de stoeptreden op. Paul slaagde erin overeind te blijven toen de *Ongelooflijke Hulk* zijn baas volgde. Nu hij niet mocht aanvallen, nam hij er genoegen mee met zijn hele lichaam tegen Pauls ribben te leunen en hem een flinke zet te geven. Paul boog, maar brak niet, dankbaar dat honderdtwintig kilo onderdrukte woede hem grotendeels intact had gelaten. Toen Moshe bij de deur was, draaide hij zich om.

'Ontspan je. Ik doe zaken tegen contante betaling, vriend. Geen contanten, geen zaken. Begrijp je?' Hij knikte in de richting van de deur. 'De man met wie ik zakendeed is overleden. Heel jammer.' Hij glimlachte, draaide zich om, maar keek nog even achterom alsof hij iets had vergeten. 'Misschien moet je je niet té veel ontspannen. Mijn kameraad hier is terecht woest op je.' Hij begon hardop te lachen en daarna ging hij het huis binnen.

40

Paul merkte dat het klamme zweet hem voortdurend uitbrak.

Hij kon zijn horloge horen tikken.

De tijd is bijna om, bracht het hem in herinnering.

Hij dacht dat hij Joanna's stem op straat achter zich hoorde. Toen hij zich omdraaide was het een jonge moeder die in haar mobieltje praatte. De ondervragingen werden nu *debriefings* genoemd. Ze voelden hetzelfde. Pauls voortgangsrapport werd afgedaan voor wat het was – het opstel bij een examen waarvoor hij zijn huiswerk niet had gemaakt.

'Met andere woorden, Paul, je hebt niets bereikt,' zei de vogelkenner. 'Terug naar de rattenschool met jou.'

'Ik heb wat tijd nodig,' zei Paul.

Het was een probleem, om wat tijd nodig te hebben. Er wás namelijk geen tijd.

Hij moest met iets komen, als hij wilde dat de vogelkenner zijn vrouw redde.

Nu hij een inofficiële DEA-rat was, mocht hij in zijn eigen bed slapen. Niet slapen. Woelen, draaien, met wijdopen ogen naar het plafond staren.

Twee seconden nadat hij zijn flat was binnengegaan, klopte er iemand aan zijn deur.

Lisa weer.

Deze keer kon hij niet doen alsof er niemand thuis was.

Toen hij de deur opendeed, viel ze zo ongeveer in zijn armen.

'Waar is ze?'

Paul wist even niet over welke *ze* Lisa het had. Natuurlijk was geen van beiden op het moment beschikbaar.

'Waar is de baby?' zei Lisa, naar de vier hoeken van de kamer kijkend als een makelaar met adelaarsogen, wat ze om precies te zijn ook was.

'Er was een probleem,' zei Paul, en hij wilde met het verhaal komen dat Miles en hij voor algemeen gebruik hadden bedacht.

'Probleem? Wat voor probleem? Waar is Joanna?'

'Bogotá.'

Lisa schoof met één hand haar blonde haren naar achteren. Ze was een van die East Side-vrouwen die het park waren overgestoken – geboren met geld dat op onverklaarbare wijze was opgedroogd, maar ze zag er nog steeds heel kredietwaardig uit.

'Joelles visum was niet in orde.'

'Niet in orde? Wat wil dat zeggen?'

'Het betekent dat het niet geldig was. We konden haar niet het land uit krijgen.'

'O, Paul. Dat is verschrikkelijk. En wat nu? Wat ga je eraan doen?'

'Ik ben er nu van hieruit mee bezig.' Nu Paul het verhaal uitprobeerde, vond hij dat het heel goed in elkaar zat. Met hemzelf lag dat anders. Hij voelde zich helemaal niet goed. De vermoeidheid leek zich diep in zijn botten te hebben genesteld.

Lisa moest het aangevoeld hebben, want ze omhelsde hem opnieuw, knuffelde hem troostend en drukte zich net lang genoeg tegen hem aan om Paul de gelegenheid te geven tegen haar aan te leunen.

Ze rook naar thuis.

Later, toen John thuiskwam van zijn werk, belde Lisa een oppas. Ze kwamen samen Pauls flat in, met een geopende fles Cabernet.

Het was geweldig om John te zien.

Het was afschuwelijk om John te zien.

Hij was Pauls beste vriend, de man met wie hij meer tijd had doorgebracht dan hij zich kon herinneren. Ze hadden in verschillende bars in West Side gezeten en over de ups en downs van het maken van een baby gediscussieerd. John was de man die hem opgevrolijkt, en meer dan eens onder de tafel gedronken had.

Dus hoewel het enorm plezierig was om Johns gezicht te zien, was het minder plezierig om ertegen te moeten liegen.

Paul zag zich gedwongen om ter plekke details te verzinnen, om het allemaal overtuigend, samenhangend en volkomen logisch te laten lijken. Het was de kunst om voldoende bestaande feiten erin te verwerken – alles wat hem over zijn dochter te binnen schoot – om het de klank van echtheid te geven. Twee glazen wijn naar binnen slaan hielp er slechts weinig aan mee.

Het deed niets om zijn schuldgevoelens weg te nemen. Of zijn angst.

Praten over Joanna alsof ze gewoon op hem zat te wachten in een hotelkamer in Bogotá voelde afgrijselijk harteloos. Joanna zat weliswaar in een kamer te wachten, maar het was niet bepaald in een hotel. Misschien wachtte ze al niet meer op hem. Misschien was het al te laat.

Er zaten verborgen voetangels in het pak leugens.

'Geef me in vredesnaam haar nummer,' zei Lisa. 'Ik heb haar in geen eeuwigheid gesproken. Waarom heeft ze me niet gebeld?'

'Weet je wat een *long distance*-gesprek vanuit Colombia kost?' zei Paul. Om precies te zijn wist hij het. Een gesprek van tien minuten met New York vanuit l'Esplanade had hem tweeënzestig dollar en achtenveertig cent gekost.

'Oké, dan bel ik haar,' zei Lisa. 'Heb je het nummer?'

'Dat moet ik opzoeken,' zei Paul.

Het bleef even stil in de kamer, omdat John en Lisa wachtten tot hij het deed.

En bleven wachten.

'Eerlijk gezegd ben ik doodmoe,' zei Paul. 'Ik moet echt naar bed. Ik beloof dat ik het straks voor je zal opzoeken.'

Lisa en John stonden op. Ze omhelsden hem, en zeiden dat als er ook maar iets was wat ze voor hem konden doen, hij het maar hoefde te vragen.

Hij kon niet slapen.

Hij belde Rachel Goldstein.

Nog altijd hopend dat zij hem uit de doolhof kon leiden.

'Ja?' zei Rachel, nadat hij zijn naam had genoemd.

'Ik wilde even vragen of alles goed is met u.'

'Waarom?'

'Waarom?'

'Ik ken u amper. Ik stel uw bezorgdheid op prijs, maar die verbaast me een beetje. U bent geen familie. U bent geen vriend.'

'Ik voelde me een vriend,' zei hij. Het was waar. Een tijdlang had Miles zijn enige vriend op de hele wereld geleken.

Rachel nam niet de moeite hem tegen te spreken.

'Kunt u het volhouden?' vroeg Paul.

'Ik weet het niet. Achttien jaar getrouwd geweest, en nu kom ik tot de ontdekking dat er een echtgenoot was die ik niet kende.'

Een van haar zoons moest de kamer in zijn gekomen. *Het is goed,* hoorde Paul Rachel fluisteren. *Ik voel me prima.* Daarna het geluid van een deur die zachtjes werd dichtgetrokken.

'Wie was hij?' vroeg Rachel. Plotseling klonk haar stem vermoeid en klaaglijk. 'Hoe moet ik aan hem terugdenken?'

'Zoals u dat wilt, denk ik.'

'Zoals ik dat wil,' herhaalde Rachel, óf omdat ze dacht dat het logisch klonk, óf omdat ze het goedkope sentiment belachelijk wilde maken. 'Oké.'

Stilte.

'Ik heb er één gezien,' zei ze.

'Eén wat?'

'Eén kind. Je vroeg me vandaag of ik een van de geadopteerde baby's gezien had, weet je nog?'

'Ja.'

'Dat heb ik. Eén keer. Maar het was geen baby.'

'Nee?'

'Het was een klein meisje.'

Een klein meisje.

'Ik denk dat ik *zo* aan Miles moet terugdenken. Zoals hij de voordeur in kwam, met een Colombiaans meisje op zijn arm.'

Oké, dacht Paul, langzaam aan nu.

'Weet u nog hoe ze heette?'

'Hoe ze *heette?* Het is meer dan tien jaar geleden.'

'Weet u het zeker? Misschien kunt u er nog even over nadenken.'

'Waarom wilt u weten hoe ze heette?'

Goede vraag.

'Voor wij besloten een kind te adopteren, hebben we gepraat met een echtpaar dat contact had gehad met uw man. Zij hadden een dochtertje geadopteerd. Ze leek me, ik weet het niet precies, een jaar of dertien. Ik vroeg me af of zij het misschien geweest kon zijn.'

Rachel zei niets.

Denk, drong Paul aan, *denk.*

'Iets met een *R,* misschien? Sorry, ik weet het echt niet meer.'

R, dacht Paul, net als haar vader.

'En haar ouders. Weet u nog iets van hen? Waarom waren ze er niet bij?'

'Ik zou het niet weten. Misschien konden ze haar pas de dag erop komen halen.'

'Dat is vreemd. Er wordt van je verlangd dat je naar Colombia gaat en je baby mee terugneemt. Zo werkt het.'

'Misschien hadden ze problemen. Het *meisje* had, voorzover ik me herinner, zelf problemen.'

'Wat voor problemen?'

'Ze was overgevoelig. Er was iets mis met haar.'

'Wat?'

'Ik weet het niet precies. Ze huilde en krijste veel.'

'Waarschijnlijk was ze bang. Dat is normaal, denkt u niet?'

'Ik heb twee kinderen die zo nu en dan bang zijn geweest. Doodsbang zelfs. Ze zijn nu ook erg bang. Te horen krijgen dat je vader zelfmoord heeft gepleegd, doet dat met je. Dit was anders. Het meisje was bang in het donker, bang voor licht – bang voor alles. Er was iets... ik weet het niet. Er *klopte* iets niet. Ik weet nog dat Miles midden in de nacht naar haar kamer ging en probeerde haar tot rust te brengen.'

'Is dat gelukt?'

'Ik weet het niet. Misschien. De dag erop nam hij haar mee naar haar ouders. Dat was het. Ze had mooie ogen – die zie ik nog voor me.'

'Nou,' zei Paul, die plotseling wanhopig graag het gesprek wilde beëindigen.'Probeer maar wat te slapen. Als ik iets doen kan...'

'Tot ziens,' zei ze.

41

Hij kon de olifanten niet horen.

De leeuwen ook niet.

De lama's zeker niet.

Hij hoorde de airco die op volle toeren draaide. Het gerinkel van metalen bladen die op een karretje werden gezet waarmee de lunch werd uitgedeeld. De intercom, vervormd door plotselinge uitbarstingen van ruis. Het onophoudelijke gebons tegen het raampje van de apotheek – een in een badjas gehulde tiener die zijn capsules eiste, *nu*.

Hij kon ook de stemmen in zijn hoofd horen, al die stemmen die erin rondwaarden.

Daar had je bijvoorbeeld de stem van Julius, de jongen uit de periode toen Miles nog strafzaken voor jongeren behandelde.

Ben in de dierentuin gekomen toen ik vijftien was. We noemden die zo omdat die recht tegenover de dierentuin van de Bronx lag.

En daar was Galina's stem. Hallo, Galina.

Ze heeft nachtmerries. Ze heeft dingen gezien die geen kind ooit zou moeten zien. Die niemand zou moeten zien.

En nu we toch bezig zijn, voeg Rachels stem toe aan de verwarring.

Ze was bang in het donker, bang voor licht, bang voor alles. Er was iets... ik weet het niet. Er klopte iets niet.

En dan, ten slotte, de laatste stem, die stem die boven alle andere uit kwam. De stem uit de brief die Paul eerst had toegeschreven aan Miles' zoon, maar nu wist hij beter.

Lieve pa, pappa, paps, vader. Weet je nog, toen je me meenam naar de dierentuin en dat je me daar achtergelaten hebt...?

En opeens luisterde hij naar zijn eigen stem.

'Ja, van de verzekeringsmaatschappij,' zei Paul tegen de gezette vrouw achter de inschrijfbalie. De vrouw die je opnam in het Mt. Aarat Psychiatrisch Ziekenhuis, de uit rode baksteen opgetrokken instelling met de getraliede ramen en de linoleum vloer, die recht tegenover de dierentuin van de Bronx stond. Twee dierentuinen, vlak bij elkaar, menselijk en niet-menselijk.

De vrouw staarde naar Pauls kaartje alsof het een loterijbriefje was dat haar harteloos in de steek had gelaten. Paul vroeg zich af of Julius op zijn vijftiende naar hetzelfde gezicht had gekeken.

Of *zij* naar Julius had gekeken.

'Wat is haar naam?' zei de vrouw.

'Naam?'

'De naam van de dochter van uw cliënt?'

Paul aarzelde slechts een seconde.

'Ruth,' zei Paul. 'Ruth Goldstein.'

Oké, het was een slag in het duister. Of misschien was het eerder *schemering,* juist genoeg licht om de titel te lezen van dat boek waar al die brieven in geschoven waren.

Het Verhaal van Ruth.

Iets met een *R,* had Rachel gezegd.

'Uh-uh,' zei de vrouw, kijkend op een computerscherm dat met moeite wakker scheen te worden. Met een vlezige hand gaf ze een klap op de muis.

'Verdomd systeem,' zei ze tegen niemand in het bijzonder.

Het had een opmerking kunnen zijn die overal voor bedoeld was, niet alleen voor de computers. Het systeem, bijvoorbeeld, dat ervoor zorgde dat een psychiatrische instelling vaag rook naar urine, een veiliger alternatief voor de jeugdgevangenis. Die probleemkinderen in bewaring hield, hen dom hield en volstopte met kalmerende middelen, tot ze op hun achttiende op de wereld konden worden losgelaten.

Verdomd systeem. Ja.

De computer reageerde eindelijk, óf als gevolg van de mishandeling van de arme muis, óf van de scherpe tong van de vrouw. Met luid geknars kwam het apparaat tot leven. Een paar tikjes op de muis, *zachter* deze keer, leverden de gevraagde informatie op.

'Ja, oké,' zei de vrouw. '*Ruth Goldstein.* Wat wilt u van haar weten?'

Even gaf Paul geen antwoord. Ergens had hij verwacht te horen te krijgen dat er hier niemand was die zo heette. Dat hij verkeerd was geïnformeerd. Dat de uitgang *die* kant op was.

'Zoals ik al vertelde,' zei Paul, nadat hij zijn evenwicht hervonden had, 'is mijn cliënt kortgeleden gestorven. Het kwam plotseling en onverwacht. Er moet een aantal dingen op papier gezet worden. Om na te gaan wie wat betaalt. Het zal u duidelijk zijn dat we ervoor moeten zorgen dat Ruth dezelfde, goede verzorging blijft krijgen.'

Paul betwijfelde of het woord *goede* wel van toepassing was. Maar hij was hier niet om iemand te beledigen. Hij was hier voor een reddingsoperatie – hoewel, vreemd genoeg, degenen die op het punt stonden gered te worden, zich niet in het Mt. Aarat Psychiatrisch Ziekenhuis bevonden, maar op vijfduizend kilometer afstand. Hij kon slechts zijn vingers kruisen, en hopen dat ze nog leefden.

'Dan moet u bij de *financiële* afdeling zijn. Waarom hebt u dat niet gezegd?' vroeg de vrouw.

'Ik zou graag eerst het meisje willen zien.'

'Het meisje? Nou, dat moet ik aan een dokter vragen. U bent niet als bezoeker geregistreerd, wel?'

Paul dacht dat *bezoeker* een toepasselijke term was, gezien het feit dat hij in de *dierentuin* stond.

'Goed. Kunt u het dan vragen?' zei Paul. 'Ik neem aan dat haar vader zo ongeveer de enige was die haar opzocht, maar hij is er niet meer. Iemand zal het arme kind toch moeten vertellen wat er gebeurd is.'

Toen de vrouw niet onmiddellijk antwoord gaf, zei hij: 'Dat deed hij toch?'

'Wat?'

'Haar opzoeken?'

De vrouw keek naar de computer en bewoog de muis weer een paar keer.

'Miles Goldstein?'

'Ja.'

'Hij staat op de lijst. Dat wil niet zeggen dat hij haar opzocht.'

'Nou, kunt u dan met de dokter praten, om de situatie uit te leggen?'

'Oké. Ik kan maar één ding tegelijk.'

Paul vroeg zich af wat dat *andere* ding was, dat haar verhinderde de dokter te bellen. Blijkbaar was dat het pakken van een plastic bekertje met koffie, en daar langzaam slokjes uit nemen.

Nadat ze wat van de koffie had gedronken, waarbij ze een vies gezicht trok, pakte ze overdreven traag de telefoon en toetste een paar cijfers in. 'Ja,' zei ze. 'Dokter Sanji? Ja – ik heb hier iemand van een verzekeringsmaatschappij, die Ruth Goldstein wil bezoeken. Dat klopt. De vader is overleden. Ja... hij zegt... ja. Oké.'

Ze smeet de hoorn op de haak – *daar, net goed.*
'Dokter Sanji komt zo bij u.'

Dokter Sanji was een vrouw.
Ze kwam uit India, of uit Pakistan. Ze zag er gejaagd, overwerkt, en behoorlijk resoluut uit.
'U zegt dat haar vader is overleden?' vroeg ze. Ze zaten in de wachtkamer naast de hal. Waar wachtten mensen op in een instelling als deze, vroeg Paul zich af. Op gezondheid? Op het moment dat er geen steekjes meer loszaten?
'Ja. Een paar dagen geleden.'
'Juist. En u bent hier om haar dat te vertellen?'
'Ja. En om de financiële kant van de zaak te bekijken. We willen ons ervan overtuigen dat er voor het meisje gezorgd blijft worden, zoals haar vader dat gewild zou hebben.'
Dokter Sanji keek in een map. 'De moeder is ook overleden.'
'Ja.' Dat was waar. Miles had over al het andere gelogen, maar niet daarover. 'Ze staat alleen op de wereld.'
'Tja, meneer...?'
'Breidbart.'
'Ja, meneer Breidbart. Ik kan u vertellen dat ze niet méér alleen is dan ze al was. *Psychisch* is ze het natuurlijk wel. Haar vader was niet wat je een hartelijke man zou noemen. Hij kwam niet vaak op bezoek. Met haar verjaardag, geloof ik. Zo nu en dan op een feestdag.'
'Hoe lang behandelt u haar al?'
'Niet lang, meneer Breidbart. Twee jaar.'
'Dus u was niet hier toen ze werd opgenomen.'
'Zeer beslist niet.'
'Mag ik u vragen hoe het met haar gaat?'
'Vergeleken waarmee?'
'Vergeleken met een normaal mens.'
'Normaal is een woord met een ongunstige betekenis. U zou beter kunnen vragen hoe het naar omstandigheden met haar gaat. Vergeleken met hoe ze vorig jaar was, of het jaar daarvoor. Het is zoiets als golf – een sport waar ik helaas juist mee ben begonnen. Je speelt tegen jezelf. Je verbetert geleidelijk.'
'Oké. Hoe maakt ze het, naar omstandigheden?'
'Ah... daar hebben we een probleem. U bent, vrees ik, geen familie van

279

haar. U bent, zoals u hebt verklaard, slechts de verzekeringsagent van haar overleden vader. Als zodanig bent u niet gerechtigd de informatie te krijgen die u zoekt. Het spijt me.'

'Ze *heeft* niemand,' zei Paul. 'Niet meer.'

'Juridisch gezien, nee. Letterlijk evenmin, veronderstel ik. Maar ik ben gebonden door de wetten op de privacy, net als u, meneer Breidbart. Tot u, of iemand anders, tot haar wettige voogd is benoemd, hebben we weinig te bespreken. Laten we het er maar op houden dat ze geen gevaar betekent voor zichzelf, of voor anderen. Dat ze het volhoudt.'

'Mag ik haar zien?'

Dokter Sanji begon weer met een volgend, uitstekend naar voren gebracht argument over zijn rechten, of het gebrek eraan, in deze kwestie.

Paul viel haar in de rede.

'Hoort u eens, ik weet dat ik juridisch gezien niet het recht heb om haar te spreken. Wat kan het voor kwaad? Ik ben ervoor verantwoordelijk om ervoor te zorgen dat ze verzorgd blijft. Dat de rekeningen betaald worden. En iemand zal haar toch moeten vertellen dat haar vader niet meer leeft.'

'De persoon die haar zal vertellen dat haar vader is overleden, bent u niet. U verkeert noch in de noodzakelijke wettelijke positie, noch hebt u de vereiste ervaring in de omgang met emotioneel gehandicapten. Ten tweede, de rekeningen waarover u sprak? Ik heb begrepen dat meneer Goldstein weinig deed om *wie dan ook* te ondersteunen. De rekeningen voor zijn dochter worden, voorzover ik weet, voornamelijk betaald door de staat New York.'

'De staat New York?'

'Ja, inderdaad. Ik kan slechts vermoeden dat meneer Goldstein destijds een bewijs van onvermogen heeft overgelegd, iets wat, aan uw gezicht te zien, blijkbaar bezijden de waarheid was.'

Oké. Miles had een zakelijke overeenkomst gesloten, en zoals de meeste goede zakenlieden had hij ernaar gestreefd om er het maximale uit te halen. Hij had zijn vaste lasten laag willen houden, en het feit dat die de zorg voor en de voeding van een ziek meisje behelsden, had hem er niet van weerhouden. Waarom betalen als de staat New York het kan doen?

Wanneer was het plan bij Miles opgekomen, vroeg Paul zich af. Altijd al? Vanaf het moment dat hij het Galina in die brief had voorgelegd? Of later, toen ze al onderweg was en hij terugdacht aan de vredige dagen toen hij nog met jeugdige misdadigers werkte?

Het beste wat ik kon doen was hen laten opnemen in een ziekenhuis in de Bronx. Voor hen was het de veiligste plek ter wereld.

De leugens tegen Galina daargelaten, is het wel duidelijk dat hij nooit van plan was haar werkelijk te *adopteren*. Hij had er nooit met zijn vrouw over gesproken. Maar had hij – al was het maar een minuut – aan anderen gedacht? Aan een van de vele kinderloze echtparen die bij hem voor de deur stonden? Een thuis, in plaats van een inrichting? Of had hij, net als de schizofrenen die Paul kon horen schreeuwen, zichzelf een soort rechtvaardiging aangepraat? Dat de veiligste plek voor een geestelijk gestoord kind met een wraakzuchtige vader die naar haar op zoek was, een kamer was met tralies voor de ramen?

Misschien had hij, toen hij die nacht naar haar kamer ging om haar te kalmeren, tegen haar gefluisterd: *als je niet meer huilt, ga ik morgen met je naar de dierentuin.*

'Hoor eens,' zei Paul, 'ik kan weggaan, me bij iemand beklagen, een schriftelijke toestemming halen, terugkomen. Het enige wat ik wil is, haar zien. Ik zal geen woord tegen haar zeggen. Dat beloof ik.'

Hij brak zijn belofte.
Niet met opzet.
Nadat dokter Sanji had toegegeven, liep hij achter haar aan door een zaal, en daarna naar een volgende. Hij kwam terecht in een soort dagverblijf. Op een aantal tafeltjes stonden bordspellen, als toneelattributen – niemand speelde. Op een tv in de hoek was een talkshow te zien. Er waren zo'n twaalf of dertien kinderen in het vertrek. Het had de cafetaria van een middelbare school kunnen zijn, met verschillende groepjes die in een levendig gesprek gewikkeld waren. Als je beter keek, leek het meer op de gesprekken die je in een zandbak hoort – kinderen van twee en drie jaar die langs elkaar heen praten, als een radio die overschakelt van de ene zender op de andere.

Toen een schattig meisje van een jaar of veertien naar hem toe kwam en vroeg of het waar was dat er *hematiet was ontdekt op Mars,* zei hij: ik weet het niet.

Hij besefte dat hij zijn belofte aan dokter Sanji gebroken had toen de dokter haar begroette.

'Hallo, Ruth, hoe gaat het vandaag met je?'

'Redelijk,' zei ze. 'En met u? Hoe hebt u gisteren de back nine gespeeld?'

'Ongeveer even goed als de front nine,' zei dokter Sanji. 'Niet geweldig. Bedankt dat je ernaar vraagt.'

Galina's kleindochter, dacht Paul.

Ruth.

'Ik heb deze man gevraagd naar de nieuwste ontdekkingen op Mars,' zei ze. 'Hematiet zou erop wijzen dat er vroeger water is geweest. Water wijst erop dat er leven was. Leven op Mars, wat een wonderlijke gedachte.'

Ze was heel gewoon gekleed, in een verbleekte spijkerbroek en een T-shirt dat een paar centimeter tienerbuik vrij liet. Haar ogen, zag Paul, waren nog even mooi als Rachel zich die herinnerde – groot, donkerbruin; ze straalden onmiskenbaar intelligentie uit.

Hij had verwacht dat de meeste kinderen in deze afdeling op Mars *woonden.*

Ruth bestudeerde de planeet blijkbaar – met de levendige belangstelling van een astronaut in opleiding.

'Zou je dat leuk vinden?' vroeg dokter Sanji haar. 'Groene mannetjes?'

'Ik vrees dat groene mannetjes me de stuipen op het lijf zouden jagen,' zei Ruth.

Oké, dacht Paul, er was iets eigenaardigs aan haar manier van spreken. Niet de gebruikelijke slimme opmerkingen. Het was alsof ze de menselijke gesprekstaal had geleerd uit boeken, uit de grootste werken van de literatuur. Alsof ze een heldin van Charlotte Brontë was, die over de hei dwaalde.

'Ik zou de voorkeur geven aan eencellige amoeben,' zei ze, met een lachje in Pauls richting. 'O, ik weet nog een klop-klop grapje. Klop, klop.'

'Wie is daar?' antwoordde Paul, als aangever van het nieuwe komische duo Breidbart en Goldstein.

'Eén,' zei ze.

'Eén wat?'

'Eenhoorn.'

'Dat is heel grappig,' zei Paul.

'De juiste reactie zou zijn om te lachen,' zei Ruth.

'Ik lach van binnen,' zei Paul, gepast terechtgewezen. 'Geloof me.'

'Dat is vreemd. Dat doe ik ook, *aldoor*. Van binnen lachen.'

In een andere omgeving, dacht hij, zou hij haar verrukkelijk hebben gevonden. Hier werd je echter gedwongen dingen in een ander licht te zien – het ziekelijke neonlicht van een dagverblijf voor geestelijk gehandicapten. Hij had zijn ingeving gevolgd en het nest gevonden, maar het was een vreemde vogel.

'Je kunt beter lachen dan huilen,' zei Paul. 'Zo is het toch?'

'O, ik huil ook vaak. Nietwaar, dokter Sanji?'

De dokter zei: 'Ja. Je bent een van onze betere huilers, Ruth. Absoluut.'

'Wil je het zien?' vroeg ze Paul.

'O, dat hoeft niet,' zei Paul. 'Een andere keer misschien. Dan kunnen we een wedstrijd houden.'

'Dan win ik, makkelijk. Wat is de prijs?'

'Hmmm...' zei Paul. 'Daar moet ik over nadenken.'

Dokter Sanji wierp hem een blik toe die zei dat de tijd om was. Hij had zijn belofte wel tien keer verbroken. Hij was gekomen, hij had gezien, maar niettemin was het Ruth, dacht hij, die had overwonnen. Dokter Sanji liep met hem naar de deur. Toen ze het dagverblijf uit waren, zei Paul: 'Ze is heel opmerkelijk.'

Dokter Sanji knikte, en ze glimlachte. 'Ja, nogal.'

'Ze lijkt bijna... normaal.'

'U zei, bijna, meneer Breidbart. Waarom?'

'Dat weet ik niet precies. Ik heb het gevoel, ik weet niet, dat ze een rol speelt. Als een heel goede actrice. Leest ze veel?'

'Boekdelen. Zij leest zoals de anderen eten. Dat hebt u goed opgemerkt, dat onze Ruth rollen speelt. Ik noem haar de kameleon. Soms wordt ze wat ze leest. Of naar wie ze luistert. Soms heb ik werkelijk het gevoel dat ik tegen mezelf praat. Ruth is natuurlijk nooit ook maar in de buurt van New Delhi geweest. Maar ze kan je iets anders laten geloven.'

'Waarom doet ze dat?' zei Paul.

'Waarom? Vraagt u naar een diagnose, meneer Breidbart? Ik ben bang dat u die van mij niet zult krijgen.'

'Omdat u het niet weet?'

'Omdat ik niet de vrijheid heb om erover te discussiëren. Dit hebben we al besproken, nietwaar?'

Paul knikte.

'Ik wil u dit vragen,' zei dokter Sanji. 'Waarom past een kameleon zijn huidskleur aan aan die van zijn omgeving?' Toen Paul aarzelde, gaf ze zelf het antwoord. 'Kom, meneer Breidbart, dat is biologie voor de eerste klas. Een kameleon verandert zijn huidskleur om zichzelf te beschermen.'
'Waartegen?'
'Roofdieren.'

42

A. Een auto met een kapotte uitlaat.

B. Een geweerschot.

C. Een voetzoeker.

D. Niets van het bovengenoemde.

Joanna werd wakker van een reeks luide, snel opeenvolgende knallen. Gedurende de paar seconden dat haar hart tijdelijk in haar keel bleef steken, bedacht ze een multiplechoicetest in een poging niet gek te worden van angst. Ze koos A – een auto met een kapotte uitlaat, omdat het de enige optie was die iets geruststellends en aannemelijks bood. Helaas merkte ze meteen dat ze zichzelf voor de gek hield.

Auto? Welke auto?

Onwillekeurig herinnerde ze zich dat Maruja altijd bang was dat de goeden – uiteraard een betrekkelijk begrip in Colombia, zouden proberen haar te bevrijden, en haar tijdens die actie doden. Dat ze schietend binnen zouden stormen en een vuurzee zouden ontketenen waarin ze zou omkomen. Het was wel duidelijk geworden dat ze zich beter zorgen had kunnen maken over een bedreiging dichter bij huis. Opnieuw hoorde Joanna de knallen. Luider, scherper, als het klappen van een zweep.

Ze drukte zich tegen de muur – haar enige vriendin, dat wil zeggen als je Galina niet meetelde, die haar het huis in gesmokkeld had na haar rampzalige ontsnappingspoging. Het probleem om Galina tot vriendin te krijgen was, dat je eerst door haar ontvoerd moest worden. En ze had de irritante gewoonte om blind, doof en stom te blijven voor de misdadige afwijkingen van haar huisgenoten.

De deur vloog open, knalde tegen de muur, zodat stukjes pleisterwerk door de lucht vlogen.

Er vloog nog iets de kamer in. De bewaker, Puento, die door de deur kwam aanvliegen of hij door een kanon was afgeschoten. Hij hield zijn geweer schietklaar ter hoogte van zijn heup.

Oké, dacht Joanna, *ik ben er geweest.*

Nerveus keek Puento het vertrek rond. Tegen de tijd dat hij Joanna in de rechterhoek gevonden had, drukte ze zich niet meer tegen de muur. Ze zat er nog wel stevig aan vast, met de complimenten van de ketting aan haar been. Toch ging ze rechtop zitten, met haar schouders naar achteren, gereed om waardig te gaan.

Ze ging echter eerst ergens anders heen.

Puento begon de ketting van haar been los te maken. Zweet droop van zijn glinsterende voorhoofd, zodat hij geregeld moest stoppen om het uit zijn ogen te vegen.

'*Que pasa?*' kon Joanna nog net uitbrengen, dat was zo ongeveer de grens van haar Spaanse vocabulaire.

Puento gaf geen antwoord. Hij was verdiept in het probleem om de sleutel in het slot te steken, en blijkbaar luisterde hij met één oor naar het rumoer dat van buiten kwam. Dat was haar verklaring voor zijn zwijgen, en daar klampte ze zich aan vast. De andere verklaring zou zijn dat hij Joanna niet wilde meedelen dat hij was gekomen om haar te doden.

Nadat hij er eindelijk in was geslaagd haar van haar ketenen te ontdoen, rukte hij haar ruw overeind.

Hij sleepte haar de deur uit.

In het huis heerste een soort pandemonium. Bewakers renden in paniek door de gangen, sprongen uit deuren tevoorschijn, botsten tegen elkaar op. Een van de meisjes probeerde onder het lopen haar geweer te laden – een groot aantal kogels viel op de vloer, waar ze bleven rollen als rouletteballetjes die om het rad cirkelen.

Iemand riep iets. *El doctor,* dacht ze.

Het schieten hield aan. Ja. het was geweervuur. Een auto met een defecte uitlaat of een paar weggegooide voetzoekers zouden de bewoners van het huis niet op de rand van een zenuwinstorting brengen.

Zelf had ze ook last van haar zenuwen.

Niet meer om zichzelf – om iemand anders.

Waar was haar baby?

Ze werd door de buitendeur getrokken. Het was vroeg in de ochtend, dat schimmige moment tussen nacht en dag.

'Alsjeblieft... *por favor...* 'zei ze tegen Puento, 'mijn baby. Joelle.'

Puento bleef nerveus en reageerde niet. Hij sleurde haar achter zich aan zonder om te kijken. Ze waren kennelijk op weg naar de jungle.

Ze voelde paniek opkomen naarmate ze verder bij het huis vandaan raakten. Ze had er geen idee van wie op wie schoot. Het gebeurde ergens waar ze het niet kon zien.

'Mijn baby,' probeerde ze nog een keer. 'Alsjeblieft! Ik wil...'

Toen hoorde ze het.

Het geluid waar ze nu midden in de nacht naar luisterde, het geluid waar haar oren speciaal op afgestemd waren geraakt, zoals bij Pavlovs hond.

Met een ruk draaide ze haar hoofd om, terwijl Puento doorging haar mee te slepen, de jungle in. *Daar.* Uit het huis kwam de gebukte gestalte van Galina. Ze droeg een huilende Joelle in haar armen. Bij het geweervuur vandaan, op weg naar veiligheid.

'Wacht,' zei ze tegen Puento, die niet in de stemming leek om te luisteren. 'Stop... Galina heeft mijn...' Ze zette haar voeten schrap in de aarde, hield zich slap, veranderde in een dood gewicht.

Puento keek naar haar alsof hij niet kon geloven wat ze deed. Hij had een geweer. Met scherpe patronen. Ze was zijn gevangene. Wist ze niet wat ze met haar vriendinnen hadden gedaan?

Puento rukte zijn geweer van zijn schouder en richtte het op haar hoofd. Het was niet de eerste keer dat hij een geweer op haar had gericht – er was die nacht geweest toen Joelle niet wilde ophouden met huilen. Toen had hij laten zien wat hij zou kunnen doen. Nu leek het erop of hij wilde doorzetten. Hij zag er angstaanjagend uit.

Ze werden aangevallen.

Lichamen in camouflagekleding vlogen hen voorbij, de jungle in.

'Doorlopen!' schreeuwde Puento tegen haar, en hij zette de loop van het geweer tegen haar voorhoofd.

Joanna sloot haar ogen. *Als ik het niet zie is het er niet.*

Ze zou wachten tot haar baby bij hen was, tot ze wist dat Joelle veilig was. Dat doen moeders.

Puento schreeuwde tegen haar. De koude loop priemde in haar huid. Ze hoorde een explosie, voelde bloed op haar gezicht spatten. Toen ze haar ogen opendeed, droop het langs haar hand omlaag. Wat vreemd, dacht ze. Ze voelde geen pijn, totaal niet.

Toen ze opkeek naar haar beul, was hij er niet. Hij lag naast haar op de grond.

Hij miste een van zijn ogen.

Galina had hen nu ingehaald. Op de een of andere manier slaagde ze erin niet naar Puento's met bloed bedekte lichaam te kijken, maar tilde ze Joanna voorzichtig van de grond.

Een van de meisjes kwam als bij toverslag uit de zwarte rand van de jungle tevoorschijn. Ze bleef staan om een kruisteken te maken boven het verslapte lichaam, daarna keek ze Joanna aan met een gezicht waar pure haat op te lezen stond.

Moordenaar, zeiden haar ogen.

Ze moest Joanna's daad van geweldloos verzet hebben gezien. Die had Puento het leven gekost.

Ze wees dat ze de jungle in moesten – en daarna stompte ze hard met haar geweer in Joanna's rug.

Ze verstopten zich in een bosje reuzenvarens.

Galina gaf Joanna de baby. *Ssst...* fluisterde Joanna, haar zachtjes wiegend. Ze voelde het lichte kloppen van Joelles hart.

Ze vroeg zich af of Galina terugdacht aan een andere jungle, aan een andere moeder met haar kind, die er niet levend uitgekomen waren. Geleidelijk nam het geweervuur af, toen werd het stil.

Na twintig minuten gewacht te hebben, zagen ze een paar FARC-soldaten terug komen strompelen van wat het strijdtoneel moest zijn geweest. Ze leken in shock te verkeren. Voor sommige jongeren, de kinderen uit het achterland, was dit misschien de eerste keer geweest dat ze hun wapens in boosheid hadden afgevuurd.

Er heerste een sombere stemming toen ze Joanna en Joelle terugleidden naar de boerderij. Joanna werd weer aan de muur geketend, Joelle werd uit haar armen gerukt. Ze hoorde dat er achter haar kamerdeur ruzie werd gemaakt.

Ze viel in slaap, nog terwijl ze luisterde naar het ritme, als het geluid van een hoge branding.

Toen Galina haar 's ochtends kwam halen voor de voeding, zag ze er bleek en moe uit.

'Wat is er vannacht gebeurd?' vroeg Joanna.

'Een USDF-patrouille,' zei ze hoofdschuddend. Ze leek er moeite mee te hebben om Joanna recht aan te kijken.

'Hoeveel zijn er gedood? Behalve Puento?'

'Vier.'

'Puento kan me niet schelen. Hij heeft Maruja en Beatriz vermoord – ik weet dat hij het was. Hij kreeg wat hem toekwam.'

'Het kan hún wel schelen,' zei Galina, nog steeds Joanna's ogen ontwijkend.

'Waar ging die ruzie van vannacht over?'
'Nergens over,' zei Galina.
'Nergens over? Ik heb hen gehoord. *El doctor* – een paar van de anderen. Wat is er mis, Galina? Waarom kijk je me niet aan?'
'Ze zijn kwaad,' zei Galina.
'Om Puento?'
Galina haalde haar schouders op. 'Niet alleen om Puento. Ze denken... dat jij de patrouille misschien hiernaartoe hebt gebracht.'
'Hoe kán dat nu? Hoe zou ik die patrouille hierheen hebben kunnen halen?'
'Ze denken dat ze je misschien kwamen zoeken.'
'Míj? Dat is belachelijk. Hoe konden ze weten dat ik hier ben?' Joanna merkte dat ze sneller sprak dan normaal, dat haar stem een wanhopige ondertoon had gekregen.
'Sommigen van hen... zijn nog maar jongens. Kinderen bijna. Ze denken dat jij misschien een gevaar vormt.'
'Wat gebeurt er met iemand die een gevaar vormt, Galina?'
Galina gaf gccn antwoord. In plaats daarvan stak ze haar hand uit om een plukje haar op Joelles hoofdje glad te strijken.
'Wat gebeurt er met je als je een gevaar vormt?'
Joanna zag een lichte trilling in Galina's handen.
'Vormden Maruja en Beatriz een gevaar? Hadden ze dat besloten?'
'Van Maruja wist ik het niet,' fluisterde Galina.
Het was voor het eerst sinds Joanna de bloedvlek op de matras had ontdekt, dat Galina de naam van een van beide vrouwen uitsprak. Voor het eerst dat ze hardop toegaf wat er met hen was gebeurd.
'Van Beatriz wist ik het ook niet,' vervolgde Galina. 'Ik vind het heel erg. Het had niets met mij te maken. Ik zou nooit...' Haar stem stierf weg.
Joanna stond op, steun zoekend bij de muur. Die had ze nodig.
'Gaan ze me vermoorden?'
Galina keek op, eindelijk ontmoetten hun ogen elkaar. 'Ik heb hun gezegd dat je Amerikaanse bent... dat een Amerikaanse iets aandoen nog veel meer problemen zou geven.'
'Iets aandoen? *Doden*, bedoel je, *vermoorden*. Wat zeiden ze toen je

hun dat vertelde, Galina? *Je hebt gelijk, Galina? Bedankt dat je ons eraan herinnert?'*

Galina hief haar handen op, de vingertoppen raakten elkaar. *Maak een torentje,* zei Joanna's moeder vroeger. *Maak een torentje, en bid.*

'Je moet me iets beloven,' fluisterde Joanna.

'Ja?'

'Dat je een goede moeder voor haar zoekt.'

Joanna bracht het grootste deel van de dag door met reflecteren op haar leven. Geen slecht leven, dacht ze, maar ook niet bijzonder.

Wat ze het meest betreurde was, dat ze haar dochter niet zou kunnen grootbrengen. Ze dacht dat ze een buitengewoon goede moeder geweest zou zijn. Het was dat leven dat ze voor haar ogen zag dansen – het leven dat ze zou missen. Op een middag in de herfst over een tapijt van bladeren lopen in Central Park, een rondje maken in een van de honderd-en-een draaimolens. Al die moeder-dochtergesprekken die ze nooit zouden voeren. Dergelijke dingen.

Dat zou heerlijk geweest zijn, dacht ze.

Tegen het eind van de dag zag ze een dun straaltje amberkleurig licht door het dichtgetimmerde raam vallen. Er ontbrak een stukje hout, weggeblazen bij de schietpartij van gisteren.

Ze drukte haar gezicht ertegenaan, dronk de geuren in.

Frangipani. Turf. Kippenmest.

Ze bracht één oog voor de kier.

Galina stond buiten, met iemand bij zich. Ze kon hen maar half zien. Maar ze had de sterke indruk dat ze de andere persoon kende. Die bruine schoenen. De lichtbruine, katoenen broek met de scherpe vouwen.

Ja, dacht ze. Natuurlijk.

Maar wat deed hij hier?

43

Hij kwam thuis na zijn bezoek aan de instelling voor geestelijk gehandicapten, deed zijn deur op slot en haalde het opgevouwen stukje papier onder uit de lade met zijn sokken. De bladzijde die hij uit Miles' boekje met telefoonnummers had gescheurd, in een werkkamer die naar bloed rook.

Hij zat naar het nummer te staren, opgeschreven met dunne, blauwe inkt.

Beschouw het als je lotnummer.

Loterijen werden bij zijn maatschappij als een grap beschouwd – zo een waar experts bij hun ochtendkoffie om grinnikten, maar deze cijfers waren een gok van één op een miljoen dat hij er iets mee zou kunnen winnen.

Duim ervoor.

Hij haalde diep adem, en draaide het long distance-nummer.

Toen ze de drugs ter waarde van twee miljoen dollar in het moeras van New Jersey waren kwijtgeraakt, had hij gedacht dat hij iets had verloren wat nog veel belangrijker was. Het enige wat hij nog bezat om mee te onderhandelen. Maar daarin had hij zich vergist.

Hij had ontdekt dat hij nog iets beters had. Die dag, toen hij de boom der fouten in elkaar zette, had hij begrepen dat de knoestige takken hem zouden kunnen redden. Hen allemaal.

Dat hij misschien zou kunnen onderhandelen om zijn gezin vrij te krijgen.

Maar hij zou niet onderhandelen met FARC.

Deze onderhandeling zouden worden gevoerd met twee, en niet méér dan twee mensen.

Er was Galina. En er was iemand anders.

Het was bij hem opgekomen, toen hij terugdacht aan die afschuwelijke dag waarop ze naar Galina's huis waren gegaan en ergens anders wakker waren geworden.

Voor hun wereld op zijn kop werd gezet, toen ze nog een beleefd gesprek voerden bij met *escopolamina* verrijkte koffie, had Galina's hond een pantoffel gepakt die op de deurmat lag, en die voor iemands voeten laten vallen.

Boem.

Het geluid van een schoen die valt, vlak voor de andere valt.

Honden zijn gewoontedieren.

Woont Galina alleen? had Paul tijdens de rit naar Galina's huis gevraagd. En Pablo had heel even geaarzeld voor hij *ja* zei. Waarom? Omdat ze niet alleen woonde.

Ze had een echtgenoot.

'*Hola?*' Pablo's stem, helder en duidelijk, alsof hij in de kamer ernaast zat.

'Hallo Pablo.'

Hij herkende hem kennelijk. Ja. Anders zou er niet die stilte op zijn gevolgd. Lang, loodzwaar, en onbehaaglijk.

Paul haalde diep adem en stelde de vraag die hij gevreesd had sinds het moment dat hij de hoorn had opgepakt, zelfs daarvoor al, tijdens de lange rit van de instelling naar huis.

'*Leven mijn vrouw en mijn dochter nog?*'

Niets was zo belangrijk als het antwoord op deze vraag. Alles hing ervan af. Was hij te laat, of niet?

'Ja,' zei Pablo.

Nu was het Pauls beurt om te zwijgen. Niet helemaal. Onwillekeurig uitte hij een gesmoorde snik, zo'n geluid dat je geeft wanneer je uit een gemene onderstroom boven water komt en ontdekt dat je verbazingwekkend maar heerlijk leeft.

Oké, dan gaan we verder.

'Ik heb je kleindochter vandaag ontmoet,' zei Paul.

'*Wie?*'

Pablo had gereageerd op de manier die Paul van hem verwacht had, maar in dat ene woordje lag een lichte trilling, die boekdelen sprak.

'Je kleindochter.'

'Ik begrijp niet wat...'

'Het kleine meisje, dat jullie naar Amerika hebben gestuurd opdat haar vader haar niet te pakken zou krijgen. Ik kan het je niet kwalijk nemen. Riojas zou ook niet mijn ideale schoonzoon zijn. Kun je me tot dusver volgen, Pablo? Als ik Engelse woorden gebruik die je niet begrijpt, zeg het dan alsjeblieft. Vandaag moet je elk woord dat ik zeg, begrijpen. Elk woord. Oké?'

'Ja,' zei Pablo. 'Ik begrijp het.'

'Goed. Je hebt het meisje naar Amerika gestuurd omdat je wilde dat ze veilig zou zijn. Je stuurde haar naar een advocaat die we beiden kennen omdat je wist dat hij haar het land uit zou kunnen krijgen. En omdat hij haar als zijn eigen kind zou adopteren. Dat was de afspraak, Pablo. Heb ik tot dusver gelijk?'

'Ja.'

'Je hebt alle contact met je kleindochter verbroken. Dat heb je gedaan voor haar eigen veiligheid. Ik begrijp het. Het was volkomen logisch. En je troostte je met de gedachte dat ze zou opgroeien bij een aardige familie in Brooklyn. Ver bij Manuel Riojas vandaan. Onder een nieuwe naam. Ruth. Dat Miles zijn belofte zou houden. Dat hij haar zou grootbrengen, beschermen, zelfs van haar houden. Dat had Galina hem laten zweren, nietwaar?'

'Ja.'

'Jullie hielden je immers aan jullie deel van de afspraak? Jullie allebei. Telkens wanneer hij het jullie vroeg, wanneer hij jullie een seintje gaf, hielpen jullie bij de ontvoering van een of ander echtpaar, voor je vrienden bij FARC. Zoals afgesproken. Jullie deden wat je beloofd had, en Miles ook. Klopt dat?'

'Mijn kleindochter. Waar hebt u...'

'Wat heeft hij jullie gestuurd, Pablo? Foto's? Van haar verjaardag? Eén keer per jaar, zodat jullie die in een geheim album konden plakken en er af en toe naar kijken? Zo nu en dan een briefje, om jullie te laten weten dat alles goed was? Wat heeft hij jullie verteld? Dat Ruth een doorsnee Amerikaans meisje is, dat een doorsnee Amerikaans leven leidt? Dat ze populair is op school, de trots van de gemeenschap, haar vaders oogappel?'

'Wat wilt u daarmee zeggen... is er iets...?'

'Ik zal je iets vertellen over Ruth. Luister goed. Ze is geen doorsnee Amerikaans meisje. Niet precies. Ze haalt geen hoge cijfers op school. Ze maakt geen deel uit van een groep cheerleaders. Ze heeft geen afspraakjes met de aanvoerder van het voetbalelftal. Ze gaat dit jaar niet naar het eindexamenbal. Geen enkel jaar. Ze doet geen van de dingen waarover Miles je verteld heeft. Niets. Dat waren verhaaltjes, allemaal verzonnen. Begrijp je me?'

293

'Waar is ze?'

'Niet bij een aardige familie in Brooklyn. Niet op een keurige kostschool in Connecticut. Ze verblijft in een ziekenhuis.'

Stilte.

'Wat voor ziekenhuis? Is ze ziek?'

'Ja. Nee. Niet lichamelijk – geestelijk. Ik heb er geen idee van wat ze in Colombia heeft meegemaakt. Ik kan het wel raden. Ik heb er geen idee van of ze zo ziek was dat ze in een instelling voor geestelijk gehandicapten moest worden opgenomen, of dat het verblijf in dat ziekenhuis haar zo ziek gemaakt heeft. Ik weet het niet. Wat ik wel weet is, dat Miles haar nooit heeft geadopteerd. Ik ben er sterk van overtuigd dat hij het nooit van plan is geweest. Nadat hij haar had opgehaald, heeft hij haar daar gedumpt. Ze heeft het grootste deel van haar leven achter tralies doorgebracht.'

Huilen. Paul kon duidelijk het geluid van Pablo's snikken horen.

'Hoe gaat het met haar?' vroeg Pablo.

'Hoe gaat het met mijn vrouw?' antwoordde Paul. 'Hoe gaat het met mijn dochter?'

Opnieuw stilte.

'Wat wilt u?' zei Pablo. Oké, hij had de storm getrotseerd, hij was eruit gekomen, en nu begon hij het te begrijpen.

'Wat ik altijd gewild heb. Hen. In een vliegtuig naar New York.'

Lang geleden hadden Pablo en Galina een afspraak gemaakt.

Nu was het tijd dat Paul zijn grootste troef uitspeelde en met het plan kwam dat hij in die DEA-cel had uitgewerkt.

'Zie het als een uitwisseling van gevangenen. Dat doet FARC toch voortdurend? Met de Colombiaanse regering, of met het USDF? Een van hun voor een van ons? Zie het als zo'n uitwisseling, Pablo. Jouw kleindochter tegen mijn vrouw en kind. Oké, deze keer ligt het een beetje anders. FARC zal die uitwisseling niet tot stand brengen. Dat doen jullie. Jij, en je vrouw. Ik denk dat het niet gemakkelijk zal zijn. Het kan me niet schelen. Je zult er wel iets op vinden. Snel.'

Er was nog één ding.

'Er is iets wat ik je nog niet verteld heb. Luister je? Goed. Riojas mag dan in een Amerikaanse gevangenis zitten, maar hij is nog steeds naar haar op zoek. Jullie willen toch niet dat hij haar vindt?'

44

Ze waren op weg naar de dierentuin.

Paul reed met de vogelkenner mee in diens jeep, verder niemand.

Nadat Paul het gesprek met Pablo beëindigd had, moest hij nog één telefoontje plegen.

De vogelkenner had hem een nummer gegeven voor het geval Paul hem moest bereiken.

Twintig minuten later verscheen hij bij Pauls flat – *ik was in de buurt,* zei hij.

Paul vertelde hem over het ziekenhuis in de Bronx. Over Miles' truc uit diens periode bij de kinderrechter. En dat hij ten slotte oog in oog had gestaan met het verdwenen dochtertje van Manuel Riojas.

De vogelkenner was gepast onder de indruk.

'Wil je een medaille? Die reiken we uit aan schoolkinderen die een officiële rondleiding hebben gedaan in Washington. Je kunt mijn echte zogenaamde deputy zijn.'

Paul bedankte voor de eer. Hij kwam nu toe aan het moeilijkste deel, waar hij de toestemming van de vogelkenner voor nodig had.

De uitwisseling.

'Wauw, dat weet ik nog zo net niet, Paul. Je hebt niets gezegd over *ruilen.* Voorzover ik weet was dat ook niet mijn taakomschrijving.'

'Mijn vrouw is Amerikaans staatsburger. Je hebt beloofd dat je zou helpen hen vrij te krijgen. Dit is hun kans. Miles moet Riojas' dochter illegaal het land binnengesmokkeld hebben. Is het voor Amerika geen normale procedure – illegalen terugsturen naar waar ze vandaan komen?'

'Na een hoop bureaucratisch gedoe, dat wil je niet geloven. Ik geloof dat je nu een beetje te hard van stapel loopt. En het meisje zou – met de nadruk op *zou,* waardevol voor ons kunnen zijn. Was dat niet waar je ons mee gelokt hebt, Paul? De worst die je zo handig voor onze neus hebt gehangen?'

'Ze hoeft niet te verdwijnen. Je kunt regelen wat je wilt, nadat je haar teruggestuurd hebt. Haar ergens onderbrengen waar je haar in het oog kunt houden – haar in een ander ziekenhuis laten opnemen. Dat kan me niet schelen.'

Hij loog, natuurlijk.

Het kon hem wel schelen.

Tien minuten met haar in dat afschuwelijke oord had ervoor gezorgd dat het hem kon schelen. Als hij de ruil tot stand kon brengen, zou hij daarmee drie mensen helpen.

'Ik weet het niet, Paul. Je vraagt me buiten de normale kanalen om te gaan. Om mijn cowboyhoed op te zetten. Daar moet ik over nadenken. Tussen twee haakjes, heeft de treurende weduwe niets gezegd over zwart geld? Aangenomen dat Miles niet alles vergokt heeft. De DEA ziet niets liever dan zakken en zakken vol onrechtmatig verkregen geld. Nou, één ding misschien – zakken en zakken vol onrechtmatig verkregen sterkedrank. Dat zorgt voor geweldige krantenfoto's. Zo blijven we aan de winnende hand. Je telt de lijkzakken en verklaart dat je gewonnen hebt – net als met Vietnam. Je weet hoe dat is afgelopen. Niets gehoord?'

'Nee,' zei Paul. 'Ze had er geen flauw idee van, van dit alles.'

'Oké, dat kan zijn. Je hebt goed werk verricht, Paul. Eersteklas. Binnenkort zullen we zijn bankrekeningen grondig moeten doorspitten. Duimen en hopen dat hij niet gebrand was op vakanties in het land van de koekoeksklokken. Ik moet later terugkomen op dat uitwisselingsplan. Ik ben geneigd je te helpen. Ik bedoel, die marxisten te grazen te nemen. Ze zullen niet blij zijn als Pablo hun gijzelaars ontvoert. Alleen bij de gedachte eraan begin ik al te lachen.'

Dit was twee dagen geleden.

Een dag later belde de vogelkenner hem met het goede nieuws.

Hij had erover nagedacht, had het hier en daar geventileerd.

Hij had een paar keer gebeld met contacten in het buitenland.

Hij had de benodigde papieren losgekregen.

Ten slotte had hij zijn cowboyhoed opgezet.

Het plan. Het meisje zou naar een debriefing-gebouw in Glen Cove, Long Island, worden overgebracht. Wat ze wist was waarschijnlijk te verwaarlozen, maar het was de moeite waard om het te proberen, en de moeite waard om te zien wat Riojas eventueel deed wanneer hij erachter kwam dat ze haar hadden. Ze zouden ervoor zorgen dat hij het te weten kwam. Misschien zou hij iemand sturen die moest proberen haar daar weg te halen. Het is mogelijk. Ze zouden het meisje er lang genoeg houden om daarachter te komen. Om er zeker van te zijn dat Pauls vrouw en dochter op het vliegtuig werden gezet. Om Riojas' mensen uit de wildernis te jagen. Daarna, als alles volgens plan verliep, zouden ze tegenmaatregelen nemen.

Paul, ere-DEA-deputy en zogenaamd verzekeringsagent van wijlen Miles Goldstein, zou met de vogelkenner naar het Mt. Aaratziekenhuis gaan.

Het plan werd in werking gezet.

Nu zoefden ze over de brug van 138th Street. Of nee, ze zoefden niet, maar kwamen schoksgewijs vooruit, vanwege wegwerkzaamheden op de linkerrijbaan.

Wolken pakten zich samen boven de East River.

Het was laat in de ochtend, warm en vochtig.

'Het ziet ernaar uit dat we regen krijgen,' zei Paul.

'Dank je, Meneer de Weerman,' zei de vogelkenner.

Paul bedacht dat hij nog altijd niet wist wat de naam was van de vogelkenner. Toen hij ernaar vroeg, zei de vogelkenner dat hij er de voorkeur aangaf *een internationale mysteryman* te blijven; daarna vroeg hij Paul of die de voorkeur gaf aan Austin Powers 1 of 2.

Links van hen verrees het Yankee Stadion, de sierlijke bogen staken spierwit af tegen de steeds donkerder wordende wolken. TWINS vs. YANKS 19.30 VANAVOND.

Aan het eind van de brug sloegen ze linksaf.

'Niet bepaald een chique woonwijk, hè?' zei de vogelkenner. 'Als ik mijn jack zou aantrekken en DEA roepen, zou de halve buurt op de vlucht slaan.'

De vogelkenner wees hem op een restaurant – *de beste chorizo in New York.* Hij knikte naar een jongen met een honkbalbroek aan, die nerveus op en neer stond te springen op een met graffiti bekraste straathoek. *Tien tegen een dat hij op wacht staat bij een huis waarin gedeald wordt.*

Nu reden ze op Hunters Point Boulevard.

'Ben jij wel eens naar de dierentuin geweest?' vroeg hij.

De vogelkenner leek vandaag ontspannen en spraakzaam, alsof Paul zijn partner was die samen met hem onderweg was naar een zaak, in plaats van een verzekeringsexpert die een ongelukkige omweg had gemaakt.

'Als kind.'

Als volwassene had hij echter nooit een bezoek aan de dierentuin gebracht.

Hij kende de reden.

Je gaat naar de dierentuin wanneer je nog een kind bent.

Of wanneer je kinderen hebt.

Het ziekenhuis leek vandaag nog drukkender.

Misschien was het zuiver lichamelijk – de airco was defect, zei iemand, maar Paul dacht dat het eerder te maken had met het feit dat hij er weer was. Nu hij het voor de tweede maal zag, begreep hij hoe afschuwelijk de instelling was, hoe het voor Julius geweest moest zijn om drie jaar naar deze zalmroze muren te staren.

Wat het voor Ruth betekende, daar kon hij slechts naar raden.

Nu zou ze het achter zich laten.

Hij had het gevoel of hij een marathon had afgelegd. Doodmoe, ja, maar zo opgetogen dat het hem hoop schonk.

Nadat de vogelkenner zijn legitimatie had laten zien, werden ze in een met hout betimmerd kantoor gelaten, waar de directeur van de instelling hun een stoel aanbood. De vogelkenner had van tevoren gebeld. Hij had relaties aangeboord, druk uitgeoefend, op zijn strepen gestaan, papieren geregeld, alles gedaan wat een DEA-agent op hoog niveau doet om te krijgen wat hij wil. Voornamelijk en opvallend wapperde hij met de kaart van de Nationale Veiligheidsdienst die in staat leek alle deuren te openen en elke weigering te ontkrachten.

De directeur leek blij hen te zien, alsof hij in het gezelschap verkeerde van mensen die min of meer beroemd waren. Een van hen althans.

'Ik neem aan dat u me geen bijzonderheden kunt geven?' vroeg de man aan de vogelkenner, op een toon die suggereerde dat hij heel goed in staat was staatsgeheimen te bewaren.

De vogelkenner betreurde het.

'Laten we maar zeggen dat ik niet hier zou zijn als het niet belangrijk was,' zei hij.

De man – Theodore Samuels, volgens het diploma aan de muur – knikte begrijpend.

'Ik mag toch hopen dat er artsen zijn die haar opvangen, waar u haar ook naartoe brengt?' zei Theodore.

'Natuurlijk,' antwoordde de vogelkenner.

'Haar medicijnen staan in haar dossier vermeld. Voornamelijk lithium. Ze geeft weinig last.'

'Blij dat te horen.'

Tot dit moment had Paul Breidbart, verzekeringsagent, nog geen woord gezegd. Maar nieuwsgierigheid kreeg de overhand – dat, en de veronderstelling dat een DEA-agent wel mocht horen wat een verzekeringsagent niet mocht.

'Wat is er met haar gebeurd?' vroeg Paul. 'Destijds, in Colombia?'

De vogelkenner keek hem aan met een gezicht waarop lichte afkeuring te lezen stond. Vragen stellen was vandaag Pauls taak niet. Voor de vogelkenner echter iets kon zeggen, opmerken dat de tijd drong, of gewoonweg opstaan, verschafte de directeur een paar bijzonderheden.

'Ik was niet hier toen het meisje werd opgenomen. Ik was ergens anders directeur. Natuurlijk heb ik haar dossier ingekeken nadat u me gebeld had. Volgens de man die haar geadopteerd had, is ze getuige geweest van de marteling van en de moord op haar moeder. Blijkbaar werd ze gedwóngen erbij te zijn. Het heeft verscheidene dagen geduurd. Een soort opvatting van wraak van een drugsbaron – het is me nogal een land, nietwaar? Ik denk dat we het hier hebben over een echte sociopaat met sterke, sadistische impulsen. Zoals u zult begrijpen heeft het feit dat ze gedwongen werd iets dergelijks te zien, een ongezonde uitwerking op een kind van drie jaar. Blijkbaar kon haar vader er niet mee omgaan.'

Ja, Miles had er wel één hele dag moeite voor gedaan, dacht Paul wrang.

'Wel,' de vogelkenner keek op zijn horloge, 'we moeten deze kwestie afhandelen.'

'Natuurlijk,' zei Theodore, als iemand die blij is zijn land een dienst te kunnen bewijzen. 'Ze brengen haar hier.'

Paul had nog één vraag.

'Weet ze dat de man die haar geadopteerd had, is overleden?'

'Ja. Volgens dokter Sanji – u hebt onze dokter Sanji ontmoet...?'

Paul knikte.

'Volgens haar heeft Ruth het slechte nieuws goed verwerkt. Hij was trouwens zo ongeveer alleen in naam haar vader. Maar hij was wel alles wat ze had.'

Nee, dacht Paul. Ze had een grootvader die om haar huilde. Een grootmoeder die een verdrag met de duivel had gesloten om haar te redden.

'Wat is haar verteld?' vroeg de vogelkenner. 'Over waar ze naartoe gaat?'

'Volgens uw instructies is haar gezegd dat ze ergens naartoe gaat om behandeld te worden. Niet permanent, maar voor een poosje.'

De vogelkenner knikte.

'Goed.'

Haar ogen leken vandaag nog wijder open.

Misschien nam ze het allemaal in zich op. De wereld om haar heen. Uitgebrande gebouwen en straten met gaten in het wegdek, hoge viaducten met onderdoorgangen vol duiven, groepjes rusteloze mensen die door de smerige straten zwierven. Paul vroeg zich af hoe vaak ze het ziekenhuis uit was geweest – of ze nog steeds uitstapjes met achterlijke kinderen maakten naar de overkant van de straat, waar ze de lama's voerden en pinda's naar de olifanten gooiden.

Ze verlieten de Bronx en reden nu de afrit van de Throgs Neckbrug af. Toen Paul nog klein was had hij zich altijd afgevraagd hoe zo'n nek eruitzag.

Ruth bleef meestal zwijgen. Een enkele keer zei ze iets wat zo uit de pagina's van *Little Women* kon zijn gekomen, of een blijspel uit de jaren dertig.

'Hemeltje,' riep ze uit, toen ze een buitengewoon grote man passeerden die tegen een gestripte auto geleund stond, 'zie toch eens wat een gorilla.'

Haar eerste blik op de Throgs Neckbrug ontlokte haar een reeks *gossies* en *jeemienees*.

Af en toe keek de vogelkenner in de achteruitkijkspiegel om te zien of ze het echt zei zoals het *klonk* dat ze het zei.

Zelfs onder de dreigende regen was de baai van Long Island vandaag bespikkeld met zeilen.

'Wat een flottielje,' zei Ruth.

De vogelkenner haalde een sigaret uit zijn zak.

'Denk je dat ze er last van heeft?' vroeg hij Paul.

'Waarom vraag je het haar niet?'

'Schatje,' zei de vogelkenner, 'zou het je ernstig hinderen als ik wat nicotine tot me neem?'

Ruth staarde hem aan.

'Een sigaret? Een kankerstokje?'

'Kanker is de voornaamste doodsoorzaak in de Verenigde Staten,' zei ze, ze klonk als een expert.

'Je meent het,' antwoordde de vogelkenner. 'Nou, dat zal ik goed onthouden.'

De vogelkenner stak de sigaret op, zoog een aanzienlijke hoeveelheid kankerveroorzakende nicotine naar binnen, daarna blies hij een wolk uit die naar de achterbank zweefde, zodat Ruth begon te sputteren en te hoesten.

'Oei,' zei hij, 'misschien moet ik een raampje openzetten, uit respect voor mijn vriendin.'

'Ik hou zelf ook niet echt van sigarettenrook,' zei Paul.

'Ja,' zei de vogelkenner, 'ik ook niet.'

Hij draaide het raampje aan zijn kant open; zware, vochtige lucht drong binnen, en het geluid van een biertruck zonder uitlaat links van hen. Het klonk als een horde Hell's Angels.

'Heerlijk,' zei de vogelkenner.

'Nee,' merkte Ruth op, blijkbaar niet wetend wat sarcasme was. 'Het is grof en walgelijk.'

'Je hebt gelijk,' zei de vogelkenner. 'Mijn fout.'

Daarna zette hij de cd-speler aan. 'Dit zal wel helpen.'

Zuid-Amerikaanse muziek.

Het klonk vaag bekend.

Paul sloot zijn ogen. *Had hij dat op de radio in Pablo's auto gehoord, onderweg naar Santa Regina?* Zijn hart had zo snel geklopt dat het pijn deed. Toen stond hij op het punt de dochter te zien naar wie ze vijf jaar en achttien uur hadden gezocht. Hij begon haar gezicht nu al te vergeten, besefte hij met een schok. Hoe lang had hij haar nu feitelijk meegemaakt – niet meer dan een *bliepje* in de tijd, en toch hadden ze een band gesmeed die zo sterk was dat ze nog steeds emoties bij hem opriep, die hen door tijd en ruimte met elkaar verbond.

Hij was een vader, dacht hij. Daar ging het om.

Ze reden in oostelijke richting op de LIE. Wat beslist beter was dan naar het westen te rijden op de LIE, omdat dat deel van de snelweg zijn bijnaam van het langste parkeerterrein van de wereld eer aandeed.

Ze waren dichtbij, dacht hij. De cirkel zou bijna gesloten worden.

Hij was er niet absoluut zeker van wanneer het hem trof.

Trof was het juiste woord.

Een besef dat aankwam als een harde stomp in zijn maag. Een rechtse hoek midden op zijn gezicht. Het maakte hem duizelig.

De muziek.

Het was niet de muziek die uit Pablo's radio had geklonken.

Hij had deze muziek ergens anders gehoord.

Opeens lag hij weer op zijn buik in een veld vol kattenstaarten en gegil. Proberend niet te luisteren, terwijl een menselijk wezen op nog geen vijftig meter bij hem vandaan gemarteld werd. Elke afgrijselijke jammerkreet horend terwijl ze zijn lichaamsdelen stuk voor stuk eraf sneden.

Je kon bijna het geluid horen van een mes dat bot raakte.

Zelfs bij die harde muziek. Zelfs met dat dreunende ritme en de schetterende blaasinstrumenten. Zelfs daarbij.

Celia Cruz. Koningin van de Samba.

Mi mami, had een van de mannen geroepen. *Een felle kreet.*

Dat was wat de vogelaar op zijn radio had aangezet. Alleen was het toen geen autoradio. Het was de radio van een jeep. Een groene jeep. *Twee groene jeeps waren die dag uit de kattenstaarten komen aanstormen.*

Pauls ogen waren wijdopen gesperd. Ze moesten even groot zijn als die van Ruth.

Hij keek naar de vogelkenner die naast hem zat. Een bobbel aan de linkerkant onder zijn overhemd. Waarschijnlijk een schouderholster, compleet met geladen revolver.

De vogelkenner zat nog steeds tevreden te paffen, wel zo attent om de rook door de kier van het raampje te blazen. Hij neuriede mee met wijlen de Koningin van de Samba, en hield één oog op de weg gericht.

Op een gegeven moment dwaalde dat oog af. Hij merkte dat Paul het gemerkt had.

Of misschien had hij er een paar minuten voor nodig om opeens te beseffen dat hij een fout had gemaakt.

'Shit. Dat was niet zo slim van me.'

Paul voelde dat de bekende grijparmen van de angst zich om zijn pasgeboren hoop wikkelden. En die in de kiem smoorden.

'Nou ja,' zei hij. 'Je was er uiteindelijk toch achter gekomen. Hoewel ik hoopte dat het niet zou gebeuren terwijl we honderdtwintig reden op de LIE. Dat dwingt me om meer dingen tegelijk te doen. Niet dat ik die uitdaging niet aankan.' Met zijn rechterhand drukte hij zijn sigaret uit.

Om die vrij te maken voor andere dingen.

'Oké. Zo staat het er dus voor. Ik heb een wapen.'

Paul zat verstijfd op zijn stoel.

'Kom nou, je hebt die film met Woody Allen toch gezien – *Take the Money and Run*? De bankoverval – het briefje dat hij de baliemedewerker toeschuift? Ik heb een wapen. Werk mee, Paul. Ik probeer onze vriendin op de achterbank niet nodeloos ongerust te maken. We kunnen steenkolenspaans spreken als je wilt. Nee? Oké, dan niet. Dan praten we maar wat in het wilde weg.'

Paul bleef stommetje spelen. Hij was al veel te lang doof en stom geweest.

'Je wilt waarschijnlijk een verklaring. Oké. Dan gaat de tijd sneller. Waar zal ik beginnen? O, ja, Colombia. Ik kan je vervelen met mijn wederwaardigheden als DEA-agent met een goede reputatie. *Als onze man in Bogotá*. Ik kan je het moment noemen waarop ik van serieus overging op wie-houden-we-nu-eigenlijk-voor-de-gek? Het moment waarop ik besefte dat het allemaal een klucht was, een politiek spel, Vietnam met een andere jungle. Ik *zou* je met al dat geklets kunnen vervelen, maar het zou op het gejengel van een kind lijken. Laten we als volwassenen met elkaar praten.'

Hij keek in de achteruitkijkspiegel.

'Gaat het achterin, schatje?'

'Ik voel me volkomen op mijn gemak, dank u.'

'*Volkomen op mijn gemak*. Blij het te horen. We hoeven niet veel langer meer te rijden. Ik ben zo gewend aan kinderen die vragen *zijn we er al.*' Hij keek weer van opzij naar Paul. 'Baretta. Uitgeboorde kogels. Voor het geval je je het afvraagt.'

'Waar gaan we naartoe?'

'Metaforisch gesproken, naar de hel op een presenteerblaadje. Met we bedoel ik dan ons land, natuurlijk. Ik begrijp dat jouw zorgen persoonlijker zijn. Daar komen we nog op. Weet je wat een DEA-agent verdient, Paul? Nee? Laten we het zo stellen – toen Bush zo ruimhartig besloot de rijken rijker te laten worden, en het tekort in de schatkist groter, heeft hij *mij* daar geen dienst mee bewezen.'

Op de rechterrijbaan kwam hen een politieauto tegemoet rijden.

De vogelkenner sloot het raampje dat vijf centimeter openstond en zette de muziek harder.

303

'Denk er goed aan, Paul, ik ben een officieel agent van de Amerikaanse regering en jij bent iemand die een aanklacht wegens drugssmokkel tegemoet ziet, om nog maar niet te spreken van een aanklacht wegens overtreding van een aantal nieuwe anti-terroristenwetten. Je enige bondgenoot in deze auto is niet goed bij haar hoofd. Sorry, schatje. Ik noem het beestje bij de naam. Om het maar eens grof te zeggen, Paul, ik kan je ter plekke neerschieten en een paar schouderklopjes krijgen van de hoogste figuren in Nassau. Begrepen?'

'Ja,' zei Paul. De politieauto was nu bijna naast hen. Een vrouwelijke agent keek uit het raampje naar hen. De vogelkenner had een soort insigne op het dashboard geplaatst. De agente lachte, knikte, en draaide haar hoofd af.

'Geweldig, goed gedaan. Nog steeds op je gemak achterin, schatje?'

Ruth gaf geen antwoord.

'Ik neem aan dat het ja betekent. Merkwaardig, maar ik ben meneer Riojas in Bogotá nooit tegen het lijf gelopen,' zei hij. 'Pas toen onze regering in haar wijsheid besloot hem over te brengen naar een gevangenis in de Verenigde Staten. Soms moeten we iedereen laten zien hoe geweldig de oorlog tegen de drugs verloopt. Dan hebben we iemands hoofd op een schotel nodig. Hij heeft een heel groot hoofd. Het feit is, dat hij niet langer bruikbaar was. Net als Noreiga. Hij wás bruikbaar, lang geleden, toen we ons alleen druk maakten om die linkse groeperingen in de bergen. Hij is een van die Zuid-Amerikaanse vampier-vleermuizen – zo lelijk als de hel en god verhoede dat er ooit een in je zolderkamer opduikt, maar ze doen goed werk bij het uitmoorden van de muskieten. Ze hebben een nuttige functie. Tot op zekere hoogte. Iemand besloot blijkbaar dat Riojas een risico vormde. We betaalden steekpenningen waar dat nodig was, en op een dag kreeg ik de boodschap. Meneer Riojas komt naar ons land om berecht te worden. En wie denk je dat ze uitzochten om de beruchte vluchteling naar het gerechtshof te begeleiden?'

De vogelkenner leunde naar voren en zette de radio uit. 'Ze heeft een geweldige stem, maar eerlijk gezegd doet die pijn aan mijn oren. Hoe staat het met die van jou?'

'Die zijn prima,' zei Paul. Hij was begonnen in gedachten getallen bij elkaar te zoeken, getallen die hij nodig had om ze onmiddellijk te overzien.

Statistieken van ongevallen met SUV's.

'Mooi. Alles nog steeds goed achterin, schatje?' Dit tegen Ruth.

'Op de wegwijzer stond *Comack,'* zei Ruth.

'Je hebt gelijk. Comack. Jij bent mijn officiële navigator, oké?'

'Ik weet niet helemaal zeker of ik die taak wel op me kan nemen,' antwoordde Ruth.

'O, dat kun je vast wel. Als je naar de borden blijft kijken kun je die taak heel goed op je nemen. *Wat* een woordenschat,' zei hij tegen Paul.

'Waar gaan we naartoe?' zei Paul. 'Wat ga je met ons doen?'

Per jaar komen er 31.000 inzittenden van passagiersvoertuigen om bij verkeersongevallen.

'Zou je het heel erg vinden als ik het verhaal afmaak? Waar was ik? Juist. In een vliegtuig, op weg naar Amerika, met publieksvijand *numero uno.* Tussen twee haakjes, we hebben het hier over een privé-jet – veel beenruimte en een lading gekoelde Corona's. Wat we al niet doen voor de *echte* slechteriken. In elk geval, het is verbazend waar je achter in een vliegtuig over begint te praten wanneer je niets anders te doen hebt. Hij is geen kwade kerel, echt niet. Een beetje uitbundig als het om geweld gaat, dat wel – maar zo ongeveer op één lijn met iemand van Speciale Operaties. Over sociopaten met sterke, sadistische impulsen gesproken. Die kerels zijn pas wreed.'

'Riverhead,' zei Ruth. 'Twee kilometer.'

'Goed zo, schatje. Klopt alweer. Je doet het fantastisch. Voor het geval het je interesseert, Paul, ik kan de Baretta uit mijn schouderholster halen en gereed hebben om te schieten, in precies 2,6 seconden. Zonder mankeren. We houden wedstrijdjes wanneer we ons tijdens een surveillance beginnen te vervelen. Ik ben de officiële DEA-recordhouder.'

Van alle dodelijke verkeersongevallen per jaar bedraagt het percentage waar sports utility vehicles bij zijn betrokken, achtentwintig.

'Ik zou zeggen dat meneer Riojas op de thuisreis een beetje terneergeslagen was. Hij kon het teken dat op de gevangenismuur was geschreven, al zien. Hij hield zich blijkbaar bezig met losse eindjes. Er was één nog niet afgehandelde kwestie die boven aan de lijst scheen te staan. Hij had een belofte afgelegd, die hij nog moest vervullen. Beloften zijn zo ongeveer heilig voor deze kerels, speciaal wanneer ze die doen aan hun Santeriagoden. Blijkbaar laven zelfs drugsbaronnen zich aan het opiaat van de massa. Hoe dan ook, hij had een belofte afgelegd en verdomd als hij die niet zou houden. Je kunt wel raden waar we het over hebben, of niet, Paul?'

'Afrit 70,' zei Ruth.

'Nog één afrit, mensen. Ga zo door, Ruth.'

De meeste dodelijke ongevallen met SUV's worden veroorzaakt door over de kop slaan, bij SUV's is dit het hoogste percentage van alle voertuigen, bij benadering zesendertig.

'Het schijnt dat een van zijn ex-maîtresses het lef had om hem in de steek te laten. Nog wel terwijl ze een kind van hem verwachtte. Wat moet een man dan doen? Niet dat hij haar niet verteld had wat haar te wachten stond als ze ooit zou weglopen. Hij had het voor haar gespeld. Hij had het gezworen op een stapel kippenkoppen. Maar toch ging ze ervandoor. Het kostte hem drie jaar om haar te vinden. Toen hij haar gevonden had sloeg hij, oké, een beetje door. Hij nam er de tijd voor, gebruikte al zijn formidabele vaardigheden. Ik keur het niet goed. Maar het is zoiets als een dier uit het oerwoud aanklagen wegens ondraaglijke wreedheid. Het is hun instinct tot overleven, de manier waarop ze koning van de jungle blijven. Hij vertelde me er heel zakelijk over. Wie zou er naar wie kijken? Wie eerst – moeder of dochter? Hij koos de moeder. Hij gaf toe dat hij verbaasd en verrukt was omdat ze het zo lang volhield. Maar er ging iets mis. Een van zijn beulen kreeg blijkbaar last van zijn geweten en ging *vamos,* met het kind. Wat nu? Riojas had maar de helft van zijn belofte waargemaakt. Hij is niet een type dat het opgeeft. Hij bleef haar zoeken. Er kwam een moment dat hij er van overtuigd was dat ze het land uit was gesmokkeld, naar Amerika. Dat ontmoedigde hem niet. Weet je waarom hij *mij* dit alles vertelde, Paul?'

Bijna tweederde van de ongelukken met passagiers van SUV's die over de kop slaan, is ernstig.

'Hij merkte dat hij iemand had gevonden die bereid was om te luisteren. Niet alleen naar een verhaal. Naar een aanbod. Beschouw mij als Cortez die de eerste verhalen hoort over Zuid-Amerikaans goud. Wat wilde hij feitelijk dat ik voor hem zou doen? Niet hem laten ontsnappen – hij was slim genoeg om te begrijpen dat daar geen sprake van kon zijn. Hij voeg eenvoudig de belofte te vervullen van een gedoemde, gebroken man. Tegen de tijd dat we in Miami landden, had ik erin toegestemd.'

Veertig procent van de ongevallen waarbij een SUV over de kop slaat, wordt veroorzaakt door alcoholmisbruik.

'Ik ging aan het werk. Het was hetzelfde werk dat ik altijd had gedaan. Alleen had ik een andere betaalmeester. Het is verbazend wat er gebeurt wanneer je het geldspoor volgt. Je weet nooit waar het je naartoe zal brengen. In dit geval, naar Miles Goldstein. En daarna naar jou. Jij was zo vriendelijk mijn hulpsheriff te worden en me te helpen het af te ronden. *El signore* dankt u. Ik heb mijn geld al binnen. Er is nog één ding te doen. Of twee.'

'Ze hebben haar ergens aan vastgebonden,' zei Ruth.

'Wat?' Met een ruk draaide de vogelkenner zijn hoofd om.

'Mijn moeder. Ze bonden haar vast aan een buis in het plafond. Ze zetten me op een stoel en dwongen me toe te kijken.'

Tweeëndertig procent van de dodelijke ongevallen waarbij SUV's over de kop slaan, wordt veroorzaakt door te hard rijden.

'Nou, schatje, daar hoeven we toch niet over te praten? Jij bent mijn officiële navigator, *correctomundo?*'

'Ze brandden haar. Ze schreeuwde en schreeuwde. Hij liet me zijn mes zien – ik moest het van hem aanraken.' Haar ogen waren verloren in de tijd, dacht Paul.

'Oké, ik denk dat het zo wel genoeg is, vind je niet? Vertel me maar wanneer de volgende afrit komt, goed, liever?'

Tweeëntwintig procent van de dodelijke ongevallen waarbij SUV's over de kop slaan wordt veroorzaakt door onoplettendheid van de chauffeur, bijvoorbeeld het zoeken van een ander radiostation.

'Wanneer ze haar ogen dichtdeed, maakten ze haar weer wakker. Dan begonnen ze weer van voren af aan. Ik zat op de stoel. Ik zag het. Ze trokken haar huid eraf.'

'Ja, je herinnert het je. Ik begrijp het. Geen wonder dat je pappa je in dat nare ziekenhuis heeft gedumpt. Zullen we het nu maar laten rusten?'

Tien procent van de dodelijke ongevallen waarbij SUV's over de kop slaan, wordt veroorzaakt door een fout van de chauffeur, bijvoorbeeld door het verkeerde pedaal in te trappen.

'Je wordt slordig, Ruth. Hier is de afrit die ik zoek.'

De vogelkenner ging op de rechterrijstrook rijden, zette de richtingaanwijzer aan, begon de afrit op te rijden.

'Gordel om, Ruth?' vroeg Paul zacht.

'Ja.'

Zes procent van de dodelijke ongevallen met SUV's die over de kop slaan

wordt veroorzaakt door een onwillekeurige beweging, bijvoorbeeld het
aantrekken van de handrem terwijl het voertuig rijdt.

'Goed,' zei Paul.

Hij rukte de versnellingspook in de achteruit, op het moment dat de jeep de bocht beschreef.

Het vergde waarschijnlijk minder dan 2,6 seconden, omdat de vogelaar zijn Baretta, geladen met uitgeboorde kogels, niet uit de schouderholster kon trekken. Het zou vermoedelijk geen verschil hebben gemaakt. De jeep helde zwaar over naar links, richtte zich deels op, en sloeg daarna om.

Paul en Ruth droegen hun gordels.

De vogelkenner niet, zoals gebruikelijk voor cowboys.

Paul speelde met de percentages.

Er was dat moment toen de jeep tussen hemel en aarde hing, toen Paul het asfalt zag opdoemen als een donkere golf die hij niet had zien aankomen. Toen brak die over hem heen.

Hij hoorde glasgerinkel, iemand schreeuwde, er was het verschrikkelijke geluid van scheurend metaal. Hij moest buiten westen zijn geraakt. Toen hij weer bijkwam, hing hij ondersteboven en staarde hij in een bloedplas. Hij zat nog vast aan zijn stoel, maar de stoel leek half uit de auto te hangen, vastgehouden door een paar minuscule schroefjes.

Waar was Ruth?

Hij draaide zijn hoofd om, even bang dat hij het niet zou kunnen, dat hij zou merken dat hij verlamd was, en stervende.

Nee. Zijn hoofd kon draaien, zoals God het bedoeld had.

De hele achterbank was verdwenen.

Hij keek door het versplinterde raampje rechts van hem.

Daar.

Het leek een surrealistische foto, een die thuishoorde aan de muur van het Museum voor Moderne Kunst. De achterbank stond keurig rechtop in het gras, geheel intact, evenals degene die erop zat. Intact, blijkbaar ongedeerd en demonstratief levend. Het leek alsof ze er eenvoudig op de bus zat te wachten.

Dat waren er dus twee.

Waar was de vogelkenner?

De hele voorruit was eruit geblazen. Verdwenen.

Het interieur van de op zijn kop liggende jeep begon zich te vullen met een dichte, scherpe rook. En nog iets. De doordringende lucht van benzine.

Hij maakte de gordel los die in zijn buik drukte. Hij stak zijn handen door het raampje en tastte naar het wegdek. Hij duwde zich naar buiten. Elke beweging liet een bloedspoor na.

Zijn gezicht. Er was iets met zijn gezicht. Gevoelloosheid had plaatsgemaakt voor een brandende pijn. Toen hij zijn hand naar zijn wang bracht en weer terugtrok, was die helderrood.

Hij stond op, op de een of andere manier slaagde hij erin op zijn voeten terecht te komen, zijn armen uitgestrekt om zich in evenwicht te houden, als een koorddanser.

Er lag een lichaam op zo'n zeven meter afstand van de totaal verwoeste jeep.

Paul strompelde eropaf.

De vogelkenner.

Hij bewoog niet. Hij lag doodstil.

Opeens bewoog hij.

Hij bewoog. Eerst een hand. Langzaam om zich heen tastend alsof hij iets zocht. Daarna de andere hand, met Paul op twee meter afstand, aarzelend of hij terug moest gaan of juist vooruit. De vogelkenner duwde zich op zijn handen omhoog – alleen zijn bovenlichaam, een soort halve push-up, en hij keek om zich heen.

Hij zag Paul, die als aan de grond genageld was blijven staan.

De vogelkenner had iets gezocht.

Hij had het gevonden.

Het pistool.

Hij stond op – eerst een been, daarna het andere, en hij lachte door een smerige laag bloed en vuil.

'Herinner je je die *Rock-Em-Sock-Em Robots,* Paul?' Er was iets mis met zijn spraakvermogen – hij leek een stukje van zijn tong te missen. 'Ik had er twee, als kind. Je kon hun de ballen van het lijf trekken, maar het gaf niets, ze bleven komen.'

Hij liep een paar passen naar voren, met het pistool op Paul gericht.

Ruth begon te huilen. Toen hij over zijn schouder naar haar keek leek ze gevangen in een regen van groene bladeren.

Paul zette zich schrap om zijn lot onder ogen te zien – wat er ook gebeurde, er zou hier een eind aan komen.

De vogelkenner strompelde nog steeds, vreemd onvast op zijn benen, maar hij kwam onverbiddelijk dichterbij.

'Dat was een mooi kunstje dat je daar hebt geflikt!' Hij had problemen met zijn t's. *Dawwas een mooi kunsje dajje daar heb geflik.* 'Heb je dat op de verzekeringsschool geleerd?'

Nee. Op de verzekeringsschool leerde je het verschil tussen risico en waarschijnlijkheid. Je leerde dat je, als je geen gordel droeg wanneer je auto over de kop sloeg, je waarschijnlijk zou omkomen. Waarschíjnlijk, niet altijd. Maar je leerde iets anders over het leven en het tegengestelde getal, iets wat een mantra was binnen elke verzekeringsmaatschappij.

Als je niet door het één getroffen wordt, dan gebeurt het wel door het ander.

Een Dodge Coronado kwam van de LIE de afrit op scheuren. Veiligheidsregels schrijven voor dat je minstens 50 procent van je snelheid moet terugnemen wanneer je een afrit op draait. De bestuurder van de Coronado moest die les gemist hebben.

Toen hij geconfronteerd werd met de vernielde, rokende jeep die midden op de scherpe bocht van de afrit lag, werd hij gedwongen gevaarlijk uit te wijken naar de berm, en daarna terug te gaan, de weg op, om een treurwilg te ontwijken. Door die manoeuvre kwam hij vlak voor een ander, lichtelijk slingerend voorwerp terecht.

De vogelkenner had geen tijd om te reageren.

Hij werd de lucht in geslingerd, zodat hij leek op een van die circusartiesten die in de finale van zijn act de zwaartekracht tart.

Hij kwam neer met een luide klap, daarna bleef hij stil liggen.

45

Ze moest vannacht dromen.

Ze had de blikken gezien die Tomas haar toewierp. Het feit dat ze voor het eerst zo lang ze zich kon herinneren, geen avondeten had gekregen. De uitgeputte uitdrukking van Galina's gezicht, en haar trillende handen.

Ze had Joelle welterusten gekust alsof ze voorgoed afscheid nam. Ze had haar gebeden opgezegd, haar zonden opgebiecht. Ze had er vrede mee.

Ze moest dromen.

Als ze geluk had, zou ze in haar droom midden in de nacht gewekt worden, niet door de loop van een geweer, niet door het scherpe staal van een mes, maar door Galina's zachte gefluister.

In de droom zou Galina stilletjes het slot openmaken van de ketting waarmee haar benen aan de radiator geketend waren. Ze zou aanwijzingen in haar oor fluisteren. Daarna zou ze zwijgend de deur uit glippen, zoals mensen dat doen in dromen.

Daarna zou Joanna opstaan en zachtjes de deur uit sluipen.

Langzaam zou ze door de lege gang lopen, en daarna zou ze de buitendeur open duwen, zoals ze het al eens eerder had gedaan.

Het zou zeker te maken hebben met die aanwijzingen die haar waren ingefluisterd. Niet de jungle in lopen, maar precies de andere kant op, langs de hokken aan de achterkant waar kippen nerveus in de grond pikten, en vervolgens de smalle weg op.

Ze zou die weg af lopen alsof ze zweefde, alsof haar voeten nauwelijks de grond raakten. Ze zou doorlopen zonder achterom te kijken. Zonder angst of wraakgevoelens.

Ze zou een bocht om gaan en daar zou een auto op haar wachten. Een donkerblauwe Peugeot. De motor zou zachtjes stationair draaien en de chauffeur zou zich van zijn stoel laten glijden om haar te begroeten, terwijl hij waarschuwend een vinger tegen zijn lippen hield.

Hij zou zijn hand in de auto steken en er een bundeltje dekens en haartjes uit halen. Haar dochtertje, dat hij voorzichtig in haar armen legde.

'Dank je,' zou ze tegen Pablo fluisteren.

Dank je. Dank je.

TWEE JAAR LATER

46

Zondag in juni, en de draaimolen in Central Park zat helemaal vol.
Paul en Joanna zaten op een bank en hielden elkaars hand vast.
Je kon suikerspinnen ruiken, geroosterde pinda's en gepofte appels.
Boven de ronddraaiende paardjes zweefde calypsomuziek. Iets uit
een Disneyfilm, dacht Paul. *Under the sea... under the sea...*
Zo nu en dan legde Joanna haar hoofd op zijn schouder en liet het
daar rusten, en Paul had sterk de indruk dat de wereld eigenlijk vol-
maakt was.
Lichtjaren verwijderd van de gebeurtenissen van twee jaar geleden.
Van Bogotá. En van Miles.
Van die dag op de afrit van de Long Island Expressway.
En toch leek het soms helemaal niet zo ver weg. Dan was het vlak bij
hen in de kamer, loerde het in zijn kantoor, reed het met hem mee in
de auto, sliep het in zijn bed.
Zo werkt het geheugen, een vriend uit je kinderjaren met wie je nooit
echt het contact verliest. Ook niet wanneer je het dolgraag zou willen.
Op bepaalde momenten in je leven opdoemend wanneer je het het
minst verwacht.
Op een zachte zondagmiddag in juni, bijvoorbeeld.
Soms vroeg hij zich af hoeveel hij zijn dochter zou vertellen.
Zou hij haar, bijvoorbeeld, vertellen over de spectaculaire moord op
een zekere Colombiaanse ex-drugsbaron, in het toilet van een ge-
rechtsgebouw in Florida? Hoe Manuel Riojas vlak voor de zitting
zou beginnen, naar het toilet werd begeleid en nooit terugkwam?
Zou hij haar vertellen dat de moordenaar zich blijkbaar toegang had
verschaft door een penning van de DEA te laten zien? Dat deze penning, echt, hoewel beslist ongeldig, had toebehoord aan een DEA-agent
die al meer dan twee jaar dood was?
Een agent van wie bekend was dat hij van tijd tot tijd een ander uniform aantrok. Het uniform van een ornitholoog, bijvoorbeeld, die

vastberaden de jungle van Noord-Colombia in trok, op zoek naar de geelgevlekte toekan?

Een vogelkenner.

Zou hij haar vertellen hoe de penning van de vogelkenner in het bezit was geraakt van een huurmoordenaar?

Zou hij het uitleggen, spreken over die dag op de LIE, toen de DEA-agent midden op de afrit lag, met zijn penning naast zich die er letterlijk om smeekte opgeraapt te worden om in de toekomst voor een nog onbekend doel gebruikt te worden?

En zou hij haar vertellen wat er later die dag gebeurde, toen hij die penning naar een bekend gebouw in Little Odessa, Brooklyn, had gebracht? Toen hij aan de andere kant zat van een deur met het opschrift EL PRESIDENTE, om iets zakelijks te bespreken met Moshe?

Weet je hoe de Russen de Colombianen noemen? had Miles hem gevraagd, de dag waarop hij zelfmoord pleegde.

Hoe dan, Miles?

Amateurs.

En misschien had Miles daar volkomen gelijk in. De Russen handelden in zeer winstgevende zaken, tegen contante betaling. Misschien omdat ze bereid waren alles te doen voor de juiste prijs. Zo ongeveer alles. Inbraken, bankovervallen, zelfs moorden.

Waaronder heel spectaculaire.

Zolang je genoeg geld had, natuurlijk.

Maar waar kon Paul in vredesnaam zo veel geld vandaan halen?

Zou hij het haar vertellen? Zou hij uitleggen waar het vandaan kwam? Zou hij naar die dag teruggaan? De rokende jeep, de plas bloed en olie. *Ik heb mijn geld al binnen,* zei de vogelkenner tegen hem, voor hij de lucht in werd geslingerd en er een eeuwigheid voor nodig had om weer te landen.

Toen Paul omkeek naar Ruth, was die bedekt met een wervelwind van groene bladeren. Maar het *waren* geen bladeren. Omdat de vogelkenner zijn geld al binnen had, zijn loon had ontvangen van zijn nieuwe betaalmeester, van Riojas. En jaren DEA-training hadden hem de perfecte plaats geleerd om het te verbergen.

Van hoeveel auto's had hij door de jaren heen de vloerplaten losgetrokken? Op zoek naar zakjes coke, blokken hasj? Genoeg om hem te laten inzien wat een geweldige plek het was om iets op te bergen waarvan je niet wilde dat iemand het vond.

Hij had alleen geen rekening gehouden met een *ongeluk*. Hij had niet in aanmerking genomen dat Paul de handrem van de jeep zou aantrekken bij een snelheid van honderdtwintig kilometer per uur.

De klap scheurde de jeep uit elkaar, blies de zijpanelen eraf, joeg biljetten van duizend dollar hoog de lucht in, vanwaar ze als sneeuw op Ruths hoofd neerdaalden.

Zou hij zijn dochter vertellen hoe gemakkelijk het was geweest om het geld in zijn portefeuille en in zijn zakken te stoppen, terwijl ze wachtten op de komst van de ambulance?

Zou hij haar eraan herinneren?

De draaimolen ging langzamer, hield op met draaien, kwam tot stilstand. Vergezeld van de bitterzoete kreten van teleurgestelde kinderen.

Twee van hen kwamen naar de bank toe lopen.

Joelle, natuurlijk. Ze zag eruit als een dametje, in een roze trui, met haar zwarte haar opgestoken met kleine, roze speldjes, omdat roze haar aller-allerliefste kleur was – ten minste deze week.

Het meisje dat haar droeg, dat haar meetrok van de draaimolen waar ze gewoon nog een ritje in móést maken, was haar grote zus, die op en top een echte dame leek, bijna zestien, met grote, verbazingwekkend bruine ogen, opengesperd om iets wat Paul vurig hoopte dat geluk was.

Of, op zijn minst, vrede.

Dit was de dochter aan wie hij dacht dat hij alles op een dag zou moeten vertellen. Misschien niet. Misschien zou, wat hij had gedaan om haar in veiligheid te houden, beter onuitgesproken en onvermeld kunnen blijven, als deel van een geheim verleden dat ze voorgoed achter zich had gelaten. *Bescherm haar,* had Galina destijds aan Miles geschreven. En eindelijk, ten slotte, had iemand dat gedaan.

Uiteindelijk had haar adopteren het meest voor de hand liggende geleken.

Nadat Joanna en Joelle waren teruggekeerd uit Colombia, had Paul Galina en Pablo gebeld om zo goed mogelijk uit te leggen wat er gebeurd was. Dat het niet zeker was dat hij zich aan zijn deel van de afspraak kon houden, dat het in elk geval uitgesteld moest worden. Ooit waren het zijn ontvoerders. Nu waren het alleen nog bedroefde grootouders. En twee mensen die hun leven op het spel hadden gezet om hem zijn vrouw en dochter terug te bezorgen. Hij was hun eeuwig dankbaar.

Hij vertelde hun hoe hun kleindochter was, stuurde foto's, beschreef hoe ongewoon lief ze was, dat ze gezegend was met de speciale gave om iedereen voor zich in te nemen.

Ze ging een leeg leven tegemoet waarin ze niets betekende – touwtrekken tussen twee landen, waardoor ze nog een hele tijd in het Mt. Aaratziekenhuis zou moeten blijven. Misschien voorgoed.

Paul ging bij haar op bezoek, ging nog eens op bezoek.

Op een dag nam hij Joanna en Joelle mee.

Het werd een wekelijkse gewoonte. Evenals Pauls telefoontjes en brieven naar Ruths grootouders in Colombia. Deze keer waren de brieven met bijzonderheden over haar leven natuurlijk echt. Niet verzonnen. De gevoelens van spijt, telkens wanneer het drietal Ruth bij de deur van het ziekenhuis achterliet, waren ook echt. Ze wuifde hen na tot hun auto om de hoek verdween.

Hij kon zich werkelijk niet meer herinneren wie er het eerst over was begonnen.

Galina en Pablo? Of hij?

Misschien tegelijkertijd. In Colombia was het niet noodzakelijkerwijs veiliger voor Ruth dan eerst. Het was er dezer dagen voor niemand veilig. Galina en Pablo begonnen een dagje ouder te worden. Plotseling was het alsof alle betrokken partijen wisten wat het beste was. Waar Ruth thuishoorde.

Galina en Pablo gaven toestemming.

Paul en Joanna dienden een aanvraag voor adoptie in, die een jaar later werd toegestaan.

Ze was nog niet uit de problemen. Het was heel goed mogelijk dat ze nooit zover zou komen. Drie keer per week ging ze naar groepstherapie, ze moest medicijnen blijven slikken, en zo nu en dan verviel ze in periodes van hartverscheurende wanhoop.

Meestal lachte ze, straalde ze zelfs. Paul was ervan overtuigd dat haar gezin haar koesterde, zoals het zich ook aan haar koesterde.

Hij was in wat een oogwenk leek van een kinderloos echtpaar overgestapt op een volledig gezin. Hij dacht niet meer aan de veiligheid van getallen voor de onzekere momenten van het leven. Alle kans, dacht hij, dat het een goed leven zou zijn.

'Kom, lieverds, laten we iets gaan eten,' zei Paul tegen zijn dochters. Joelle en Claudia.

O, ja. Op de dag dat ze Ruth officieel hun achternaam gaven, hadden

ze haar gevraagd of ze haar voornaam misschien ook wilde veranderen.
'Waarin?' vroeg Paul haar.
Hoe heette haar moeder?
Joanna vertelde het haar.
'Claudia,' zei ze. 'Claudia Breidbart. Dat klinkt goed.'

HANNAH NYALA

Noodkreet

Tally Nowata is getraind in het redden van mensenlevens. Als lid van een Amerikaans *rescue team* is ze gespecialiseerd in overlevingstechnieken onder de meest extreme omstandigheden en heeft ze veel – vaak zwaargewonde – mannen en vrouwen in de bergen opgespoord en veilig teruggebracht.

Twee jaar na de gruwelijke moord op haar minnaar Paul in de Australische Outback heeft Tally zo goed en zo kwaad als het gaat de draad van haar leven weer opgepakt. Ze gaat nog steeds gebukt onder een groot verdriet maar ze heeft zich weer met volle overgave gestort op dat wat haar passie is: het reddingswerk in de bergen. Tot een alarmerende oproep van een anonieme beller haar de bergen in lokt en haar meesleurt in een nachtmerrieachtig scenario.

Als een van haar collega's op mysterieuze wijze verdwijnt, valt namelijk alle verdenking op Tally en moet zij alles op alles zetten om te bewijzen dat zíj niet de schuldige is, maar de nietsontziende moordenaar die het eigenlijk op haar leven gemunt heeft. En op het leven van dat wat haar het liefste is: haar kind...

'Nyala's gedegen kennis van survivaltechnieken en haar scherpe schrijfstijl maken dit boek tot het opvallendste thrillerdebuut van dit jaar.' – *Publishers Weekly* over *Dood spoor*

ISBN 90 6112 063 2